D1295091

LE LIVRE DE NOËL

De Berthaud
Noël 1985

Françoise Lebrun

LE LIVRE DE NOËL

Robert Laffont

SOMMAIRE

Page de titre : Adoration de l'Enfant Jésus. *Fresque de la Chapelle de la Vierge, Couvent Saint-Benoît, Subiaco, Italie.*
Pages suivantes : Rois Mages. *Mosaïque, Saint-Apollinaire-le-Neuf, Ravenne.*

ISBN 2-221-01113-9

3 99 Noël dans la maison

4 139 Le repas de Noël

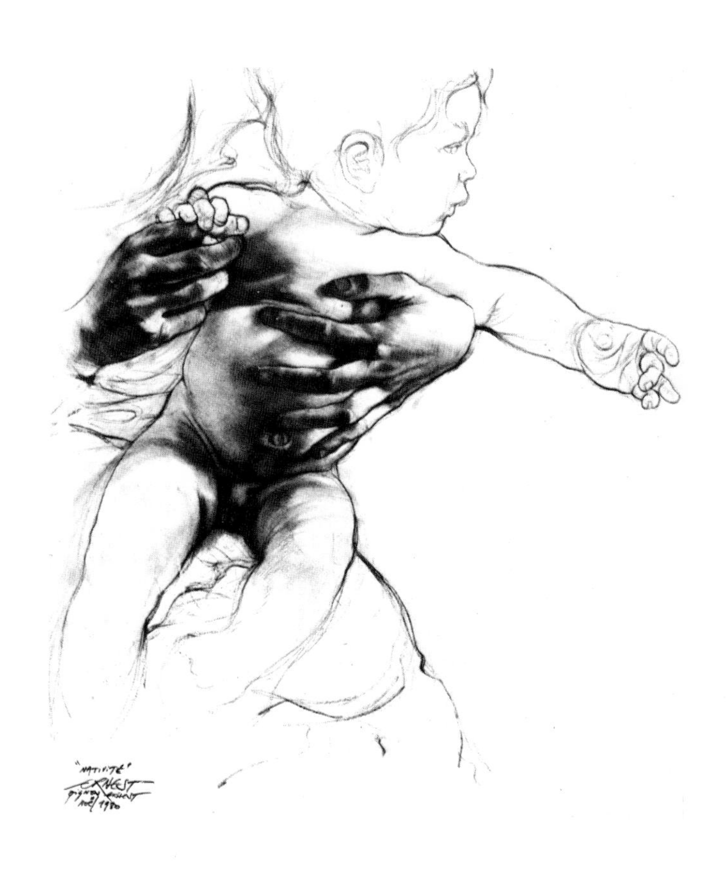

NOËLS ANCIENS

Noël en Provence au siècle dernier

FIDÈLE *aux anciens usages, pour mon père, la grande fête, c'était la veillée de Noël. Ce jour-là, les laboureurs dételaient de bonne heure ; ma mère leur donnait à chacun, dans une serviette, une belle galette à l'huile, une rouelle de nougat, une jointée de figues sèches, un fromage du troupeau, une salade de céleri et une bouteille de vin cuit. Et qui de-ci, et qui de-là, les serviteurs s'en allaient, pour « poser la bûche au feu », dans leur pays ou dans leur maison. Au Mas ne demeuraient que les quelques pauvres hères qui n'avaient pas de famille ; et, parfois, des parents, quelque vieux garçon, par exemple, arrivaient à la nuit, en disant :*

— Bonnes fêtes ! Nous venons poser, cousins, la bûche au feu, avec vous autres.

Tous ensemble, nous allions joyeusement chercher la « bûche de Noël », qui — c'était de tradition — devait être un arbre fruitier. Nous l'apportions dans le Mas, tous à la file, le plus âgé la tenant d'un bout, moi, le dernier-né, de l'autre ; trois fois nous lui faisions faire le tour de la cuisine ; puis, arrivé devant la dalle du foyer, mon père, solennellement, répandait sur la bûche un verre de vin cuit, en disant :

« Allégresse ! Allégresse.
Mes beaux enfants, que Dieu nous comble d'allégresse !
Avec Noël, tout bien vient :
Dieu nous fasse la grâce de voir l'année prochaine
Et, sinon plus nombreux, puissions-nous n'y être pas moins. »

Et, nous écriant tous : « Allégresse, allégresse, allégresse ! » on posait l'arbre sur les landiers et, dès que s'élançait le premier jet de flamme : « A la bûche boute feu ! » disait mon père en se signant. Et tous, nous nous mettions à table.

Oh ! la sainte tablée, sainte réellement, avec, tout à l'entour, la famille complète, pacifique et heureuse...

Frédéric Mistral.
Mon enfance, Mémoires, récits, Plon, 1920.

◀ Nativité. *« Le Monde » de 1981. Ernest Pignon-Ernest.*

Noël à Molivos (Grèce) autour de 1930

QUARANTE *jours avant Noël, commençait le grand jeûne. On ne mangeait ni viande, ni poissons, ni œufs, mais des olives, des olives vertes, parce que dans les noires il y a un peu d'huile. Pas de beurre évidemment. Quelques jours avant Noël, on s'occupait des animaux. S'il n'y avait pas de cheval, il y avait au moins un âne, sinon comment faire tous les travaux ? La vie était différente. Il fallait soigner les animaux, tous, brebis, chats, chiens, les laver, les peigner car on disait que Jésus à sa naissance questionne les animaux pour demander comment les hommes se comportent avec eux. On brossait les cornes des bœufs, les sabots des chevaux et on leur donnait à manger plus qu'à l'habitude. On en faisait plus pour les animaux que pour les humains.*

Le jour de Noël, on se levait très tôt, la messe avait lieu à 4 ou 5 heures du matin et après on revenait à la maison. Tout le monde communiait. Maintenant quelques vieilles vont encore communier, mais l'église est vide, sauf l'été pour les touristes qui viennent voir le spectacle. Puis les enfants plus âgés commençaient à aller de maison en maison pour chanter les Kalanda, les chants de Noël. « Bonjour, Seigneur, si vous me permettez, on vous racontera la naissance du Christ qui est le Dieu. » On chantait, avec un triangle de fer pour accompagner et rythmer. Dans chaque maison, on nous donnait une drachme, une demi-drachme. Aujourd'hui les enfants le font toujours, on leur donne vingt drachmes (deux francs).

La crèche ne se fait pas. Une femme de l'île, réfugiée d'Izmir en Asie Mineure, raconte qu'on la faisait chez elle. Mais ce n'est pas une coutume grecque. On avait des bateaux, de fer blanc ou de bois, comme des jouets. On les décorait et on y mettait des petits cadeaux, car en ce temps-là tout le monde était pauvre et on ne vendait pas de jouets au village. Quelques familles avaient le nécessaire, et on offrait souliers ou vêtements. Quelquefois, on trouvait un jouet à Mytilène. Mais quatre-vingt-quinze pour cent des gens n'avaient pas la possibilité d'acheter, et la mère tricotait une paire de bas, un pull-over. Pourquoi des bateaux à la place des sapins ? Personne ne s'en souvient. Pendant vingt à trente ans, on a perdu le bateau, mais il commence à revenir dans toute la Grèce. La fête était plutôt religieuse.

On emmenait même les bébés à la messe de l'aube, qui était très belle, avec des chants spéciaux. Pour nous, le premier de l'an est très important, c'est la fête de saint Basile « AY Vassilis », qui correspond à votre saint Nicolas. Il n'y a pas de Père Noël, on fête Noël, on décore l'arbre maintenant, mais on fait aussi un autre cadeau pour le premier de l'an.

En ce temps-là, pour manger un poulet, il fallait l'élever. Chaque maison nourrissait sa dinde pour Noël. A midi, on la farcissait et on la mangeait. On la prépare toujours de la même façon, la dinde est remplie de riz, de châtaignes, de pignons, d'amandes, de foie coupé en petits morceaux, du foie de mouton aussi, et de l'aneth. On la sert avec de la laitue et on termine le repas en mangeant la baclava, un gâteau fait d'amandes et de minces feuilles de pâte. Mais aujourd'hui, la dinde n'a plus le même goût, parce qu'avant on ne mangeait pas du tout de viande pendant quarante jours. Cela avait une saveur !

On appelle Noël « Christouyena », la naissance du Christ. La guerre a fait disparaître toutes ces traditions. Il n'y a presque plus d'animaux à la maison.

Andréas Kiriakou, *récit recueilli en 1982.*

Noël en Colombie autour de 1960

AUTREFOIS, *quand j'étais enfant ce n'était pas le père Noël qui venait apporter les cadeaux, mais l'enfant Jésus, el nino Jesus, le soir de Noël. Aujourd'hui, c'est différent, parce que le pays s'est beaucoup américanisé.*

Dans la maison, il y avait une grande, une immense « pesebre », une crèche. Plus elle est grande et belle, plus la famille est riche. Début décembre, je sortais avec mon père, mes sœurs, chercher de la mousse dans la campagne pour en garnir la crèche. Nous faisions des illuminations avec des bougies. C'était un acte de participation de toute la famille, qui scelle l'unité du clan.

Les santons sont de terre cuite, et il y a tous les animaux, jusqu'à la poule avec le maïs. Dans l'étable, les chevaux, l'âne, le bœuf : c'est l'image de l'église catholique, avec le manteau bleu de Marie. La crèche représente un village dans la montagne et bien sûr l'étable de Jésus se trouve dans la maison la plus pauvre.

Neuf jours avant Noël, nous commençons les neuvaines, neuf jours de chants et de prières, repris en chœur. C'est la réunion des voisins, jusqu'à quinze personnes. Chaque soir la réunion se faisait dans une maison différente, près de la crèche. Il y avait des gâteaux, des bonbons, selon les moyens de la maison. Cela s'appelle « villancicos ». On faisait aussi avancer les personnages de la crèche, suivant l'histoire racontée dans la Bible de la naissance del nino Jesus. Cela avait lieu de 7 à 8 heures, le soir, après le repas.

Puis vient la nuit du mystère. Les jours précédents, l'enfant écrit une carte à l'enfant Jésus pour demander ses cadeaux, ou bien fait la demande dans une prière. Il va se coucher vers 8, 9 heures, pendant que la famille et les plus grands font une fête. Pour ceux qui ont plus de dix ans, il y a le repas de minuit, puis tout le monde va à la « misa de gallo », la messe du coq.

Quand l'enfant se lève, il trouve ses cadeaux dans sa chambre, parfois dans son lit et se réveille le cadeau dans les bras. J'y ai cru avec innocence jusqu'à l'âge de sept ans.

Et ce jour-là, arrive enfin el nino Jesus dans la crèche, puisqu'il est né. Le grand plaisir est de comparer la beauté des crèches des différentes maisons de ses amis. La maison est entièrement décorée et un grand pin est dressé et orné. La crèche est rangée le 7 janvier, puisque les Rois mages arrivent le 6. On fait aussi des cadeaux à cette occasion, et il y a un gâteau spécial dont je ne me souviens pas exactement.

Il y a aussi une autre fête avant Noël, le 8 décembre ; je crois qu'on commence les crèches avant cette date et que ça a un rapport, mais je n'en suis pas sûr. C'est la fête des bougies, il y en a partout, devant les fenêtres, au bord du trottoir, même à Bogota, et les pétards éclatent de tous les côtés.

A la campagne, dans les fincas qui produisent le café ou qui font l'élevage des bœufs, on offrait à tout visiteur au moment de Noël un peu de « natilla », un gâteau de maïs. Faire ce gâteau était une fête, car il fallait une très grande marmite. La pâte devenait très épaisse et demandait beaucoup de force. Les femmes commençaient, mais c'était les hommes qui tournaient, l'un après l'autre, en buvant de l'aguardiente. Quelquefois, l'homme se déguisait en femme et la fête commençait. On installait le feu dehors, on préparait les braises, et on faisait jusqu'à vingt plats de natilla. Ça commençait dès le matin. Aujourd'hui, on utilise la maïzena, qui est instantanée, et cela supprime toute la fête. Cela se passait dans les grandes familles riches, où les réunions de Noël comptaient au moins cinquante personnes. Ce n'était pas la tradition partout. On offrait aussi du bunuelos, une boulette de pâte, faite de fromage frais de vache et de maïs, cuite dans l'huile, ni salée, ni sucrée.

Aujourd'hui, les choses se sont transformées, ont dégénéré, car la Colombie s'est ouverte aux influences étrangères. L'enfant, comme en Europe, participe davantage à toute la fête et cela enlève aux mystères et aux plaisirs que moi, j'ai connus. Peut-être cela existe-t-il encore dans les villages, mais sûrement pas dans les grandes villes, puisqu'on trouve même des crèches préfabriquées.

Ernesto Patilla, *récit recueilli en octobre 1982.*

Noël en Pologne autour de 1913

DURANT *la deuxième moitié de décembre, les enfants chrétiens de notre quartier étaient mobilisés pour deux besognes. D'abord, les prêtres — popes de l'Église orthodoxe grecque, pour les Ukrainiens, ou curés de l'Église catholique romaine — se dépensaient sans compter pour les préparer aux fêtes de la Saint-Nicolas et de Noël. A cette occasion, on ne manquait pas de ressasser aux petits chrétiens que c'étaient les juifs qui avaient crucifié le Christ et que le Bon Dieu gardait ce peuple en vie pour qu'il témoignât éternellement de son crime. Et naturellement c'était une période où, comme lors de la préparation à Pâques, se déchaînaient dans nos villes des vagues d'un antisémitisme où trouvait surtout son intérêt la monarchie austro-hongroise, cette puissance occupant alors le pays, peuplé d'Ukrainiens, de Polonais et de juifs, mais que n'habitaient ni un Autrichien ni un Hongrois, à part les gendarmes venus de Hongrie pour représenter l'ordre et quelques fonctionnaires parlant l'allemand. L'antisémitisme comme les bagarres périodiques entre Ukrainiens et Polonais désamorçaient l'opposition au pouvoir central de Vienne.*

La deuxième occupation des jeunes chrétiens, à cette période de l'année, était de construire des crèches portatives : c'étaient en général des lanternes triangulaires en papier de couleur, hissées au bout d'un bâton et dans lesquelles on allumait une bougie. Les jeunes gens se promenaient avec cette crèche sous les fenêtres des habitants, en chantant des cantiques, et ramassaient les sous qu'on leur lançait. Il leur arrivait de chanter également des chansons antisémites devant les habitations juives, surtout là où ne leur donnait rien.

C'était donc à cette époque proche de Noël que, Wladek et moi, nous nous étions rencontrés une dernière fois : dans la rue, en fin de journée, à mon retour de l'école juive (khaider).

Comme j'arrivais près de lui, il attrapa une des papillotes, assez longues, qui me tombaient de chaque côté du visage, comme c'était la coutume pour les juifs orthodoxes. Il tira très fort, avec une vive secousse au bout du mouvement. J'eus une sensation d'eau chaude coulant le long de ma joue. J'y portai la main pour toucher, la retirai et vis du sang sur mes doigts. Effrayé par la vue de ce sang plus que par la douleur, je me mis à pleurer et demandai entre mes larmes à mon ami :

— Pourquoi as-tu fait cela, Wladek ?

Celui-ci, encore plus effrayé que moi en voyant ruisseler le sang, s'enfuit en pleurant tout autant et en s'exclamant :

— Et toi, pourquoi as-tu tué le Christ ?

Rentré à la maison, j'écopai d'une bonne correction de mon père et dus promettre de ne plus jouer avec Wladek.

Je tins d'autant plus aisément parole que sa famille déménagea. Puis arriva la Grande Guerre, avec ses turpitudes et ses horreurs. Je ne revis plus Wladek. Mais ses yeux noirs, sa figure basanée comme celle de son père, le bûcheron Tomko — son nom me revient tout à coup — m'étaient restés en mémoire.

Voilà pourquoi je l'avais reconnu immédiatement à l'hôpital, comme lui-même avait su tout de suite qui j'étais, même si je ne portais plus de papillotes.

Nous sommes restés un grand moment à nous regarder sans parler. Puis Wladek, péniblement, souleva un peu la tête et me dit avec un sourire amer :

— Vois-tu, je le sais déjà depuis longtemps que ce n'est pas toi qui as tué le Christ...

Atteint d'une balle au ventre, il ne survécut pas à sa blessure.

Jean Jerôme
La part des hommes, Acropole, 1983

Noël en Pologne autour de 1970

CHEZ *nous, à Noël, il fait très froid, il y a de la neige partout. Dès le mois de septembre, nous commençons à préparer la veillée de Noël. Elle a lieu chez la grand-mère, ou si elle est trop vieille, chez les aînés des enfants. Toute la famille est là, de vingt-cinq à trente personnes et pendant la semaine de Noël, les repas ont lieu ensuite chez les uns et les autres. On laisse toujours une assiette vide pour un voyageur, celui qui passe. On ne sait jamais d'où il vient, il n'a pas d'âge, pas de domicile, c'est un solitaire. Ça remonte au temps où les réparateurs d'outils ou les travailleurs agricoles allaient de ferme en ferme. On ne savait pas qui c'était, mais il arrivait et on l'accueillait.*

Sous la nappe on met des petits tas de foin à côté des assiettes, quelquefois même sous la table, pour rappeler que le Christ est né dans un berceau rempli de foin. Dès 6 heures du soir, les enfants regardent le ciel, ils attendent la première étoile et quand elle apparaît le repas peut commencer. C'est un repas maigre, composé de treize plats, absolument. Mais d'abord, la grand-mère casse l'hostie. L'hostie n'est pas ronde, mais rectangulaire, comme une enveloppe, la grand-mère en casse un petit morceau, le donne à l'aîné qui le mange, ils s'embrassent en se souhaitant un joyeux Noël, cela continue jusqu'à ce que tout le monde ait eu un peu d'hostie.

Le repas commence, il n'y a pas de vin, uniquement de l'alcool. D'abord les plats froids : les harengs à l'huile ou à la crème fraîche, les champignons marinés, des grands cornichons qui ont macéré dans un tonneau en bois, le raifort cru, râpé ou coupé en petits morceaux, mélangé avec de la betterave rouge cuite, coupée en lamelles, et les poissons en gelée, une carpe ou une truite, avec des œufs durs mayonnaise et des petits pois. Puis la grand-mère ou la fille aînée apporte la soupe de champignons, ou le borstch. C'est une soupe de chou et de betterave, servie sans légumes, dans laquelle on verse du jus de betterave cru et du citron. On la sert avec des petits pâtés, de sortes de crêpes aux champignons. Puis il y a le plat traditionnel de pâtes aux grains de pavots, la carpe, coupée en tranches, passée à la poêle et reconstituée. Comme les enfants n'en peuvent plus d'impatience, on leur donne les cadeaux avant les desserts, et on chante les cantiques.

Pour les desserts il y a toujours un gâteau aux pavots, du pain d'épice qui est fait avec plus de miel que d'habitude, quelquefois une tarte au fromage et surtout une compote de fruits secs, des pommes, des poires, des prunes, des abricots, des raisins. Les fruits sont séchés en plein air, coupés en tranches, cela se fait encore chez les paysans. Puis vers 11 heures, tout le monde part pour la messe de minuit.

Le jour de Noël est réservé à la famille. Vers 11 heures, commence le repas de Noël, chez un des enfants. On mange des hors-d'œuvre froids en buvant du cognac ou de la vodka et on bavarde. Vers 3 ou 4 heures de l'après-midi, on sert la dinde, avec des poires aigres-douces et des pommes de terre, puis des pâtisseries. Chacun rentre chez soi vers 5 heures, et le soir on fait un dîner léger en famille. Le lendemain, on fête Noël avec les amis.

Le sapin est le plus grand et le plus beau possible ; on le décore avec des vraies bougies, des petites pommes frottées à l'huile pour les faire briller, des bonbons, des pains d'épice en forme de cœur, de petit cheval, des étoiles en papier brillant que l'on fait soi-même. Le sapin reste jusqu'au 6 janvier.

Il n'y a pas toujours de crèche à la maison, mais, avant, les enfants se promenaient de maison en maison, en chantant des cantiques et en portant une crèche animée, on leur donnait de l'argent. Quelquefois aussi ils se déguisent en Diable, en bergers, en Mort, et vont de porte en porte. On fait aussi bénir des craies, et on marque sur la porte les initiales des trois rois : K + M + B.

Le premier janvier, on s'embrasse sous le gui.

Gratzina Meretic et Joanna F.,
récits recueillis en décembre 1982.

1
UNE LUMIÈRE AU CŒUR DE L'HIVER

Pour moi, a déclaré ma fille qui a neuf ans, Noël, c'est la naissance du fils de Dieu et l'on fête sa naissance en faisant des cadeaux aux enfants. » J'ai acquiescé, en trouvant néanmoins le raccourci rapide. Prise d'un scrupule nouveau, je suis allée feuilleter les Évangiles. J'ai commencé à lire avec attention, et surprise : chez saint Marc et saint Jean, pas de traces de la fameuse naissance. Piquée au vif, je me suis attaquée aux deux autres évangiles, puis aux évangiles apocryphes, sans savoir encore que l'aventure était commencée. J'étais partie pour des mois de recherche sur Noël, de découvertes en découvertes.

Les textes

« Les Évangiles ne sont pas divisés sur le fond, écrivait saint Augustin, même si l'un dit ce que l'autre passe sous silence ou le rapporte d'une autre manière. »

Les textes de Luc et de Matthieu présentent de façon différente la naissance du Christ. Dans l'Évangile selon saint Luc, c'est une double naissance qui est mise en scène : celle de Jésus et celle de Jean-Baptiste. L'ange annonce à Marie qu'elle portera le Fils de Dieu, comme il avait annoncé à Zacharie qu'il serait père, malgré l'âge avancé de sa femme, Élisabeth. Puis saint Luc donne la raison du voyage à Bethléem : le recensement ordonné par un décret de César Auguste. Le récit de la naissance est assez bref, tandis que l'annonce aux bergers tient une place plus importante. L'Évangile de l'Enfance s'achève sur la présentation au Temple.

Dans l'Évangile selon saint Matthieu, le récit s'ouvre sur la généalogie, impressionnante, du Fils de Dieu. Et c'est à Joseph, cette fois, qu'un ange révèle la prochaine naissance, qui ne sera pas même décrite. Pas d'armée céleste éveillant les bergers, mais les mages d'Orient guidés par l'étoile. Puis vient un épisode passé sous silence par saint Luc : la colère d'Hérode, et la fuite en Égypte.

◀ Nativité. *Maestro Esigno, XVe siècle, Florence, musée de Rouen.*

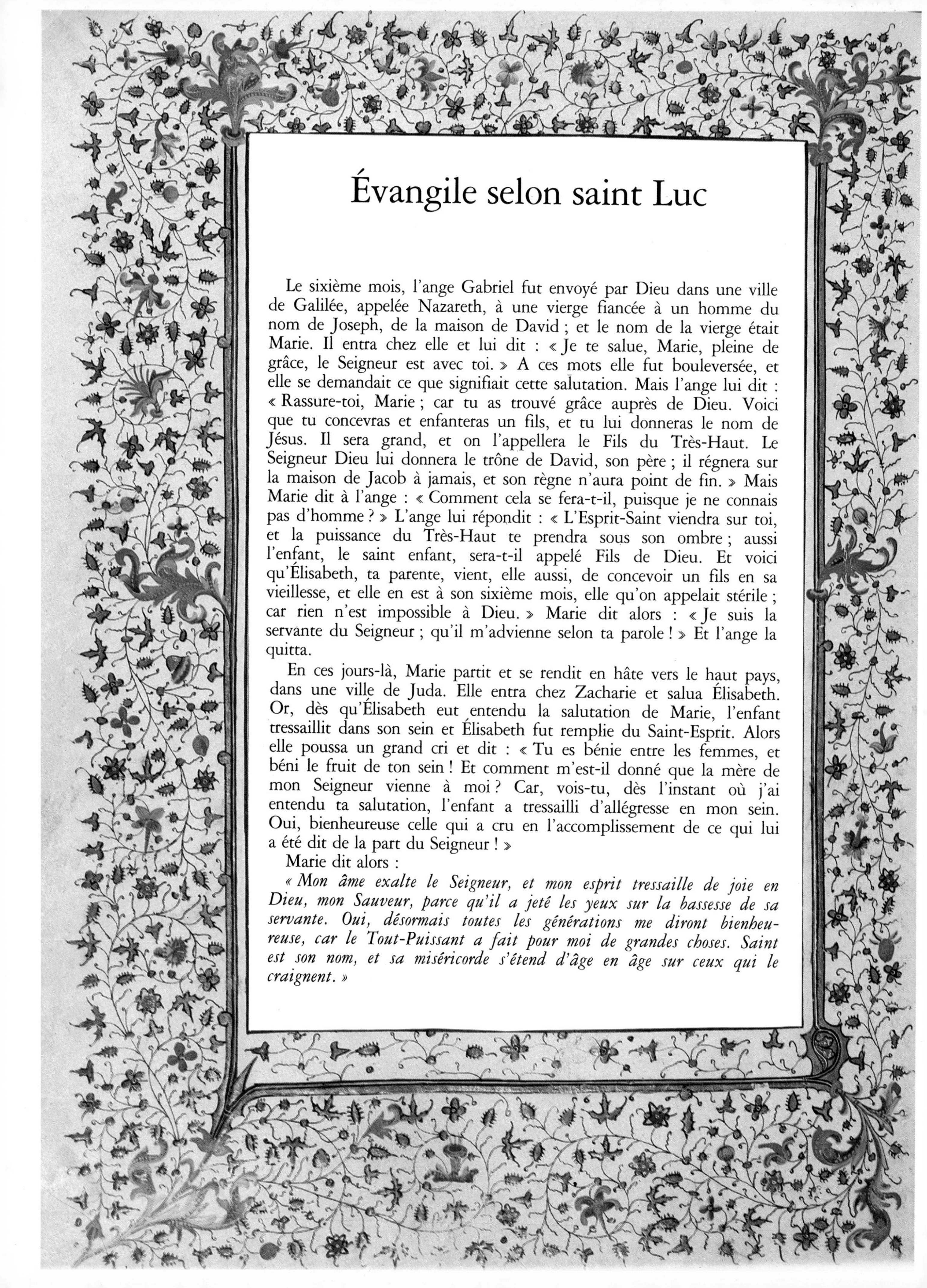

Évangile selon saint Luc

Le sixième mois, l'ange Gabriel fut envoyé par Dieu dans une ville de Galilée, appelée Nazareth, à une vierge fiancée à un homme du nom de Joseph, de la maison de David ; et le nom de la vierge était Marie. Il entra chez elle et lui dit : « Je te salue, Marie, pleine de grâce, le Seigneur est avec toi. » A ces mots elle fut bouleversée, et elle se demandait ce que signifiait cette salutation. Mais l'ange lui dit : « Rassure-toi, Marie ; car tu as trouvé grâce auprès de Dieu. Voici que tu concevras et enfanteras un fils, et tu lui donneras le nom de Jésus. Il sera grand, et on l'appellera le Fils du Très-Haut. Le Seigneur Dieu lui donnera le trône de David, son père ; il régnera sur la maison de Jacob à jamais, et son règne n'aura point de fin. » Mais Marie dit à l'ange : « Comment cela se fera-t-il, puisque je ne connais pas d'homme ? » L'ange lui répondit : « L'Esprit-Saint viendra sur toi, et la puissance du Très-Haut te prendra sous son ombre ; aussi l'enfant, le saint enfant, sera-t-il appelé Fils de Dieu. Et voici qu'Élisabeth, ta parente, vient, elle aussi, de concevoir un fils en sa vieillesse, et elle en est à son sixième mois, elle qu'on appelait stérile ; car rien n'est impossible à Dieu. » Marie dit alors : « Je suis la servante du Seigneur ; qu'il m'advienne selon ta parole ! » Et l'ange la quitta.

En ces jours-là, Marie partit et se rendit en hâte vers le haut pays, dans une ville de Juda. Elle entra chez Zacharie et salua Élisabeth. Or, dès qu'Élisabeth eut entendu la salutation de Marie, l'enfant tressaillit dans son sein et Élisabeth fut remplie du Saint-Esprit. Alors elle poussa un grand cri et dit : « Tu es bénie entre les femmes, et béni le fruit de ton sein ! Et comment m'est-il donné que la mère de mon Seigneur vienne à moi ? Car, vois-tu, dès l'instant où j'ai entendu ta salutation, l'enfant a tressailli d'allégresse en mon sein. Oui, bienheureuse celle qui a cru en l'accomplissement de ce qui lui a été dit de la part du Seigneur ! »

Marie dit alors :

« Mon âme exalte le Seigneur, et mon esprit tressaille de joie en Dieu, mon Sauveur, parce qu'il a jeté les yeux sur la bassesse de sa servante. Oui, désormais toutes les générations me diront bienheureuse, car le Tout-Puissant a fait pour moi de grandes choses. Saint est son nom, et sa miséricorde s'étend d'âge en âge sur ceux qui le craignent. »

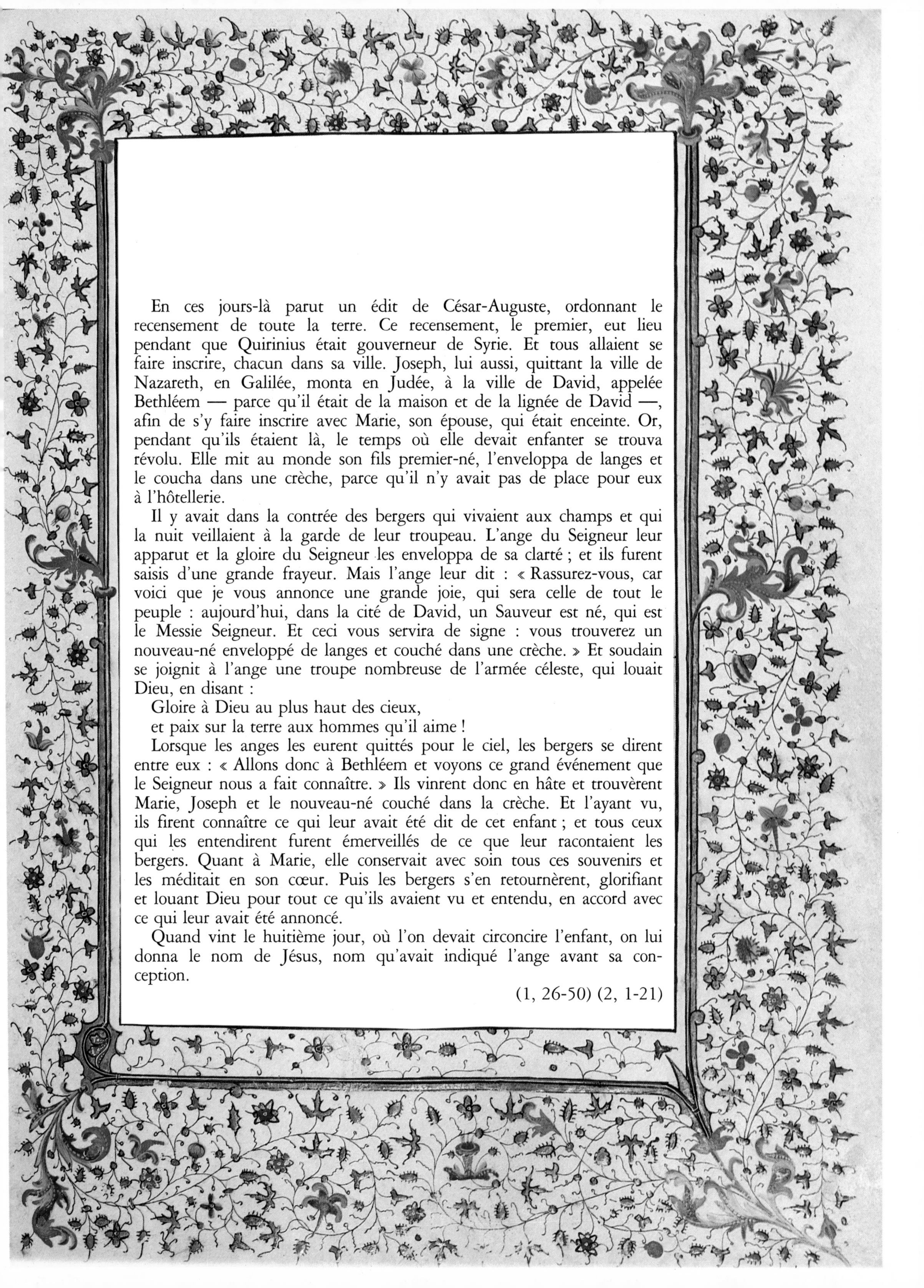

En ces jours-là parut un édit de César-Auguste, ordonnant le recensement de toute la terre. Ce recensement, le premier, eut lieu pendant que Quirinius était gouverneur de Syrie. Et tous allaient se faire inscrire, chacun dans sa ville. Joseph, lui aussi, quittant la ville de Nazareth, en Galilée, monta en Judée, à la ville de David, appelée Bethléem — parce qu'il était de la maison et de la lignée de David —, afin de s'y faire inscrire avec Marie, son épouse, qui était enceinte. Or, pendant qu'ils étaient là, le temps où elle devait enfanter se trouva révolu. Elle mit au monde son fils premier-né, l'enveloppa de langes et le coucha dans une crèche, parce qu'il n'y avait pas de place pour eux à l'hôtellerie.

Il y avait dans la contrée des bergers qui vivaient aux champs et qui la nuit veillaient à la garde de leur troupeau. L'ange du Seigneur leur apparut et la gloire du Seigneur les enveloppa de sa clarté ; et ils furent saisis d'une grande frayeur. Mais l'ange leur dit : « Rassurez-vous, car voici que je vous annonce une grande joie, qui sera celle de tout le peuple : aujourd'hui, dans la cité de David, un Sauveur est né, qui est le Messie Seigneur. Et ceci vous servira de signe : vous trouverez un nouveau-né enveloppé de langes et couché dans une crèche. » Et soudain se joignit à l'ange une troupe nombreuse de l'armée céleste, qui louait Dieu, en disant :

Gloire à Dieu au plus haut des cieux,
et paix sur la terre aux hommes qu'il aime !

Lorsque les anges les eurent quittés pour le ciel, les bergers se dirent entre eux : « Allons donc à Bethléem et voyons ce grand événement que le Seigneur nous a fait connaître. » Ils vinrent donc en hâte et trouvèrent Marie, Joseph et le nouveau-né couché dans la crèche. Et l'ayant vu, ils firent connaître ce qui leur avait été dit de cet enfant ; et tous ceux qui les entendirent furent émerveillés de ce que leur racontaient les bergers. Quant à Marie, elle conservait avec soin tous ces souvenirs et les méditait en son cœur. Puis les bergers s'en retournèrent, glorifiant et louant Dieu pour tout ce qu'ils avaient vu et entendu, en accord avec ce qui leur avait été annoncé.

Quand vint le huitième jour, où l'on devait circoncire l'enfant, on lui donna le nom de Jésus, nom qu'avait indiqué l'ange avant sa conception.

(1, 26-50) (2, 1-21)

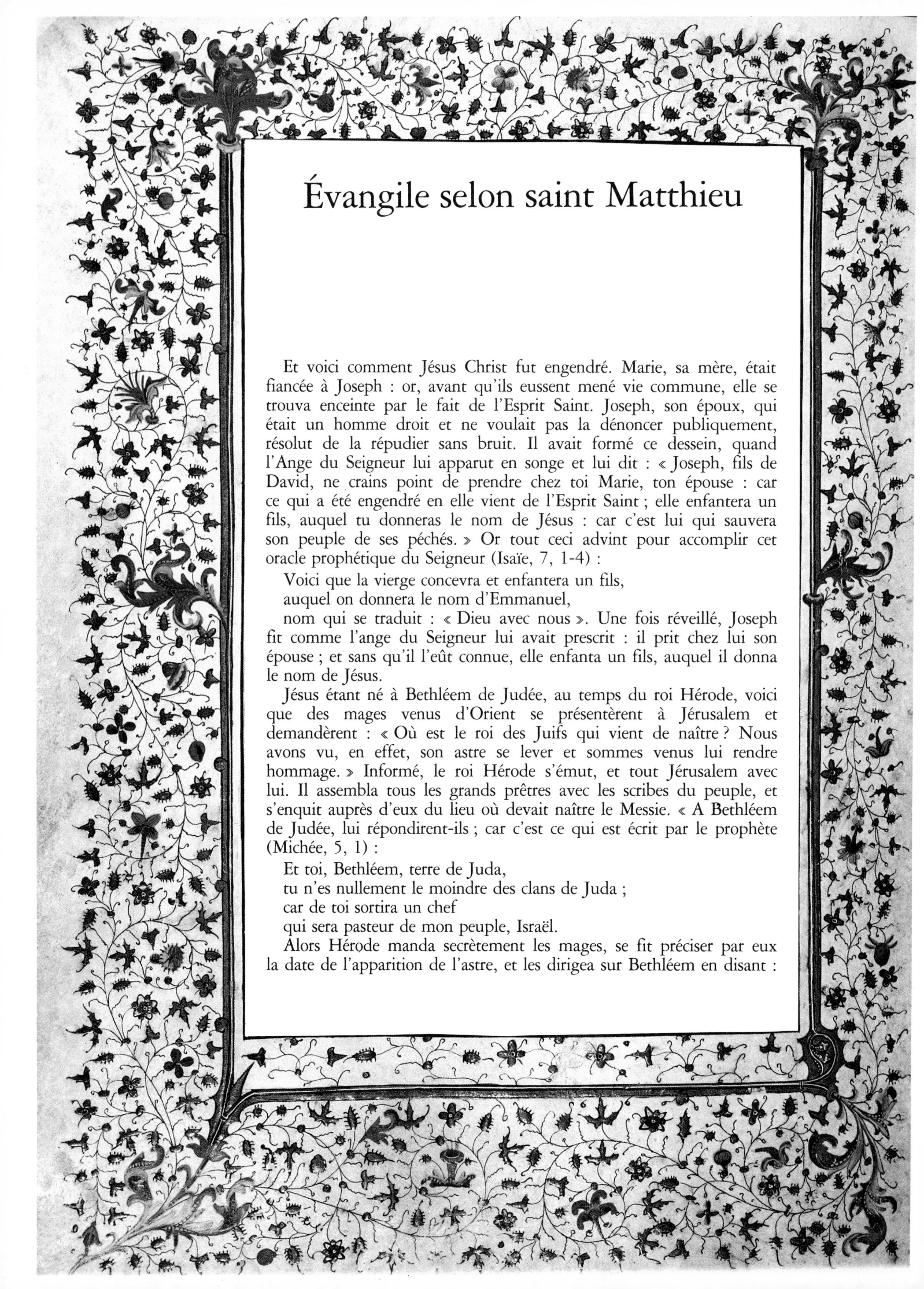

Évangile selon saint Matthieu

Et voici comment Jésus Christ fut engendré. Marie, sa mère, était fiancée à Joseph : or, avant qu'ils eussent mené vie commune, elle se trouva enceinte par le fait de l'Esprit Saint. Joseph, son époux, qui était un homme droit et ne voulait pas la dénoncer publiquement, résolut de la répudier sans bruit. Il avait formé ce dessein, quand l'Ange du Seigneur lui apparut en songe et lui dit : « Joseph, fils de David, ne crains point de prendre chez toi Marie, ton épouse : car ce qui a été engendré en elle vient de l'Esprit Saint ; elle enfantera un fils, auquel tu donneras le nom de Jésus : car c'est lui qui sauvera son peuple de ses péchés. » Or tout ceci advint pour accomplir cet oracle prophétique du Seigneur (Isaïe, 7, 1-4) :

Voici que la vierge concevra et enfantera un fils,
auquel on donnera le nom d'Emmanuel,
nom qui se traduit : « Dieu avec nous ». Une fois réveillé, Joseph fit comme l'ange du Seigneur lui avait prescrit : il prit chez lui son épouse ; et sans qu'il l'eût connue, elle enfanta un fils, auquel il donna le nom de Jésus.

Jésus étant né à Bethléem de Judée, au temps du roi Hérode, voici que des mages venus d'Orient se présentèrent à Jérusalem et demandèrent : « Où est le roi des Juifs qui vient de naître ? Nous avons vu, en effet, son astre se lever et sommes venus lui rendre hommage. » Informé, le roi Hérode s'émut, et tout Jérusalem avec lui. Il assembla tous les grands prêtres avec les scribes du peuple, et s'enquit auprès d'eux du lieu où devait naître le Messie. « A Bethléem de Judée, lui répondirent-ils ; car c'est ce qui est écrit par le prophète (Michée, 5, 1) :

Et toi, Bethléem, terre de Juda,
tu n'es nullement le moindre des clans de Juda ;
car de toi sortira un chef
qui sera pasteur de mon peuple, Israël.

Alors Hérode manda secrètement les mages, se fit préciser par eux la date de l'apparition de l'astre, et les dirigea sur Bethléem en disant :

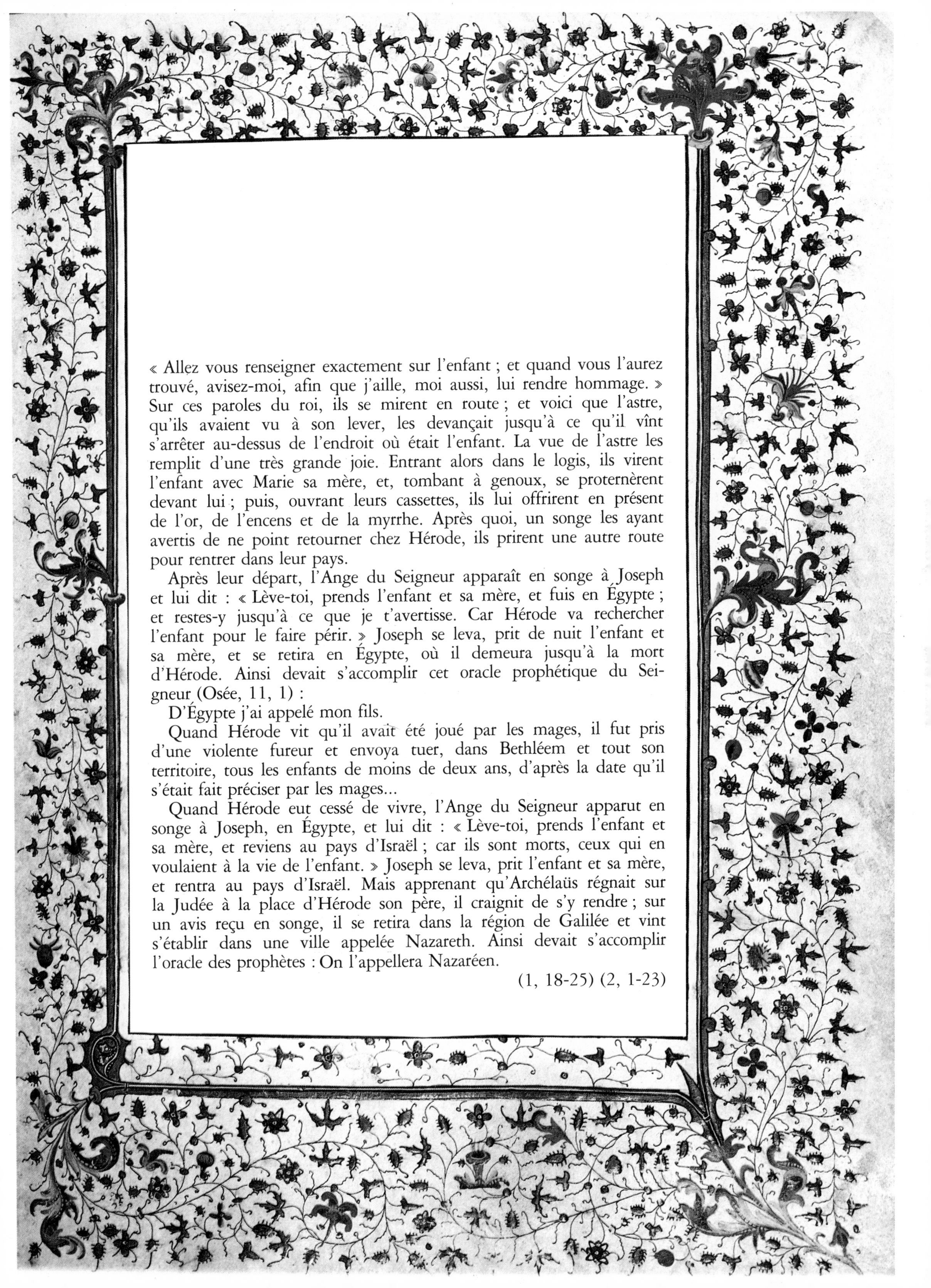

« Allez vous renseigner exactement sur l'enfant ; et quand vous l'aurez trouvé, avisez-moi, afin que j'aille, moi aussi, lui rendre hommage. » Sur ces paroles du roi, ils se mirent en route ; et voici que l'astre, qu'ils avaient vu à son lever, les devançait jusqu'à ce qu'il vînt s'arrêter au-dessus de l'endroit où était l'enfant. La vue de l'astre les remplit d'une très grande joie. Entrant alors dans le logis, ils virent l'enfant avec Marie sa mère, et, tombant à genoux, se proternèrent devant lui ; puis, ouvrant leurs cassettes, ils lui offrirent en présent de l'or, de l'encens et de la myrrhe. Après quoi, un songe les ayant avertis de ne point retourner chez Hérode, ils prirent une autre route pour rentrer dans leur pays.

Après leur départ, l'Ange du Seigneur apparaît en songe à Joseph et lui dit : « Lève-toi, prends l'enfant et sa mère, et fuis en Égypte ; et restes-y jusqu'à ce que je t'avertisse. Car Hérode va rechercher l'enfant pour le faire périr. » Joseph se leva, prit de nuit l'enfant et sa mère, et se retira en Égypte, où il demeura jusqu'à la mort d'Hérode. Ainsi devait s'accomplir cet oracle prophétique du Seigneur (Osée, 11, 1) :

D'Égypte j'ai appelé mon fils.

Quand Hérode vit qu'il avait été joué par les mages, il fut pris d'une violente fureur et envoya tuer, dans Bethléem et tout son territoire, tous les enfants de moins de deux ans, d'après la date qu'il s'était fait préciser par les mages...

Quand Hérode eut cessé de vivre, l'Ange du Seigneur apparut en songe à Joseph, en Égypte, et lui dit : « Lève-toi, prends l'enfant et sa mère, et reviens au pays d'Israël ; car ils sont morts, ceux qui en voulaient à la vie de l'enfant. » Joseph se leva, prit l'enfant et sa mère, et rentra au pays d'Israël. Mais apprenant qu'Archélaüs régnait sur la Judée à la place d'Hérode son père, il craignit de s'y rendre ; sur un avis reçu en songe, il se retira dans la région de Galilée et vint s'établir dans une ville appelée Nazareth. Ainsi devait s'accomplir l'oracle des prophètes : On l'appellera Nazaréen.

(1, 18-25) (2, 1-23)

« La mémoire chrétienne a fait une synthèse spontanée de Matthieu et de Luc » commente l'abbé Laurentin dans son étude sur les Évangiles de l'enfance du Christ, « les crèches nous montrent les bergers et les mages, mais Matthieu ignore les bergers, comme la crèche, tandis que Luc ignore les mages et leurs cadeaux. »

Et l'âne et le bœuf ? Les animaux de la crèche sont étrangers à l'Évangile. Ils apparaissent dans les Évangiles apocryphes, postérieurs d'un siècle, l'âne comme monture dans le Protévangile de Jacques, plus tard l'âne et le bœuf dans l'Évangile du pseudo-Matthieu. « Or le troisième jour après la naissance du Seigneur, Marie sortit de la grotte, et elle entra dans une étable et elle déposa l'enfant dans la crèche, et le bœuf et l'âne l'adorèrent. Alors s'accomplit ce qui avait été annoncé par le prophète Isaïe : « Le bœuf a connu son maître, et l'âne la crèche de son Seigneur. » Or ces animaux eux-mêmes, qui avaient l'enfant au milieu d'eux, l'adoraient sans cesse. Alors s'accomplit ce qui a été dit par la bouche du prophète Habacuc : « Tu te manifesteras au milieu de deux animaux. »

Prédelle de l'adoration des Mages. Nativité. *G. da Fabiano, musée des Offices, Florence.*

Les Évangiles apocryphes

Dans les Évangiles apocryphes, le merveilleux prend place, les miracles se multiplient. D'apocryphe en apocryphe, les récits s'amplifient, s'enrichissent de personnages nouveaux, s'illuminent d'apparitions célestes : le rapprochement du Protévangile de Jacques et de l'Évangile du pseudo-Matthieu parle de lui-même.

Jacques :

« Joseph sella son âne et y fit asseoir Marie... et quand ils eurent parcouru une distance de trois milles, Joseph se tourna vers Marie, et il la vit triste, et il se dit en lui-même : « Sans doute le fruit qu'elle porte en elle la fait souffrir. » Et une seconde fois Joseph se tourna vers Marie, et il vit qu'elle riait. Et il lui dit : « Marie, qu'as-tu, que je vois ton visage tantôt riant et tantôt assombri ? » Et Marie dit à Joseph : « C'est que mes yeux voient deux peuples, l'un qui pleure et qui se frappe la poitrine, et l'autre qui se réjouit et bondit d'allégresse. » Et ils arrivèrent à moitié du chemin... »

Pseudo-Matthieu :

« Marie dit à Joseph : « Je vois devant moi deux peuples, l'un qui pleure et l'autre qui se réjouit ». Mais Joseph lui répondit : « Reste assise et tiens-toi sur ta monture, et ne dis pas de paroles inutiles. » Alors un bel enfant, vêtu d'un habit magnifique, apparut devant eux et dit à Joseph : « Pourquoi as-tu appelé inutiles les paroles que Marie a dites au sujet des deux peuples ? Elle a vu le peuple juif pleurer pour s'être éloigné de son Dieu, et le peuple des gentils se réjouir parce qu'il s'est approché tout près du Seigneur... »

Après avoir dit ces paroles, l'ange fit arrêter la bête, parce que le moment de l'enfantement

Et il trouva là une grotte et il y fit entrer Marie...

Et voici qu'une femme descendit de la montagne, et elle me dit : « Homme, où vas-tu ? » Et je dis : « Je cherche une sage-femme juive ». Elle me répondit : « Es-tu de la race d'Israël ? » Et je lui dis : « Oui ». Et elle repartit : « Et qui est la femme qui enfante dans la grotte ? » Et je lui dis : « Celle qui m'a été promise ». Et elle me dit : « Elle n'est pas ta femme ? » Et je lui dis : « C'est Marie qui a été élevée dans le temple du Seigneur, et elle m'a été donnée comme femme ; et elle n'est pas ma femme, mais elle a conçu du Saint-Esprit ». Et la sage-femme lui dit : « Est-ce vrai ? » Et Joseph lui dit : « Viens voir ». Et la sage-femme alla avec lui.

Et ils s'arrêtèrent à l'endroit où était la grotte, et voici qu'une nuée lumineuse couvrait celle-ci. Et la sage-femme dit : « Mon âme a été glorifiée en ce jour parce que mes yeux ont vu des prodiges annonçant qu'un Sauveur est né pour Israël ». Et aussitôt la nuée se retira de la grotte, et il y parut une lumière si grande que nos yeux ne pouvaient la supporter. Et cette lumière diminua peu à peu jusqu'à ce que l'enfant apparut et vint prendre le sein de sa mère Marie. Et la sage-femme s'écria : « Aujourd'hui est un grand jour pour moi, parce que j'ai vu cette merveille extraordinaire ».

Et la sage-femme sortit de la grotte et elle rencontra Salomé. Et elle lui dit : « Salomé, Salomé, j'ai à te raconter une merveille extraordinaire : une vierge a enfanté, contrairement à la nature ». Et Salomé dit : « Par la vie du Seigneur mon Dieu, si je n'y ai mis mon doigt et si je n'ai scruté son sein, je ne croirai pas qu'une vierge ait enfanté ».

Et la sage-femme entra et dit à Marie : « Dispose-toi, car on agite à ton sujet une question grave ». Et Salomé, après avoir mis le doigt dans son sein, poussa un cri et dit : « Malheur à mon impiété et à mon incrédulité, parce que j'ai tenté le Dieu vivant ; et voici que ma main frappée du feu se détache de moi ».

Et elle s'agenouilla devant le Seigneur, disant : « O Dieu de mes pères, souvenez-vous que je suis de la race d'Abraham, d'Isaac et de Jacob ; ne me donnez pas en spectacle aux fils d'Israël, mais rendez-moi aux pauvres, car vous savez, Seigneur, que c'est en votre nom que je donnais mes soins, et que je recevais de vous mon salaire ».

était venu, et il dit à Marie d'en descendre et d'entrer dans une grotte souterraine dans laquelle il n'y avait jamais eu de lumière, mais il y faisait toujours sombre parce que la clarté du jour n'y pénétrait pas. Mais à l'entrée de Marie, la grotte s'éclaira et resplendit tout entière comme si le soleil s'y fût trouvé, et la lumière divine illumina la grotte comme si on y eût été à la sixième heure du jour ; et tant que Marie resta dans cette caverne, la nuit comme le jour, sans interruption, elle fut éclairée de cette lumière divine. Et elle mit au monde un fils que les anges entourèrent dès sa naissance et adorèrent quand il fut né, disant : « Gloire à Dieu au plus haut des cieux et paix sur la terre aux hommes de bonne volonté ».

Et Joseph était allé à la recherche de sages-femmes. Lorsqu'il fut de retour à la grotte, Marie avait déjà mis au monde son enfant. Et Joseph lui dit : « Je t'ai amené deux sages-femmes, Zélomi et Salomé : elles se tiennent dehors, devant la grotte, et n'osent pas entrer à cause de cette lumière trop vive ». Et Marie, entendant cela, sourit. Mais Joseph lui dit : « Ne souris pas, mais sois prudente, de peur d'avoir besoin de quelque remède ». Alors il fit entrer l'une d'elles. Et Zélomi, étant entrée, dit à Marie : « Permets que je te touche ». Et Marie le lui ayant permis, la sage-femme poussa un grand cri et dit : « Seigneur, Seigneur grand, aie pitié de moi. Voici ce qu'on n'a jamais entendu ni soupçonné : ses mamelles sont pleines de lait et elle a un enfant mâle quoiqu'elle soit vierge. La naissance n'a été souillée d'aucune effusion de sang, l'enfantement a été sans douleur. Vierge elle a conçu, vierge elle a enfanté, vierge elle est demeurée ».

Entendant ces paroles, l'autre sage-femme, nommée Salomé, dit : « Je ne puis croire ce que j'entends, à moins de m'en assurer par moi-même ». Et Salomé, étant entrée, dit à Marie : « Permets-moi de te toucher et de m'assurer si Zélomi a dit vrai ». Et Marie le lui ayant permis, Salomé avança la main. Et lorsqu'elle l'eut avancée et tandis qu'elle la touchait, soudain sa main se dessécha, et de douleur elle se mit à pleurer amèrement, et à se désespérer, et à crier : « Seigneur, vous savez que toujours je vous ai craint, et que j'ai pris soin de tous les pauvres sans rien demander en retour, que je n'ai rien reçu de la veuve et de l'orphelin, et que je n'ai jamais renvoyé le pauvre les mains vides. Et voici que j'ai été rendue malheureuse à cause de mon incrédu-

Jacques

Et voici qu'un ange du Seigneur lui apparut, disant : « Salomé, Salomé, le Seigneur t'a entendue. Approche ta main de l'enfant et soulève-le, et il sera pour toi salut et joie ».

Et Salomé s'approcha et souleva l'enfant, disant : « Je veux me prosterner devant lui, parce qu'un grand roi est né pour Israël ». Et voici qu'aussitôt Salomé fut guérie et elle sortit de la grotte justifiée. Et voici qu'une voix se fit entendre qui disait : « Salomé, Salomé, ne publie pas les prodiges que tu as vus avant que l'enfant ne soit entré à Jérusalem ».

Pseudo-Matthieu

lité, parce que j'ai osé douter de votre vierge ».

Et comme elle parlait ainsi, un jeune homme d'une grande beauté apparut près d'elle et lui dit : « Approche-toi de l'enfant, adore-le et touche-le de ta main, et il te guérira, parce qu'il est le Sauveur du monde et de tous ceux qui espèrent en lui ». Et aussitôt elle s'approcha de l'enfant, et l'adorant, elle toucha le bord des langes dans lesquels il était enveloppé, et tout de suite sa main fut guérie. Et sortant au dehors, elle se mit à élever la voix et à proclamer les grands prodiges qu'elle avait vus et ce qu'elle avait souffert, et comment elle avait été guérie, si bien que beaucoup crurent à ses paroles.

Car des bergers affirmaient à leur tour qu'ils avaient vu au milieu de la nuit des anges chantant un hymne, louant et bénissant le Dieu du ciel, et disant que le Sauveur de tous était né, le Christ, en qui Israël devait retrouver son salut.

Et une grande étoile brillait au-dessus de la grotte depuis le soir jusqu'au matin, et jamais, depuis le commencement du monde, on n'en avait vu de si grande. Et les prophètes qui étaient à Jérusalem disaient que cette étoile indiquait la naissance du Christ, qui devait accomplir les promesses faites non seulement à Israël mais à toutes les nations.

Annonce aux Bergers.
Heures du Maréchal de Boucicaut.
XVe siècle,
musée Jacquemart André, Paris.

Les contes de Noël médiévaux sont là : Salomé se nommera Bertha ou Anastasie, la pucelle sans main, Joseph touchera des braises qui se changeront en fleurs, l'âne et le bœuf parleront, l'histoire sainte est devenue merveilleuse...

Le 25 décembre

6 janvier, 25 mars, 10 avril, 29 mai, toutes ces dates ont, à un moment de notre histoire, été célébrées comme marquant la naissance du Christ, avant que ne s'impose le 25 décembre. Dès le IIe siècle, témoigne Tertullien, on croyait, dans l'Église d'Occident, que Jésus était mort le 8 des calendes d'avril, ou 25 mars. Or, il n'aurait pu vivre qu'un nombre entier d'années, il aurait été conçu un 25 mars, et serait né neuf mois après sa conception, donc le 25 décembre. L'argumentation résiste mal. Et pourtant cette date est restée. Elle apparaît officiellement au IVe siècle, avec le chronographe romain de 354 qui fixe la naissance du Christ à Bethléem le 25 décembre. Jusque-là la liturgie primitive se concentrait sur la mort et la résurrection du Christ. Pourquoi l'Église romaine, qui n'avait pas plus que les autres Églises de traditions réelles sur le jour de la naissance de Jésus, en a-t-elle fixé la date au 25 décembre ? Les hypothèses sont multiples, mais il semble qu'il s'agissait d'une volonté de recouvrement d'autres fêtes païennes et religieuses existant alors.

Tentative réussie, dans la ligne des instructions données deux siècles plus tard par Grégoire le Grand aux missionnaires partant évangéliser les Bretons : « Ne pas détruire les temples païens, mais les baptiser d'eau bénite, y dresser des autels, y placer des reliques. Là où il a coutume d'offrir des sacrifices à ses idoles diaboliques, lui permettre de célébrer à la même date des festivités chrétiennes sous une autre forme. On ne peut, de ces cœurs farouches, tout éliminer à la fois. Ce n'est pas en bondissant qu'on gravit une montagne, mais à pas lents. »

Les Saturnales

Les manifestations païennes et religieuses antérieures à la naissance du Christ étaient nombreuses autour de cette date : souvenir des Saturnales romaines dans les régions méridionales, fêtes de Yule dans les régions septentrionales, puis culte de Mithra qui faisait concurrence aux premiers temps du christianisme. Mais si ces célébrations se sont effacées devant l'anniversaire de la naissance du Christ, elles ont chacune, à leur manière, laissé des traces dans les coutumes de notre fête.

Du 17 au 24 décembre, Rome et les provinces romaines étaient en fête, commémorant le règne de Saturne, dieu des semailles et de l'agriculture, dont le règne avait été celui de l'âge d'or, quand l'esclavage et la propriété privée étaient inconnus, et que tous avaient tout en commun. La ville était sens dessus dessous, l'ordre établi inversé, les esclaves commandaient aux maîtres, tandis que ceux-ci les servaient à table. Un jour était consacré aux enfants, le Dies Juvenalis. « Mais cette fête des tout-petits, comme le rappelle J. Cotereau dans *Leur Noël et le nôtre,* a sans doute été à ses débuts une atroce cérémonie où, pour lui rendre sa force, on immolait au Soleil-Enfant d'autres enfants », en souvenir de Baal, dieu phénicien devenu à Rome Saturne, qui, lui, avait mangé ses enfants... A Carthage, la population immolait des nouveau-nés, et Porphyre rapporte qu'en Crète avaient lieu les mêmes pratiques.

Ces sacrifices prenaient aussi une autre forme : la désignation au sort d'un roi des Saturnales, parmi les jeunes soldats romains, et sa mise à mort à la fin de la fête. Dans *le Rameau d'or,* Frazer décrit cette cérémonie : « On l'habillait alors de vêtements royaux pour le faire ressembler à Saturne. Il se promenait en public avec pleine liberté de donner libre cours à ses passions, et de goûter à tous les plaisirs, fussent-ils les plus vils et les plus honteux. Mais si son règne était gai, il était court, et sa fin tragique ; car quand les trente jours étaient écoulés, et que la fête de Saturne arrivait, il se coupait la gorge sur l'autel du dieu qu'il représentait. »

Fêtes du désordre, de l'égalité retrouvée pour un temps très bref, représentation d'un règne suivi de mort, les Saturnales avaient à peine le temps de s'achever qu'elles étaient suivies par d'autres réjouissances : les calendes. Les calendes étaient destinées à marquer la date du nouvel an, et à célébrer Janus, le dieu aux deux visages, l'un tourné vers le passé, l'autre vers l'avenir. Chants, danses, échanges de cadeaux, pendant trois jours la fête reprenait de plus belle, les maisons se décoraient de feuillages et de bougies, maîtres et esclaves changeaient encore de rôles, hommes et femmes prenaient les vêtements de l'autre sexe.

Yule

Dans les pays du Nord, Noël coïncide avec des cérémonies très anciennes : les fêtes de Yule ou Yuletide. Époque de réjouissances, de festins, consacrée à divers dieux de la mythologie germanique. Odin, dieu des morts, visitait la terre et on vidait une première coupe en son honneur, puis on célébrait, par la boisson, Njord et Freya, dieux de fécondité et d'abondance. Les Juhles étaient des génies aériens vivant dans les arbres, et, en cette période de plein hiver, on suspendait à un arbre, proche de la maison, des coffrets de bouleau remplis de victuailles. Dans certaines régions, Wotan en personne chevauchait à travers les forêts, puis sautait de cheval et allumait une bûche énorme d'où jaillissait alors la lumière. Car Yule est aussi la fête du feu. En ces périodes de solstice d'hiver, la lumière a disparu, le soleil est mort, la terre entière est dans l'obscurité, d'énormes feux étaient allumés pour chasser les esprits de l'obscurité et appeler le nouveau soleil. Fête des morts, fête de la fécondité, Yuletide a laissé des traces dans les coutumes ou les superstitions de Noël : légendes selon lesquelles les morts reviennent en cette nuit, parts laissées pour les défunts sur la table pendant la messe de minuit, utilisation de la paille ou du blé pendant cette fête, dans la décoration, comme au Danemark et en Suède, dans les pratiques : comme en Corrèze, par exemple, pour faire honte aux arbres qui ne produisent pas, on les ceinture de paille ; en Scandinavie, le matin de Noël, on prend la plus belle gerbe, à l'aide d'une perche on la fixe au toit de la plus haute maison... pour les oiseaux. Et si en Pologne on place traditionnellement une poignée de foin sous la nappe blanche du repas de Noël, c'est bien sûr en souvenir de la couche du divin enfant, mais ce n'est pas sans rappeler les rites de fertilité des temps anciens. Quant aux traces dans la dénomination de Noël, elles sont nombreuses dans les pays septentrionaux. Noël se dit Yul ou Jul, et entre dans la composition d'un certain nombre de mots relatifs à Noël : en anglais « Yuletide » période de Noël, en suédois : Jultomte, le petit homme de Noël.

Mithra

Si les Saturnales avaient surtout laissé des traces dans la mémoire collective, le culte de Mithra se plaçait lui en rival immédiat du christianisme naissant. Cette religion, venue de Perse, s'était propagée aisément aux IIIe et IVe siècles, grâce aux moyens de communication de l'Empire romain : routes, bateaux. Et ce culte présentait de nombreuses similitudes avec des cérémonies et rites chrétiens : baptême, hostie, repos du dimanche. Le 25 décembre Mithra surgissait d'un rocher, et chaque année on fêtait la naissance de ce jeune dieu soleil, en lui sacrifiant un taureau. On célébrait le même jour le « Sol Invictus », le soleil invaincu. Mais le Christ n'était-il pas aussi le Soleil, « le Soleil de justice », d'après la Bible ? S'il y avait similitudes, les divergences étaient de taille : Mithra n'accordait aucune place aux femmes, alors que le Christ en avait fait l'égale de l'homme. Le culte de la Vierge, de la Nativité, allait être d'un poids décisif dans cette rivalité.

Église d'Orient, Église d'Occident

L'Église de Rome avait fixé la date de la naissance du Christ au 25 décembre, pour ne pas heurter de front d'anciennes traditions européennes, comme la célébration du solstice d'hiver, ou romaines, comme les Saturnales et le culte de Mithra. De son côté, et pour des raisons identiques, l'Église d'Orient avait choisi la date du 6 janvier, pour célébrer l'Épiphanie (en grec : apparition, manifestation). L'objet de cette célébration était multiple : le baptême du Sauveur, l'adoration des Mages et la manifestation de Jésus aux noces de Cana, puis l'adoration des bergers, et enfin le souvenir de la Nativité elle-même. Pourquoi le 6 janvier ? Dans le culte de Dionysos, en Grèce, le 6 janvier était consacré à la bénédiction des rivières, le dieu serait apparu à cette date dans l'île d'Andros, où un vin miraculeux attestait sa présence. En Égypte, à cette même date, on fêtait la naissance du fils de la déesse Isis, après avoir pleuré la mort d'Osiris, et ce fils était adoré comme « soleil renaissant ». Et quand Rome proposa ou imposa la date du 25 décembre, l'accueil des églises d'Orient fut pour le moins réservé : les communautés chrétiennes d'Arménie et de Syrie

Entre le solstice d'hiver et Noël, Suède.

qualifièrent cette journée de « fête païenne et idolâtre » et refusèrent obstinément de la célébrer, quels que fussent les efforts de saint Chrysostome à Antioche. Quant à saint Jérôme, en dépit d'une argumentation véhémente, il ne parvint pas à imposer cette date dans son monastère de Bethléem, et jusqu'au VIe siècle à Jérusalem, la Nativité fut célébrée le 6 janvier. Les Églises d'Arménie et de Mésopotamie acceptèrent la date du 25 décembre au cours du XIVe siècle, mais par la suite l'Épiphanie conserva en Orient une importance beaucoup plus grande qu'en Occident.

Ce mot qui fait rêver les enfants

Noël, synonyme d'espoir, de fête, de souhaits comblés, vient du latin *natalis (dies),* jour de naissance. Les variantes ont été nombreuses dans les dialectes provinciaux : *nadal,* dans la Catalogne et l'Aveyron, *nau* ou *nô* dans les Charentes, puis *noël, noué, noié* dans toute la partie nord de la France. Dans le sud de la France, un autre radical est resté vivace : calend-, *calendo* en Provence, *chalandes* dans le Lyonnais, *chalenos* à Nice, en souvenir des calendes de janvier, quand Noël se célébrait le 6 janvier. Dans les pays qui nous environnent les dénominations changent : *Christmas* en Angleterre, c'est-à-dire la messe du Christ. En effet quand saint Augustin s'établit dans le Kent pour évangéliser les Saxons, il insista surtout sur la célébration de la fête de Noël, célébration concrétisée par des messes. En Allemagne, c'est le mot *Weihnacht* ou *Weihnachten* qui désigne Noël. Le sens de ce mot serait « nuits saintes » ou « nuits consacrées ». Dans certaines régions d'Allemagne on trouve le mot *Mütternacht* à la place de *Weihnachten :* nuit des mères... Souvenir de la naissance ou empreinte d'anciennes pratiques ? Bède le Vénérable à la fin du VIIe siècle constatait : « Les anciens peuples de l'Angleterre faisaient commencer l'année le

25 décembre, le jour où nous célébrons la naissance du Seigneur ; et cette même nuit, qui est pour nous si sacrée, ils l'appelaient *modranecht,* c'est-à-dire la nuit des mères. » Pendant la nuit du solstice d'hiver, on célébrait un culte des Matres (mères) et pendant le repas, des places étaient laissées pour les Mères et les Morts.

Tout comme la fête elle-même a opéré une fusion de coutumes préexistantes, le mot qui la désigne a repris à son compte d'autres dénominations. L'extension du mot a été telle au Moyen Âge en France, que « Noël » était devenu le grand cri d'enthousiasme et de joie populaires, poussé à la naissance, au baptême, au mariage des princes, à l'entrée des rois. Maurice Vloberg, dans *Les Noëls de France,* s'interroge sur les raisons de cette association, et tente de donner une réponse. « La raison de ce rapport, c'est le Noël de Reims qui le donne : ce jour-là Dieu avait créé le plus beau royaume après celui du ciel, et fait du roi son premier lieutenant... Avec un sens très sûr le peuple a marqué ce rapport dans l'acclamation de son loyalisme. " Noël, Noël ! " s'opposa aux " Vive Bourgogne ", aux " San Capdet ! " des Gascons, aux " Saint Georges ! Guyenne ! " des Anglais. » L'entrée d'Isabeau de Bavière à Paris le 22 août 1389 illustre cette association de Dieu et du roi : « A la porte Saint-Denis elle passa entre une double haie de douze cents bourgeois à cheval, vêtus de précieuses gonnes de baudequin. Tout ce monde répétait : " Noël !Noël ! " Des anges leur répondirent : ils s'étaient nichés, en haut de la porte, dans un ciel d'azur piqué d'étoiles d'or, et là, sans vertige, " chantoient moult mélodieusement et doucement " aux pieds de la Vierge et de son enfant... » Dix ans plus tard, Charles VI, de retour à Paris, recevra un accueil analogue : « Devant lui, raconte le Bourgeois de Paris, allaient douze trompettes et grand foison de ménétriers et partout où il passait on criait très joyeusement " Noël " et jetait-on des violettes et des fleurs sur lui... »

Noël, de nos jours, a repris son sens initial. Rarement un mot n'a eu un tel pouvoir : faire naître l'espoir, même pour ceux qui n'ont pas la foi, faire revenir les souvenirs enfouis, ramener à la lumière cette part cachée de nous qu'est l'enfance.

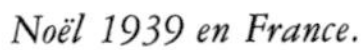

Noël 1939 en France.

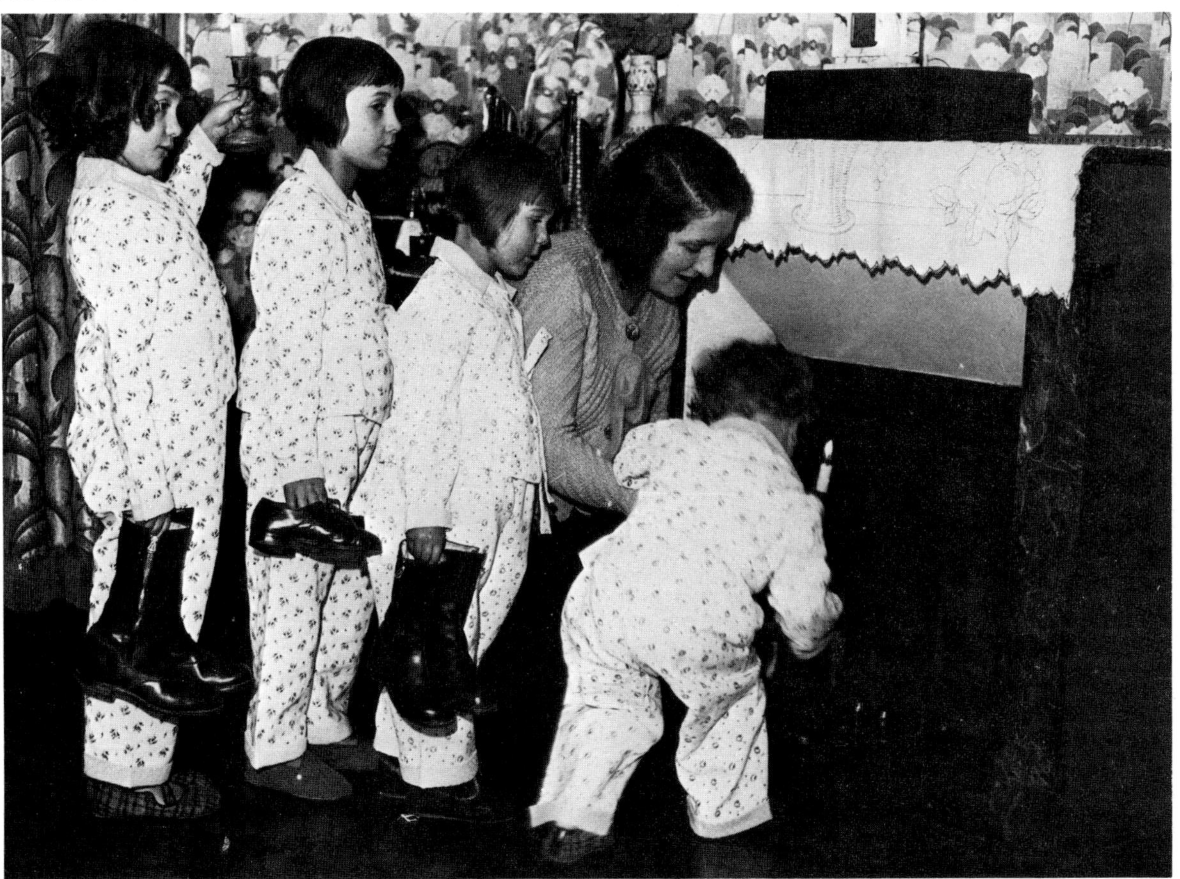

Le temps de Noël

NOËL dure presque un mois. Il ne s'agit pas d'une journée de fête, mais d'une période de fêtes. Dans certaines régions d'Allemagne, la Saint-Martin, le 11 novembre, marque le début des réjouissances. Ces réjouissances prennent fin, le plus souvent, avec l'Épiphanie, le 6 janvier. Mais cette période de Noël comporte deux éléments distincts : l'Avent proprement dit, tel que le définit la liturgie, et ce qui a été appelé le cycle de Noël, d'une durée variable selon les pays et les régions.

L'Avent

Les premières célébrations chrétiennes furent celles de Pâques et de la Pentecôte. L'anniversaire de la naissance du Christ fut célébré plus tardivement, à partir du IVe siècle. Noël eut, comme Pâques, une période de préparation, l'Avent, du latin *adventus* « arrivée, venue ». Cette préparation dure aujourd'hui quatre semaines. En 380, sur l'ordre du concile de Saragosse, la durée était de huit jours. La première mention de l'Avent comme période liturgique remonte au concile de Tours, en 563. A la même époque, l'Église des Gaules institua une période de préparation spirituelle à la fête de Noël, avec jeûne obligatoire, trois jours par semaine, du 11 novembre à Noël. A Rome, par contre, l'Avent était un temps de joie liturgique, et le pape Grégoire le Grand eut beau s'élever véhémentement contre ces réjouissances, ce fut sans succès.

L'Avent prit une physionomie austère sous l'influence des monastères francs, on l'appela alors le « carême de Noël ». Certains aliments étaient proscrits, comme la viande et les graisses, le vin et la bière, les fromages et les poissons gras. Les fidèles ne devaient pas se marier pendant la période de l'Avent, et il leur fallait renoncer aux voyages d'agrément, et aux relations conjugales. Cela ne dura pas, et le jeûne fut réduit au cours des siècles suivants à deux jours, puis abrogé en 1918 par le nouveau code de droit canon.

La célébration de l'Avent

Depuis le Xe siècle, l'année liturgique commence au premier dimanche de l'Avent, c'est-à-dire celui qui est le plus rapproché de la Saint-André, apôtre fêté le 30 novembre.

Selon le *Paroissien romain, historique et liturgique,* l'Avent est une période de préparation morale à la fête de Noël, avec une double perspective : l'une sur les siècles écoulés avant la naissance de l'Emmanuel, l'autre sur les siècles à venir jusqu'à son retour. Au cours des quatre semaines de l'Avent, le rituel religieux marque cette approche du jour souhaité entre tous : le premier dimanche de l'Avent, on chante la seconde antienne des vêpres, au second dimanche toutes les antiennes, le troisième dimanche, l'autel s'orne de fleurs, l'orgue se fait entendre à nouveau, jadis les ornements sacerdotaux passaient du violet au rose, et au quatrième dimanche de l'Avent se chante la première antienne des vêpres.

Au Moyen Age, les vêpres de la dernière semaine étaient particulièrement appréciées : on chantait les « Grandes O ». D'exécution difficile, ces refrains, repris par le chœur entre chaque verset d'un psaume, commençaient tous par le O marquant l'invocation : *O Rex Gentium, O sapientia.* Les fidèles accouraient en nombre, et certaines confréries offraient des présents aux chantres et aux magistrats de la ville : confitures, pains de sucre, mais aussi vin. A Rouen, les chantres avaient droit à un gallon de « vin de l'O », accompagné de conseils de modération... Ce qui illustre assez bien le caractère de l'Avent : recueillement certes, mais aussi réjouissance.

Réjouissance de l'Avent

Vos pères qui étaient aussi malins que vous
Tous les soirs de l'Avent tant que le feu durait
Chantaient les Noëls qui dans ce livre se trouvent
Vous voilà bien servis...

rappelle un noël bressan du XVIIe siècle. Dès la période de l'Avent, on commençait à chanter les noëls, non seulement chez soi, après la prière, mais dans les rues. Arnold Van Gennep a relevé de bien jolies coutumes régionales de ce type : dans certaines régions de la Bretagne, garçons et filles se renvoyaient des couplets de noëls qui variaient selon les villages.

En Provence, au début du XIXe siècle, les jeunes gens donnaient des aubades aux jeunes filles qu'ils recherchaient en mariage. Chaque jeune fille préparait pour la veille de la fête un gâteau portant son nom et un numéro, et le remettait au chef de la jeunesse. Deux jours après Noël, tous les jeunes gens se rassemblaient sur une place, les gâteaux, dans une grande corbeille, étaient mis aux enchères, et un des jeunes gens faisait l'éloge de la beauté, des qualités ménagères, des qualités tout court de la jeune fille dont le gâteau était présenté. Les enchères montaient à des prix très hauts lorsque la jeune fille avait plusieurs adorateurs. Ces rivaux, jaloux de posséder ce précieux travail des mains de leur idole, se disputaient la gloire de l'enlever à prix d'or... L'argent de ces enchères servait à payer les ménétriers qui faisaient danser, les dimanches et les jours de fête.

En Colombie, le 16 décembre, commence la neuvaine de Noël : chaque soir jusqu'à la fête, ont lieu des réunions de prières et de chants religieux, suivies de repas et de chants cette fois profanes... A Porto-Rico, à partir de la même date, les fidèles assistent à la messe du matin, vers 5 heures et demie, puis partent au travail égrenant à travers la ville ou les campagnes les notes des chants de Noël.

Au Mexique, les neuf derniers jours de l'Avent, avaient lieu encore très récemment les « posadas », processions rappelant le voyage de la Vierge jusqu'à la crèche. A la veillée, les invités se présentent en groupe devant la maison où a lieu la posada, cierges allumés à la main, en chantant des cantiques. En tête du cortège, les « pèlerins », figurines de terre cuite, représentent la Sainte Famille, sans l'enfant, Marie sur son âne, et Joseph avec ses outils de menuisier. Une fois les cantiques achevés, les invités entament un chant demandant posada, c'est-à-dire asile. Les hôtes, de l'intérieur, refusent en chantant, de peur d'ouvrir à des brigands de grand chemin, puis ayant reconnu la Sainte Famille, ils ouvrent grandes les portes en s'exclamant :

C'est toi Joseph, ta femme est Marie
Entrez, pèlerins, faites-vous reconnaître.

Tous entrent, les « pèlerins » sont déposés sur un meuble de la plus grande pièce, et hôtes et invités prient, remerciant le ciel de partager pour une nuit le toit qui abrite la famille du Christ. Alors commence la fête : distribution de bonbons aux enfants, jeu de la pinãta : une figurine ou cruche de terre cuite qu'il faut briser à coups de bâtons pour qu'elle déverse un flot de douceurs, fruits, sucreries, et enfin un repas, dûment arrosé... Pendant neuf jours, la ville est en liesse, et, à l'issue de la neuvième posada, chacun se rend à la messe de minuit. L'origine de ces processions si populaires serait aztèque d'après Germain Andrade Labestida. Les

Le Retour des chasseurs *(détail). Pieter Bruegel, Kunsthistorisches Museum, Vienne.* ▶

Aztèques célébraient la naissance de Huitzilopochti, dieu de la guerre, au moment même de Noël. Cette nuit-là et les jours suivants il y avait des fêtes dans toutes les maisons et les invités prenaient part à un repas et recevaient de petites idoles faites d'une pâte comestible appelée *tzoatl*. La surprenante analogie entre ces fêtes et celles de la Nativité fut exploitée par les frères augustins pour diffuser la nouvelle religion... Alors, en ces jours de fêtes aztèques, vêtus de costumes à la romaine, ils donnaient, pendant les neuf jours qui précédaient Noël, des représentations illustrant le voyage de Joseph et de Marie. Les neuf jours symbolisaient les neuf mois de grossesse de Marie...

La préparation de la fête

Un peu partout à travers l'Europe l'attente de la fête est joyeuse : à défaut de tuer le porc, on pâtisse : petits cochons de pain d'épice en Allemagne, sablés dans les régions françaises, gâteaux secs au gingembre et à la cannelle au Danemark, et surtout on installe dans les maisons les signes avant-coureurs de Noël.

Dans les villes d'Allemagne, ou en Alsace, comme à Strasbourg où les traditions sont restées vivaces, les marchés de l'Avent, « Christkindlmarkt », s'installent dès le début décembre. A Munich, les marchands viennent de toute la Bavière : sculpteurs sur bois, confiseurs, fabricants de bougies. A Marseille, c'est la foire aux santons qui attire la foule. Chacun va choisir un nouveau personnage qui complétera la crèche ou remplacera celui qui n'a pas résisté à l'usure du temps.

Le premier dimanche de l'Avent, dans chaque famille suédoise, on sort le chandelier traditionnel, à quatre branches, en cuivre. Les bougies sont blanches, souvent faites à la maison. On allume la première bougie, elle brûle quelque temps, puis on l'éteint. Le dimanche suivant, on l'allume à nouveau, ainsi qu'une seconde bougie. Au dernier dimanche de l'Avent, les quatre bougies, de taille décroissante maintenant, sont allumées ensemble. Noël est bientôt là. Dans bien des familles, on suspend à la fenêtre une grande étoile, l'étoile de Bethléem, celle qui avait guidé les mages jusqu'à l'enfant-roi, et elle brille le soir venu dans la nuit de l'hiver, peut-être grâce à une ampoule électrique, mais le symbole est là...

Dans le nord de l'Allemagne, avant de gagner les pays scandinaves, les États-Unis, et de nous revenir, la coutume des quatre bougies de l'Avent existait mais sous une autre forme, celle de la couronne. Les anciens adeptes des religions germaniques, rappelle Francis Weiser *(Fêtes et Coutumes chrétiennes, de la liturgie au folklore)*, célébraient le mois de Yule (décembre) au moyen de lumières et de jeux divers. Au Moyen Age, les chrétiens conservèrent ces symboles. Au XVIe siècle, la coutume s'établit d'utiliser ces lumières comme signe de l'Avent dans les maisons des fidèles. L'usage se répandit rapidement parmi les protestants d'Allemagne orientale, puis chez les protestants et catholiques d'autres pays. Faite de feuillages, sapin, if, laurier, la couronne est suspendue au plafond ou posée sur un meuble, et chaque dimanche de l'Avent, une bougie, puis deux, puis trois, puis quatre sont allumées avec cérémonie. Pourquoi une couronne et ses quatre bougies ? Il y en eut jusqu'à vingt-quatre, une par jour de l'Avent. Les interprétations sont nombreuses : la couronne, signe de victoire et de royauté, rappellerait la gloire de la naissance du Christ, et les bougies, les quatre saisons, ou les quatre points cardinaux, marquant ainsi la course du soleil qui renaît en ce jour. Rythme des saisons ou éternité, toujours est-il que cette couronne associe deux éléments propres à nos célébrations anciennes de l'hiver : la lumière et les feuillages persistants...

Maintenant, les enfants entament le compte à rebours qui les rapproche de Noël en ouvrant, dès le 1er décembre, une fenêtre du calendrier de l'Avent. Image à vingt-quatre découpes, une par jour, elle dévoile aux yeux émerveillés ce qui, peut-être, les attendra le matin de Noël. L'Avent, période de promesses...

Le Jour de la Toussaint dans un cimetière d'Alsace.

L'Avent, période de promesses et de superstitions

Qui plante en Avent
Gagne une année de temps

Entre Noué et Cateline
Tout bois prend racine

Si la période de l'Avent est bénéfique pour certaines pratiques agricoles, elle peut être aussi vécue comme dangereuse : la Toussaint n'est pas loin, avec son cortège de morts. « A Strasbourg, on croyait, vers la fin du XVIᵉ siècle, que se promenaient pendant les Avents les âmes de ceux qui avaient péri de mort subite ou violente. Dans le Bocage normand, l'Avent était l'époque où les sorciers avaient le plus de pouvoir, aussi devait-on les éviter avec soin. Dans la Marche et le nord du Limousin, les femmes enceintes ne devaient pas s'aventurer dans les chemins déserts, de peur d'y rencontrer « quelque chose ». En Picardie, l'Avent était l'époque préférée par les loups-garous pour errer dans les campagnes, surtout au voisinage des forêts, tandis que dans les Charentes ils couraient pour empêcher d'aller aux veillées, et embrassaient sur la bouche d'un baiser qui glaçait, ceci encore entre 1900 et 1910... » (Van Gennep, *Le Cycle des douze jours*). Mais si ces superstitions s'appliquent plus particulièrement à la période de l'Avent, elles participent plutôt de l'ensemble de la période de Noël, du cycle des « douze jours ».

Le cycle des douze jours

Le cycle de Noël, que l'on pourrait appeler la période des fêtes, comprend primitivement les douze jours ou les douze nuits entre Noël et l'Épiphanie. Cette durée varie selon les régions et selon les pays, sans que l'on puisse donner les raisons de ces écarts. En Provence, cette période s'étend de Noël à la Chandeleur, soit une quarantaine de jours, comme en Angleterre, en Écosse et en Catalogne d'Espagne. Dans le Périgord, elle va de la Sainte-Catherine aux Rois, alors que dans la plupart des régions de France, elle ne dure que de la Noël aux Rois.

Mais si la durée variait, les pratiques étaient les mêmes à travers régions et pays : tournées de quêtes des enfants, allumages de feux et de torches, et célébration des fêtes des saints.

La constellation des saints

Saint Martin, 11 novembre

Au IVᵉ siècle, jeune soldat, il faisait des rondes aux environs d'Amiens, par un hiver rigoureux. Bouleversé par la misère de pauvres gens saisis de froid, il leur donna ses propres vêtements, ne gardant pour lui qu'une cape doublée. Sur le chemin du camp militaire, il eut une apparition, et, croisant un autre malheureux, coupa sa cape en deux parties, donna l'une au pauvre, et s'enroula dans l'autre. Il se convertit aussitôt et devint par la suite évêque de Tours.

Saint Martin a été le saint le plus populaire de la France du haut Moyen Age. Patron des rois mérovingiens, des voyageurs à cheval, du peuple franc, plus de 3 000 églises et chapelles lui sont dédiées en France. La date de célébration de sa fête marquait l'entrée dans la saison froide, quelquefois déjouée par un regain de beaux jours auxquels on donne justement le nom d'« été de la Saint-Martin ». C'était un jour de redevances, mais aussi le début du petit carême, qui durait jusqu'à Noël. Dans beaucoup de régions de France, la Saint-Martin était le jour où on tuait le cochon.

Changement de saison, changement de cycle liturgique, la Saint-Martin est dans le nord de la France prétexte à défilés avec des lanternes creusées dans des betteraves, en Allemagne, à un repas où traditionnellement l'oie est servie, à des distributions de cadeaux en Belgique, aux Pays-Bas et aussi en Catalogne.

Sainte Catherine, 25 novembre

Toujours vivace, cette fête est célébrée en France par les jeunes filles qui à vingt-cinq ans ne sont pas mariées. Dans les ateliers de couture, le travail s'arrête, et les petites mains ayant atteint l'âge fatidique « coiffent Sainte-Catherine », en arborant des couvre-chefs farfelus. La sainte vécut au IIIᵉ siècle, à Alexandrie. Après son baptême, elle eut une vision : la Vierge et l'enfant lui apparurent, et Jésus lui remit un anneau, signe d'alliance. Martyrisée au moyen d'une roue garnie de lames tranchantes, elle les aurait brisées, à force de prières, et aurait dû être décapitée. Des anges emportèrent son corps sur le mont Sinaï. Dès le Moyen Age, elle devint non seulement la patronne des jeunes filles, mais aussi des corps de métiers à instruments tranchants : chirurgiens, barbiers, ou utilisant des roues : fileuses, rémouleurs, meuniers...

En Espagne, on dit que sainte Catherine se déplace dans les airs sur une grande roue, et qu'elle vient déposer des cadeaux pour les enfants sur les rebords de fenêtre.

Sainte Barbe, *détail. Maître de la Véronique. Cologne.*

Saint André, 30 novembre

André était un des douze apôtres, le frère de Simon Pierre. Il est devenu le saint patron de l'Écosse. Mais c'est en Allemagne que l'on trouve des coutumes particulières à ce jour : pendant la nuit de la Saint-André, les jeunes filles peuvent apercevoir en songe celui qui les épousera, et dans certaines provinces des cadeaux sont faits aux enfants par « l'âne qui frappe à la porte ». En Roumanie, on dit que les vampires sortent de leur tombe cette nuit-là et reviennent hanter les maisons où ils ont vécu.

Saint Éloi, 1ᵉʳ décembre

« Le grand saint Éloi lui dit : O mon roi »... Il fut d'abord évêque de Noyon, puis maître des monnaies de Clotaire II, enfin trésorier de Dagobert Iᵉʳ. Orfèvre, il est l'auteur du mausolée de Saint-Denis et de la châsse de saint Martin. Il est célébré dans le nord de la France comme patron des orfèvres et des forgerons. Il y a une vingtaine d'années, ce jour y était férié, et on procédait à la bénédiction des chevaux. Il a gagné sa célébrité dans la chanson enfantine, où, sans lui, le pauvre Dagobert serait fort mal en point...

Sainte Barbe, 4 décembre

Elle vécut au IIIᵉ siècle. Le père de Barbe, furieux de la conversion de sa fille, l'enferma dans une tour, l'entraîna devant les tribunaux, puis la décapita de sa propre main. Mais la foudre tomba sur lui, en signe de vengeance céleste. Depuis le Moyen Age, on attribue à la sainte le pouvoir de protéger de la mort violente, et elle est devenue patronne des métiers du feu et du danger : artilleurs, mineurs, pompiers, alpinistes... Curieusement la célébration de sa fête est associée à des rites de fertilité ou de divination : en Provence, le jour de la Sainte-Barbe, on mettait à germer le blé de la crèche. Les enfants posaient dans une assiette une poignée de blé et de lentilles, qui, humectés, donnaient naissance à une végétation placée sur la table ou autour de la crèche le jour de Noël. Si les plantes venaient bien, c'était signe que la récolte serait bonne. En Allemagne, la coutume consistait à couper des branches d'arbre à floraison rapide : cerisier, lilas, amandier et à les mettre dans un vase afin qu'elles fleurissent pour Noël. Ces « rameaux de sainte Barbara » indiquaient aux fiancées si leur amour allait éclore ou non. Elles attachaient aux rameaux une étiquette avec le nom de leur amoureux et suivaient avec émotion le déroulement de la floraison. En Rhénanie, il arrive à sainte Barbe ou Barbara de distribuer des cadeaux, ou d'accompagner saint Nicolas au cours de sa tournée.

Saint Nicolas.
Carte postale autrichienne, 1929.

Saint Nicolas, 6 décembre

Évêque de Myre, en Lycie (IVe siècle), la légende le présente, nourrisson, jeûnant le vendredi au sein maternel et, plus tard, ressuscitant trois petits enfants égorgés et mis au saloir par un aubergiste. Patron de la Russie, patron des avocats, il est surtout le premier grand distributeur de cadeaux du cycle de Noël. Nous y reviendrons un peu plus loin.

Sainte Lucie, 13 décembre

Lucie vécut à Syracuse au IVe siècle. Sa beauté, plus particulièrement ses yeux, avaient séduit un jeune païen, qui, rejeté, la fit arrêter. Alors, elle s'arracha les yeux et les fit porter à celui qui avait voulu la détourner de sa foi et de son couvent. On lui a prêté par la suite le pouvoir de guérir les maladies des yeux.

Les célébrations de cette sainte prennent différentes formes selon les pays. En Hongrie, c'est le jour de la bénédiction de la moisson : les enfants vont deux par deux, étalent un peu de paille sur le pas de la porte, s'agenouillent et forment des vœux de bonheur. En Autriche, c'était une nuit de divination, et les jeunes filles arrêtaient de filer de peur de trouver leurs fuseaux brisés le lendemain. Mais c'est en Suède que les manifestations sont les plus populaires : la Sainte-Lucie est quasiment une fête nationale. Dès le chant du coq, ou au tout petit matin, la plus jeune fille de la maison revêt une robe blanche ceinturée de rouge, coiffe une couronne de bougies, et accompagnée s'il y a lieu de ses frères et sœurs, eux aussi en robe blanche, coiffés de couronnes d'argent pour les filles et de chapeaux pointus pour les garçons, apporte une tasse de café et des gâteaux au père, puis à tous les membres de la famille. Comment notre Lucie de Syracuse est-elle arrivée là ? La légende raconte qu'elle serait apparue dans le Wärmland, pendant une période d'extrême disette, et qu'elle aurait apporté des vivres à tous les habitants, mais il est plus vraisemblable qu'il s'est agi, une fois de plus, de voiler d'un manteau chrétien une manifestation païenne, une célébration du solstice d'hiver, fête de la lumière, et comme Lucie signifie « lumière » le glissement fut simplifié...

Saint Thomas, 21 décembre

« Avance ton doigt ici, et regarde mes mains ; avance aussi ta main, et mets-la dans mon côté ; et ne sois pas incrédule, mais croyant » (Jean, 20), dit Jésus à Thomas. Par la suite Thomas évangélisa les Indes.

La nuit de la Saint-Thomas est la plus longue de l'année, et en Europe centrale, pétards, cloches, sonnettes, effrayaient démons et sorcières. En Bohême, le saint apparaissait sur un char de feu, et on le remerciait par des prières, parfois même il apportait de menus cadeaux, pommes, noix. Mais une tradition de ce jour est assez particulière, et rappelle les Saturnales : dans le Brabant et dans d'autres régions, les rôles sont inversés, les enfants gouvernent les parents, les écoliers ont le pouvoir sur leur maître, les domestiques sur leurs employeurs. En Angleterre les pauvres allaient de maison en maison demander de quoi faire le repas de Noël. En France, autrefois, les jeunes filles invoquaient saint Thomas, pour connaître leur futur époux. Elles piquaient une pomme de dix-huit épingles, neuf autour de la queue, neuf autour de l'œil. Elles enroulaient une jarretière autour de la pomme, et la plaçaient sous l'oreiller. Avant de s'endormir, elles adressaient cette prière à saint Thomas :

Qu'il me fasse voir en dormant
Et les pays et la contrée
Où il fera sa demeurée
Tel qu'il sera, je l'aimerai
Ainsi soit-il.

La Procession du roitelet. *Marcus Ward et C°. Victoria et Albert Museum, Londres.*

Saint Étienne, 26 décembre

Ce jour célèbre deux saints du nom d'Étienne, le premier, le martyr de la première communauté chrétienne à Jérusalem, le second, plus obscur, celui qui est devenu le saint patron des chevaux, un missionnaire du IXe siècle en Suède, tué par les païens à Helsingland. Ce missionnaire garçon d'écurie est devenu un saint national : les cavaliers suédois montent leurs chevaux, vont en procession à travers les rues de la ville en chantant un cantique ancien en l'honneur du saint. En Europe, les fermiers décoraient leurs chevaux, les conduisaient à l'église afin qu'ils soient bénis par le prêtre, puis leur faisaient faire trois fois le tour de l'église. En Pologne, après la messe, on jetait de l'avoine au prêtre, en souvenir de la lapidation.

Aux siècles passés, on bénissait ce jour-là de l'eau et du sel, que les fermiers gardaient pour les faire boire et manger aux chevaux en cas de maladie. Une autre coutume, assez curieuse, consistait à promener le corps d'un roitelet, de maison en maison, en demandant un peu d'argent. Par la suite, il semble que la confusion se soit faite avec le rouge-gorge, associé à la fête de Noël en Angleterre.

Saint Jean l'Évangéliste, 27 décembre

C'était le disciple préféré de Jésus. La tradition le fait mourir à Ephèse. Au Moyen Age, cette fête était un jour férié, on bénissait et buvait un vin, appelé « Amour de Saint-Jean », parce que, selon la légende, le Saint aurait bu une coupe empoisonnée sans en ressentir de mal. En Europe centrale, cette coutume est encore respectée : on porte à l'église du cidre et du vin, ils sont bénis, et on les boit le jour même. Ce vin porte « bonheur » : de retour de l'église, les jeunes mariés en boivent un peu ; avant de partir en voyage une gorgée du vin de Saint-Jean assure un retour sans péril, et avant le dernier voyage, on fait boire aux mourants l'ultime breuvage : le vin de Saint-Jean.

Les Saints Innocents, 28 décembre

« Où est le roi des Juifs qui vient de naître, demandèrent les Mages à Hérode, car nous avons vu son étoile en Orient et nous sommes venus pour l'adorer ? » Mais les Mages ne revinrent pas auprès d'Hérode, et celui-ci « voyant qu'il avait été joué se mit dans une grande colère et, de peur d'avoir un rival, il envoya tuer tous les enfants de deux ans et au-dessous qui étaient à Bethléem et dans tout son territoire ». Pendant ce temps, Joseph, Marie et l'enfançon avaient fui en Égypte.

Au cours des siècles passés, les Saints Innocents ont été la fête traditionnelle des jeunes dans de nombreuses communautés religieuses. « Les novices avaient le privilège de s'asseoir aux premiers rangs pour les repas et les réunions. Dans certains monastères, le dernier qui avait prononcé ses vœux était autorisé à prendre la place du supérieur toute la journée » F. Weiser *(Fêtes et coutumes chrétiennes).* Au Moyen Age, les enfants de chœur choisissaient parmi eux un évêque, qui présidait à l'office. A Saint-Barthélémy de Béthune, le chapitre lui donnait vingt lots de vin et quatre écus ; à Bayeux, il recevait une pension de cinq sous. Fête des novices dans les congrégations religieuses, elle a été dans le sud de l'Allemagne la fête de tous les enfants : ils recevaient ce jour-là des cadeaux, et avaient pouvoir sur les adultes ; ils les frappaient avec des rameaux de gui ou de bouleau. Une autre coutume des pays germaniques est plus curieuse : mélange de fête chrétienne et de croyance préchrétienne selon laquelle les âmes des morts errent sur la terre après le solstice d'hiver. Pendant la nuit des Saints-Innocents, les âmes des enfants morts sans baptême errent parmi les vivants, sous la conduite de la déesse germanique des Enfers. Chaque enfant porte une cruche remplie des larmes versées pendant les années de solitude. Si un humain discerne leurs faibles cris dans la tempête, s'il aperçoit le fantôme d'un de ces enfants et qu'il le nomme d'un nom chrétien, alors l'enfant est délivré du pouvoir de la déesse des Enfers et peut rejoindre les Saints Innocents.

Les Rois mages, 6 janvier

Dans les premiers siècles de la Chrétienté, le 6 janvier célébrait à la fois la naissance du Christ, son baptême, et la transformation de l'eau en vin aux noces de Cana. Plus tard, pour l'Église catholique romaine, ce jour devint celui de l'adoration par les Rois mages de l'enfant Jésus. « Le premier des mages s'appelait Melchior, c'était un vieillard aux cheveux blancs, à la longue barbe. Il offrit l'or au Seigneur comme à son roi, l'or signifiant la royauté du Christ. Le second, nommé Gaspar, jeune, sans barbe, rouge de couleur, offrit à Jésus, dans l'encens, l'hommage dû à sa divinité. Le troisième, au visage noir, portant toute sa barbe, s'appelait Balthazar ; la myrrhe qui était dans ses mains rappelait que le fils de l'homme devait mourir.» Ainsi les ont décrits les Pères de l'Église.

Pour les enfants, ils sont surtout prétexte à un gâteau, la fameuse galette, où sera roi celui qui trouvera la fève. En Espagne, les rois apportent les cadeaux, et à Madrid et dans plusieurs grandes villes, les rois défilent au sein d'un impressionnant cortège. En Irlande, une croyance veut que, pendant la nuit du 5 au 6, l'eau se change en vin...

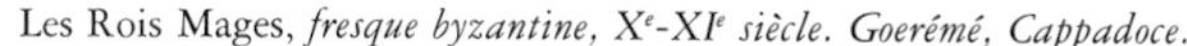

Les Rois Mages, *fresque byzantine, Xᵉ-XIᵉ siècle. Goerémé, Cappadoce.*

Période de divination, de communication avec les morts, où le chrétien et le païen se confondent, le temps de Noël est plus ressenti que réellement fêté, avec des survivances selon les régions ou les pays. Un saint, comme Étienne, sera saint national en Suède, mais les manifestations qui entourent sa fête peuvent être les mêmes que pour un autre saint, dans un autre pays. Comme s'il s'agissait des mêmes coutumes, posées, au gré d'une géographie mystérieuse, sur telle ou telle personnification. De la même façon avaient lieu à travers tous les pays d'Europe, mais à des dates variables, des pratiques identiques : l'allumage de bûchers ou de torches, et les quêtes d'enfants.

Les bûchers et les torches

« Le jour de l'Épiphanie, à la nuit tombante, encore en 1922, les familles d'Anet, en petits groupes, s'acheminaient vers la côte. Les enfants portaient au bout de bâtons des lampions de couleur, ou des lanternes de papier huilé. Sur la côte d'Abondant, les petites lumières se massaient en quelques points. Un buisson enchevêtré de viorne était bourré de paille, de sarments, de cosses de haricots, et le feu y était mis. Alors les enfants, ayant fait le cercle autour du brasier, ou formant une ronde, commençaient à chanter :

Adieu Noël, Noël s'en va
Sa femme à cheval
Ses petits enfants
Qui vont par devant
La p'tote Pierrette
Qui port'la galette
Le p'tit Pierrot
Qui port'le gâteau
Adieu Noël.

Que ce soit aux Rois, comme le relate ici Marcel Mayer, dans *Anet en Ile-de-France,* ou la veille de Noël, la pratique des bûchers ou des feux mobiles se retrouve à travers toute la France, principalement en Normandie et en Franche-Comté. A quoi renvoyaient ces pratiques, était-ce un écho des feux de la Saint-Jean ? Les hypothèses ont été nombreuses et contradictoires : il s'agissait de chasser les démons de l'hiver, d'en appeler au soleil... Arnold Van Gennep, qui, dans *Le Cycle des douze jours,* a relevé toutes les pratiques françaises, donne un point de vue de bon sens : « Les faits français sont fondés sur la magie la plus simple. C'est quand les arbres fruitiers n'ont pas de feuilles qu'on peut promener des brandons allumés dans leurs branches et contre leurs troncs. Nulle part on n'invoque, lors de ces bûchers et brandons, un esprit quelconque, ils n'ont même pas été christianisés en les mettant sous l'égide d'un saint, comme l'ont été ceux de la Saint-Jean. Ces cérémonies sont plutôt des moyens magiques de défense contre les parasites et autres calamités. »

En Angleterre, on faisait des bûchers, mais aussi des promenades dans les vergers, sans torches ni brandons, le jour ou la veille des Rois. Dans le Devonshire, la veille de Noël, on versait un peu de cidre sur les racines de chaque arbre, on déposait un morceau de pain sur une de ses branches, et on dansait une ronde en psalmodiant des incantations. Il s'agirait plus nettement de rites de fertilité, que l'on rencontrait à travers toute l'Europe pendant la période du solstice d'hiver.

Les tournées de quête

« C'est le facteur, pour les étrennes »... Il paraît impensable de ne pas sacrifier à la tradition, que ce soit le pompier, l'éboueur ou le scout, qui, contre un peu d'argent, souhaitent la bonne année et remettent un calendrier plus ou moins illustré. Ce sont les survivances françaises des tournées de quête, faites principalement par les enfants et très peu par les corps de métier. Dans certaines régions, elles avaient lieu à la Toussaint, ailleurs la veille de Noël, ou le jour des Rois. En chantant, les enfants se rendaient d'une maison à l'autre et recevaient des cadeaux, de la nourriture ou de l'argent. Un refus aurait porté malheur, et les menaces faisaient partie de la chanson, comme par exemple dans celle que l'on pouvait entendre aux environs de La Roche-sur-Yon :

Si vous ne voulez rien nous donner
Nous irons au jouc aux poules
Nous prendrons tous vos chapons

Torches et brandons. *E. Morin. Album « Evénement », 1865.*

ou en Vendée :

Si vous ne voulez rien nous donner
Prendrons la fille aînée
Celle qui met le pot au feu
Dedans la cheminée
L'emmènerons dans les verts prés
Lui apprendrons le jeu d'aimer

A ces menaces concrètes, et réalisables, s'en associaient d'autres qui faisaient appel directement à Dieu :

Dieu vous conserve la santé
Comme l'eau dans un panier percé
Que Dieu vous donne
Diarrhée mortelle
Jusqu'à l'autre Noël

Personne ne refusait... Souvent les groupes d'enfants étaient costumés en rois mages. L'un d'eux portait une étoile au bout d'un bâton, et la faisait tourner au moyen d'une poulie. En Flandre et dans les Pays-Bas, ils s'accompagnaient d'un « pot à bruit », pot recouvert d'une vessie de porc, dans lequel s'agite un bâton. A Boulogne-sur-Mer, la veille de Noël, les enfants parcourent encore la ville en portant une lanterne, faite d'un navet ou d'une betterave creusés, à l'intérieur desquels ils placent une bougie. C'est la « fête des guenels ». Ils chantent et reçoivent des étrennes.

Quel que soit le nom qui pouvait désigner ces quêtes : Bechten en Alsace, Aguillaneu en Saintonge, Eghinané en Bretagne, Baracoucou en Corse, les dons obtenus se nommaient « étrennes », c'est-à-dire cadeau de bon augure. Les enfants, en cette période de l'année, avaient donc « la main bonne » et portaient chance, en hommage à celui qui naquit, bien longtemps auparavant, dans la crèche de Bethléem.

La nuit de Noël

AGITATION, frémissement, impatience ou recueillement..., le jour de Noël approche et, pendant la semaine qui précède, la maison a pris son visage de fête. Le sapin est arrivé, les guirlandes d'or et d'argent s'échappent des papiers de soie, la crèche retrouve sa place privilégiée, et les santons familiers font leur apparition. Le gui et le houx couronnent les portes, les enfants aident un peu à la cuisine, ou furètent l'air de rien dans des placards où des paquets enrubannés leur sont peut-être destinés. La dinde cuit doucement, et son parfum se répand à travers la maison, se mêlant aux odeurs de gâteau, et de chocolat. Cette vision de Noël qui nous paraît inévitable est en fait récente. Fête de la famille, fête des enfants, fête des croyants comme des incroyants, Noël a longtemps été concurrencé en France par la fête des Rois. Madame de Sévigné n'écrivait-elle pas à sa fille pour lui montrer qu'elle avait bien fait les choses : « J'ai donné de quoi boire, j'ai donné à souper à mes gens, ni plus ni moins que la veillée des Rois. » Noël était une fête parmi les nombreuses fêtes du Moyen Age, et c'est avec le développement du sentiment de la famille qu'elle a pris la place que nous lui connaissons. « Ce n'est plus une grande fête collective, mais une fête de la famille dans son intimité » conclut Philippe Ariès dans *L'Enfant et la vie familiale sous l'Ancien Régime.* Deux siècles plus tard, l'illustration victorienne reprendra à son compte l'image de la famille unie au cœur de la fête, en l'enrichissant de détails nouveaux.

Cette représentation fera le tour du monde, s'adaptant aux climats et aux pays rencontrés. Noël se célèbre sous la neige, mais aussi sous un soleil brûlant, et la Vierge Marie dort dans un lit-clos breton, comme elle peut porter un kimono au Japon. Mais quelles que soient leurs représentations et leurs célébrations, la veille et la veillée de Noël prennent une place primordiale dans la plupart des pays, et coutumes et croyances se répondent d'une région, d'une contrée à l'autre.

La veillée de Noël

A la Saint Thomas
Cuis ton pain, lave tes draps
Tue un porc gras si tu l'as
Tu l'auras pas sitôt tué
Que Nau sera arrivé

conseillait un vieux dicton français, et la tradition voulait, dans les campagnes, que la maison soit nettoyée de fond en comble, que les ouvrages en cours soient terminés, que l'ordre et l'harmonie intérieure de cette fête de paix soient visibles jusque sur les murs. Ce n'était pas particulier à la France. En Irlande, la semaine qui précède Noël voit une activité ménagère

◀ Crèche napolitaine. *Metropolitan Museum, New York.*

accrue : tout est balayé, lavé, remis en état, les murs de la ferme et des bâtiments sont même passés à la chaux. En Norvège, le dernier dimanche de l'Avent est encore surnommé « dimanche sale » et à partir de ce jour, plus un grain de poussière ne trouve grâce, et les cuivres ou l'argenterie brillent d'un éclat inégalé. Il y a un siècle, hommes et bêtes prenaient alors leur bain annuel. En Suède et en Finlande, avant de se rendre dans la pièce couverte de paille où avait lieu le repas de Noël, chacun se débarrassait, au sauna, des impuretés et passait un vêtement propre sinon neuf. En Islande, celui qui n'avait pas de vêtement neuf, fût-ce un mouchoir, risquait d'être victime du « chat de Noël » qui mangerait son repas.

Une fois ces préparatifs accomplis, commençait l'attente de la veillée. La tombée de la nuit donnait le signal, mais souvent, en cette période de l'année dans les pays septentrionaux, l'obscurité règne dès le milieu de l'après-midi. Alors étoile ou cloche annonce que le temps est venu. En Norvège, les cloches carillonnent à 5 heures de l'après-midi, tandis qu'en Finlande, la proclamation de paix de Noël se fait depuis la cathédrale de Turku, la plus vieille ville du pays. En Pologne, les enfants scrutent le ciel avec intensité puisqu'à l'apparition de la première étoile le repas peut commencer. En Bretagne, on se montrait plus exigeant : il fallait compter neuf étoiles, en souvenir des neuf mois d'attente de la Vierge, pour prendre place à la table où un petit pain rond et un verre d'eau attendaient. La veillée commençait, veillée de prières ou veillée de chants et de jeux, mais avec des rites communs, allumage de la bûche et présence de la lumière sous forme de bougies traditionnelles, qui éclairaient la table ou les chemins enneigés.

Les veillées des Noëls anciens

En Bretagne, l'attente se passait en prières, dans d'autres régions les divertissements réjouissaient l'assemblée avant le départ. En Anjou, les jeunes gens mariés dans l'année se réunissaient et, escortés de toute la foule, se rendaient sur un pont au-dessus d'une petite rivière. Là, au signal donné par les premiers magistrats de la cité, et en présence du seigneur du lieu qui présidait la cérémonie, ils se précipitaient dans l'eau pour y saisir, en nageant, une pelote qui y avait été jetée. Celui qui l'avait saisie le premier n'était pas gagnant pour autant, car les autres pouvaient la lui arracher. La lutte était longue et soutenue par les encouragements et les éclats de rire des spectateurs. Celui qui parvenait à la garder recevait cinquante livres pour monter son ménage, et était reconduit chez lui au son des tambours, des fifres et des hautbois. Ceux que l'eau froide effrayait payaient une amende au profit du vainqueur.

D'autres jeux avaient lieu autour du foyer, dans le sein de la famille : en Aixois, avant de se rendre à la messe de minuit, familles et amis se réunissaient pour passer la veillée, les vieux devisaient en buvant, les jeunes chantaient des noëls et se livraient à différents jeux : un charbon allumé était suspendu au plafond, de façon à ce qu'il arrive à hauteur de bouche. A un mètre de distance, deux jeunes gens tentaient d'éteindre le charbon, sans le moindre mouvement, uniquement en soufflant. Si l'un des deux ne soufflait pas assez fort, il risquait d'être brûlé au visage, sous les quolibets de l'assistance.

Ailleurs, les jeux prenaient la forme de devinettes : on jouait aux « alagnes » (noisettes). Elles étaient étalées sur la table et les joueurs, sauf deux, baissaient la tête. L'un des deux touchait une noisette en disant « churi » (silence). A tour de rôle les autres joueurs tentaient de deviner la noisette désignée. Une variante de ce jeu consistait à faire deviner combien de noisettes contenait une main fermée.

Le plaisir des jeux ne faisait pas oublier la sainteté de la nuit, et pourtant en Angleterre où des manifestations identiques avaient lieu, la fête fut déclarée « païenne » par les Puritains et Olivier Cromwell. Les célébrations religieuses devaient avoir lieu dans le silence et le recueillement. Noël ne retrouva un manteau de joie que deux siècles plus tard. Mais avant les jeux, prenait place une cérémonie, qui, malgré son origine vraisemblablement païenne, était bénie par l'Église : la cérémonie de la bûche de Noël.

La bûche

Cosse dans le Berri, *chuquet* en Normandie, *cacho fio* en Provence, *Yule log* dans les pays anglo-saxons, *ceppo* en Italie, *Christ brand* en Allemagne, *kerstblock* en Flandre, la bûche est partout à travers l'Europe. Attestée en Allemagne dès 1184, aux Pays-Bas dès 1264, la plus ancienne description que nous en ayons pour la France remonte à 1597. Elle est due à un étudiant bâlois, qui étudiait la médecine à Uzès : « Le 24 décembre, au soir de Noël, au moment de la tombée de la nuit, je vis placer sur le feu un grand morceau de bois que dans leur langue ils nomment *cachefioc,* c'est-à-dire couvre-feu, et on exécuta ensuite les cérémonies suivantes. On met une grande bûche de bois sur les chenets dans la cheminée par-dessus le feu. Quand elle commence à brûler, toute la maisonnée se rassemble près du feu et le plus jeune de la maison, s'il n'est pas trop jeune, car c'est alors le père ou la mère qui le fait en son nom, doit tenir de la main droite un verre plein de vin, un morceau de pain et un peu de sel ; dans la main gauche une chandelle allumée en cire ou en suif. Alors tous les garçons et tous les hommes se découvrent la tête et cette personne la plus jeune, ou le père en son nom, parle ainsi :

Où le maître de la maison va et vient
Que Dieu lui donne beaucoup de bien
Et pas du tout de mal
Que Dieu lui donne des femmes qui enfantent
Des chèvres qui chevrettent
Des brebis qui agnellent
Des juments qui poulinent
Des chattes qui chatonnent
Des rates qui ratonnent
Et pas du tout de mal
Mais force bien.

Quand ceci a été récité, le même enfant jette un peu de sel sur la bûche et dit « Au nom de Dieu le Père », puis « Au nom du Fils », puis « Au nom du Saint-Esprit ». Quand ceci a été exécuté, tous crient ensemble : « Allègre, que Dieu nous allègre ! », c'est-à-dire : Joyeux, que Dieu nous rende joyeux. Il agit de même avec le pain, ensuite avec le vin, et enfin aux trois endroits il fait couler sa chandelle au nom du Père, du Fils et du Saint-Esprit et tous de crier comme il est dit ci-dessus : « Joyeux ». (Récit de voyage de Thomas Platter, cité par Van Gennep in *Le Cycle des douze jours.*)

Dans cette description, c'est l'enfant qui officie, dans d'autres régions au contraire, ce rôle revient à l'aïeul. Destinée à brûler au moins trois jours, la bûche était de bonne taille, quelquefois même avec ses racines. De forts gaillards la ramenaient à la maison, et même, comme en Vendée, un jeu symbolique précédait l'entrée de la souche, attachée avec la corde du puits dont on laissait pendre deux longs bouts. Maîtres et valets se partageaient en deux groupes, l'un représentant les bons anges gardiens du logis, l'autre les mauvais esprits, et chacun de s'acharner à la tirer en sens opposé. Après une lutte, soutenue par de vigoureuses clameurs, les anges gardiens du foyer l'emportaient, et la *cosse,* ornée de rubans et de dentelles, était déposée dans l'âtre. Le plus souvent la souche provenait d'un arbre fruitier : prunier, poirier, cerisier, châtaignier, mais aussi d'un chêne ou d'un hêtre, ce qui n'est pas contradictoire puisque glands et faînes avaient été nourriture d'homme avant de devenir celle d'animaux. Pour qu'elle brûle plus longtemps encore, on la présentait perpendiculairement au foyer. La plupart des familles observaient le cérémonial suivant : dès que la nuit était tombée, on éteignait tous les foyers. On allait à l'église en foule pour allumer des brandons à la lampe qui brûlait dans l'église, en l'honneur de Jésus. Un prêtre bénissait ces brandons que l'on allait promener dans les champs. Hors ces brandons, aucun feu ne brûlait dans le village. Une fois rentrés, le père ou la mère de famille allaient chercher les tisons de la bûche de l'année précédente, et c'était par eux que la nouvelle bûche était allumée, puis arrosée d'eau bénite, ou de vin, ou d'huile, ou de lait, ou de miel...

Pourquoi ces libations ? Mgr Marchetti, dans *Explication des usages et coustumes des Marseillois en 1683,* donne un sens religieux à ces pratiques : « La bûche de Noël représente Jésus-Christ qui s'est comparé lui-même au bois vert. Dès lors l'iniquité étant appelée dans le 4e livre des Proverbes le vin et la boisson des impies, il semble que le vin répandu par le chef de famille sur cette bûche signifiait la multitude de nos iniquités que le Père Éternel a répandues sur son fils dans le mystère de l'Incarnation, pour être consumées avec lui dans la charité, dont il a brûlé durant le cours de sa vie mortelle. » Pour Mgr Chabot et d'autres folkloristes, le rituel de la bénédiction de la bûche « n'était que la bénédiction du feu, au moment où les rigueurs de la saison le rendaient plus utile que jamais : cet usage existait surtout dans les pays du Nord... C'était la fête du feu, le Licht des anciens germains, le feu d'Yule des forêts druidiques. » Rédemption des péchés du monde, adoration du feu et du Dieu Soleil, rites de fécondité, la bûche de Noël est tout cela... Et même plus encore, puisque en Franche-Comté, en Bourgogne, elle était creuse et remplie de présents, fruits secs, bonbons. Mais pour livrer ses surprises, la « tronche » devait être battue. Les enfants la frappaient avec des bâtons ou des pincettes pour la faire « accoucher ».

Anatole France, dans *Le Crime de Sylvestre Bonnard,* fait recevoir à son personnage un cadeau de Noël inspiré de ces coutumes : « C'est un très gros paquet, mais pas très lourd. Je défais dans ma bibliothèque les faveurs et le papier qui l'entoure et je trouve... quoi ? une bûche, une maîtresse bûche, une vraie bûche de Noël, mais si légère que je la crois creuse. Je découvre, en effet, qu'elle est composée de deux morceaux qui sont joints par des crochets et s'ouvrent sur charnières. Je tourne les crochets et me voilà inondé de violettes. Il en coule sur ma table, sur mes genoux, sur mon tapis. Il s'en glisse dans mon gilet, dans mes manches. J'en suis tout parfumé. »

Mais on attribuait à la bûche de Noël bien d'autres vertus.

La bûche, lieu d'accueil

La veille de Noël, pendant la messe, la Vierge prend place auprès de la bûche pour s'y peigner (Angoumois), pour y chauffer l'enfant Jésus (Alsace). En Touraine, les jeunes filles balayaient soigneusement l'âtre, pour que, selon la tradition, la mère de Jésus vienne durant la messe de minuit « remuer l'enfant », c'est-à-dire le changer et le langer, sans salir ses blancs vêtements. Parfois une chaise était disposée à cette intention auprès du foyer. Aux environs de Dinan, la bûche était destinée à chauffer les anges qui descendaient sur la terre. Les hommes ne les voyaient pas, mais les animaux avaient ce pouvoir. La Vierge veillait aussi sur la maison, en prenant soin des nourrissons que les mères avaient laissés pour aller à la messe de minuit.

Dans le Morbihan, d'autres visiteurs invisibles étaient attendus autour de la bûche : « Toute la famille assiste à l'allumage de la bûche en disant des prières. On recouvre les banquettes de laine pour que les morts viennent y assister. Devant, on met des petits bancs où, avant de partir à la messe, on pose des couverts complets, du pain, du beurre pour que les morts puissent venir manger et boire pendant que les vivants sont à la messe de minuit. Au retour, on dessert les banquettes avant de se mettre au lit. »

Accueillante aux présences de l'au-delà, la bûche l'était beaucoup moins aux simples mortels : ils risquaient gale et furoncles à y poser leur séant... F. Fertianet, dans la *Revue des traditions populaires,* donne une explication prosaïque à cette croyance communément répandue : la bûche doit se consumer dans une tranquillité respectueuse, or « les enfants touchant à tout, on a cherché le moyen de les éloigner. Ayant remarqué qu'ils aimaient à prendre pour siège l'extrémité du tronc, la "queue du bois", non encore touchée par la flamme, et comme cette familiarité pouvait entraîner de graves inconvénients, on a imaginé de leur dire que s'asseoir là leur ferait venir des clous aux parties charnues, ou qu'ils y attraperaient la gale... Les enfants se tinrent pour avertis. » Par contre « cette queue du bois » pouvait, en Lorraine, aider un jeune homme à déclarer sa flamme ! S'il se plaçait à l'extrémité de la bûche, il donnait à penser qu'il avait des vues sur la jeune fille de la maison.

Alsace, la bénédiction de la bûche de Noël, *d'après P. Kauffmann.*

Les vertus bénéfiques de la bûche

La combustion de la bûche était prétexte à prédictions : selon sa taille, la récolte serait abondante ou non, selon le nombre d'étincelles, les mariages ou les poulets seraient nombreux, tout dépendait de la préoccupation du moment. Dans les Deux-Sèvres, dès que la souche était enflammée, chacun s'approchait d'elle, exprimait un souhait et frappait le tronc : les souhaits seraient exaucés à l'égal du nombre d'étincelles. Dans l'Aixois, les jeunes gens allaient cueillir à reculons des rameaux de buis, et revenaient de même à la maison. Les feuilles étaient détachées du rameau, et placées une à une devant la bûche. Si, portée par la chaleur, la feuille tourbillonnait dans l'air avant de prendre feu, c'était de bon augure ; la réponse était positive à la question posée : «Me marierai-je cette année ? Tirerai-je un bon numéro ? »

Mais plus que des vertus divinatrices, la bûche et surtout les « charbons » ou les « tisons » avaient des vertus protectrices. On croyait que les charbons enflammés ne brûlaient pas, pas plus que les étincelles : on mettait trois charbons sur la nappe et il ne restait pas la moindre marque de brûlure. La maîtresse de maison conservait les parts non brûlées de la bûche et les charbons, les plaçait sous son lit. En cas d'orage, la bûche était remise au feu, et écartait la foudre. Les charbons et les cendres, soigneusement ramassés, préservaient la maison, ses habitants, les animaux, les champs et les récoltes de toutes maladies et accidents. Les vertus du charbon en poudre étaient infinies : au pied des arbres fruitiers, il faisait fructifier la récolte, ailleurs il chasse les pucerons, empêche le renard d'entrer, ou éloigne les sorciers. Mais surtout le charbon de la bûche porte bonheur, on le conserve précieusement, et s'il y a changement de demeure, la maîtresse de maison en brûle une parcelle dans le foyer de la nouvelle maison, au moment où l'on pend la crémaillère. Peut-être était-ce pour porter chance dans l'au-delà que l'on disposait dans le cercueil, de chaque côté du défunt, un morceau de charbon...

La bougie de Noël

Moins impressionnante que la bûche, la bougie ou les bougies faisaient partie du rituel de Noël. Sur la table marseillaise trois bougies représentaient la Sainte Trinité ; en Auvergne, les trois bougies étaient à l'image du déroulement de la vie, une pour ceux qui étaient partis, une pour ceux qui étaient à venir, la troisième pour les absents. En Angleterre, la bougie a pris la place de la bûche. Il s'agit d'une grande bougie, rouge, décorée de houx, et, si elle s'éteint avant la fin de la journée, le mauvais sort risque de s'acharner pendant l'année qui vient. En Irlande, la bougie de Noël est placée sur un appui de fenêtre, pour guider les Rois mages. Parfois au Danemark, on allume deux bougies, une pour le mari, l'autre pour la femme, et la première qui s'éteindra désignera celui qui mourra le premier. Quelquefois il y a autant de bougies que de membres de la famille. Comme pour la bûche, l'allumage de la bougie a ses rites. En Angleterre, elle est allumée, puis éteinte, puis rallumée en grande cérémonie. Seul le père ou parfois l'aîné des enfants peuvent s'en approcher. La cire non consumée est gardée et parée de vertus bénéfiques comme le charbon de la bûche.

Plus près de nous

Dans notre attente contemporaine de la venue du Christ, quels rites avons-nous ? Pas de bûche, sinon sous forme de gâteau, beaucoup de bougies, mais qui n'ont plus de valeur symbolique. Quels sont alors pour nos enfants les signes qui ne trompent pas, par lesquels ils identifient absolument Noël, si ce n'est l'apparition de la crèche et de ses personnages, et la décoration du sapin de Noël...

La crèche

Dès les premiers temps de la chrétienté, la grotte où naquit le Christ devint objet de culte, de pèlerinage. Au IIIe siècle, Origène assure que l'on montrait aux pèlerins non seulement la grotte, mais encore la crèche, la mangeoire où Jésus reposait. Deux siècles plus tard, saint Jérôme déplorait les changements survenus : « Ah ! s'il m'était donné seulement de voir la crèche où reposa le Seigneur ! Mais hélas ! par vénération pour le Christ, nous avons enlevé la crèche d'argile pour lui en substituer une d'argent. » A partir du VIe siècle, des oratoires furent construits dans certaines églises romaines, sur le modèle de la grotte de Bethléem. On y priait devant une image d'or de la Vierge portant Jésus. La reproduction du lieu de la Nativité prenait forme, mais avant de devenir, assez récemment, une pratique familiale, il s'est d'abord agi d'une représentation publique dans les drames liturgiques ou mystères.

Les mystères. Dès le XIIIe siècle, les crèches apparaissent dans les drames liturgiques représentant la Nativité du Christ. Ces Nativités s'inspiraient davantage des Évangiles apocryphes et des légendaires rimés que de saint Luc ou de saint Matthieu. La crèche fut d'abord réduite à l'essentiel : une sorte de reposoir pour abriter, parmi fleurs et cierges, une statue de la Vierge avec l'Enfant. Masquée par des rideaux, elle n'était dévoilée qu'au moment de l'Adoration des Mages. Puis les livrets mentionnent précisément la crèche, c'est-à-dire une installation en forme d'auge, de corbeille, dans laquelle un poupon serait couché. La crèche était placée dans le chœur ou à l'entrée de l'église. A Orléans, le Directoire du mystère de l'Épiphanie avait choisi ce dernier emplacement, qui permettait d'introduire deux acteurs indispensables : l'âne et le bœuf.

Saint François d'Assise, à Grecchio, avait cherché à retrouver la vérité de la naissance de l'enfant : « Un autel dressé en plein air, une crèche, un bœuf et un âne ; tout reproduisait au naturel l'étable de Bethléem. A minuit, les frères mineurs se mirent en marche vers le bois, accompagnés d'une foule de montagnards qui portaient des torches allumées et leurs instruments de musique. » Le saint fut profondément ému et « l'allégresse la plus vive inonda son cœur ». Mais, quoi qu'on en ait dit, ce n'est pas cette célébration qui modifia l'évolution des crèches.

Deux événements eurent une importance bien plus grande : l'interdiction, par Louis XIV, des mystères, qui avaient pris une tournure profane, et la lutte de l'Église contre la Réforme, qui eut pour effet de créer de nouveaux ordres religieux et des dévotions nouvelles, dans lesquelles la représentation de la Nativité tenait une grande place. Progressivement, toutes les églises voudront installer une crèche pour les fêtes de Noël, en respectant les personnages de l'évangile, ou au contraire, en associant des représentants de la population locale. Les crèches devinrent plus élaborées, plus réalistes.

A un point tel qu'en Allemagne, la foi naïve des fidèles imagina Jésus comme un nouveau-né que la famille caresse et embrasse. La crèche devint berceau, et l'Enfant Jésus s'endormait bercé par les prêtres, puis par tous les fidèles. Les artistes exécutèrent des quantités de berceaux gothiques en or, argent, ivoire, et le jour de Noël, dans les familles riches et les couvents, le « repos de Jésus » était sorti de l'armoire, et les moniales berçaient d'un doux mouvement un enfant de cire, vêtu de soie et de satin, couché sur des coussins brodés de perles rares, de fils d'or et d'argent.

Les pastorales et les crèches parlantes. L'interdiction des mystères amena le succès des pastorales. A la fois drames naïfs et romances populaires, elles eurent des interprètes à travers la plupart des provinces françaises, associant au passage des particularités régionales. Chantées devant les crèches d'église, elles servirent aussi de livret au XVIIIe siècle pour les théâtres de marionnettes et pour les crèches animées, dont Marseille eut la primeur en 1775. Interdites pendant la Révolution, ces crèches parlantes retrouvèrent, aussitôt après, leur public. A Marseille, Laurent, vraisemblablement créateur de la première crèche parlante, ajouta aux scènes évangéliques des intermèdes d'actualité : Napoléon, des vaisseaux de guerre et des coups de canon pour saluer l'Enfant Jésus.

De l'église, la crèche était passée dans les lieux publics, avant de trouver sa place au sein de la famille.

Les crèches familiales furent d'abord des objets précieux, placés sous vitrines, et on les nommait « chapelles » pour les distinguer de celles des églises. Certaines en verre filé ou en porcelaine sont de véritables chefs-d'œuvre, comme celles de Nevers ou du musée Borély de Marseille. Puis la fabrication de figurines en mie de pain (mastic), en argile ensuite, transforma la nature de la crèche familiale. Plus accessible, elle se répandit avec un essor particulier en Provence où les dynasties de santonniers, de Gloriain à la fin du XVIIIe siècle, à la famille Neveu de nos jours, donnent naissance à des « petits saints » émouvants et pittoresques.

Les crèches familiales ont fait le tour du monde chrétien. De l'Italie au Pérou, du Japon au Canada, la Sainte Famille change de visage, de vêtements, mais partout illustre la même foi.

L'arbre de Noël

Le sapin est devenu le signe par excellence de Noël. Dès la mi-décembre, les boutiques des fleuristes disparaissent derrière des forêts de conifères ; les places de capitales européennes en accueillent d'immenses, illuminés comme des feux de joie, et c'est au pied du sapin que beaucoup d'enfants déposent leurs chaussures. Objet de cultes anciens, le sapin se pare maintenant d'étoiles de Bethléem, tout comme de petits pères Noël, ou d'anges couronnés d'or... C'est sur lui que semblent s'être regroupés les symboles de la fête. (Voir p. 114)

La messe de minuit

Dans les Noëls anciens, la veillée n'avait de sens que pour l'attente de la messe de minuit. Saint Jean Chrysostome l'appelait « la plus vénérable des fêtes », la « métropole », le point cardinal de toutes les fêtes. Francis Weiser, dans *Fêtes et Coutumes chrétiennes,* rappelle quelques dates : au Ve siècle, Noël marque le commencement de l'année liturgique. En 425, l'empereur Théodose interdit les jeux de cirque, et en 429 l'empereur Justinien déclare Noël jour férié. En 506, le concile d'Agde invite tous les chrétiens à recevoir en ce jour la sainte communion, et en 567 le concile de Tours proclame que les douze jours de Noël à l'Épiphanie sont une période sainte et sacrée et institue le devoir du jeûne pendant l'Avent pour préparer la fête. Pendant ce temps, l'évangélisation répand Noël à travers l'Europe : en 461, saint Patrick introduit Noël en Irlande, et en 604 saint Augustin de Cantorbéry fait célébrer Noël en Angleterre. En 754, saint Boniface en Allemagne, en 865, saint Ansgar en Scandinavie, en 869 saint Cyrille dans les pays slaves, et en 997 saint Adalbert en Hongrie donnent à la messe de minuit son existence et sa solennité.

Retour de la messe de minuit en Savoie. *« Petit Journal », 1922.*

La messe de minuit... en fait il y en a trois, ce que rappelle Alphonse Daudet dans les *Trois messes basses.* Quand l'office romain fut organisé, la fête de Noël se déroula d'après cet ordre : la veille, le pape se rendait en station solennelle à Sainte-Marie-Majeure, splendidement restaurée par Sixte III entre 431 et 440, et présidait les vêpres. La nuit, on chantait dans la même basilique l'office nocturne et la messe. Puis le pape se rendait en procession à Sainte-Anastasie pour les laudes et la messe de l'aurore. La troisième messe, la plus solennelle, était célébrée à Saint-Pierre. Pourquoi trois messes ? Pour saint Thomas d'Aquin, elles rappellent les trois naissances du Christ : la première est la naissance éternelle qui nous reste invisible et cachée, messe chantée de nuit. La seconde est dans le temps, mais spirituelle, signifiant la naissance de Jésus en nous, c'est la messe de l'aurore. La troisième naissance du Christ, à la fois temporelle et corporelle, du sein virginal de sa mère, revêtu de chair et visible à tous, serait célébrée par la messe chantée en pleine lumière... Peut-être, mais les bourgeois parisiens du XVIe siècle qui s'acheminaient, le falot ou la torche à la main, au son des cloches lancées à toute volée, vers l'église de leur quartier, n'en demandaient pas tant. La messe de minuit était la plus joyeuse de l'année liturgique, avec ses chants, sa crèche, et quelquefois même avec des représentations théâtrales de la Nativité. En Béarn et Bigorre, une jeune mère, la plus vertueuse de la paroisse, se plaçait dans le chœur avec son petit dernier. Rôle de tout repos. L'ange de la nouvelle, lui, devait avoir des talents d'acrobate : placé dans un tonneau suspendu par une poulie à une corde, il glissait le long du mur de l'église, du chœur à la tribune, et à son approche, les bergers incrédules perdaient de leur assurance. Ailleurs, les bergers apportaient des présents à l'enfant nouveau-né, cette coutume s'est maintenue aux Baux-de-Provence.

Les offrandes de la messe de minuit

Agneau, oiseau ou pains bénits, telles étaient les offrandes des campagnes françaises au Sauveur du monde, au cours d'un cérémonial immuable. En Normandie, dans le pays de Caux, la préparation de la cérémonie revenait aux garçons. Ceux-ci, jeunes et vieux, se réunissaient plusieurs semaines à l'avance et élisaient un « maître » qui relevait les cotisations destinées à l'achat d'un pain bénit et d'un nombre considérable de chandelles pour son illumination. Le soir de Noël, ils se tenaient tous dans le chœur, une serviette blanche en écharpe. Se joignaient à eux des bergers armés de leur houlette et tenant des agneaux vivants en laisse, et des enfants, que des ailes en papier métamorphosaient en anges. Mais ce qui attirait tous les regards, c'était la pyramide des pains bénits, disposés sur quatre plateaux de taille décroissante, pouvant tourner sur eux-mêmes, illuminés d'un millier de bougies, de houx, de roses de Noël, de laurier. Puis après l'annonce des anges, la pyramide, posée sur un chariot, s'approchait de l'autel. Le pain bénit était ensuite distribué. En Champagne, il était offert par une jeune fille, vêtue de blanc. Elle le portait sur la tête, et la coupole qui surmontait le pain était ornée de petits cierges allumés. Elle tenait aussi un cierge allumé à la main.

En Picardie et en Provence, on offrait un agneau. En Picardie, les bergers et les bergères vêtus de blanc, apportent l'agneau pour le faire bénir. A Ham, il était porté jusqu'à l'autel, sur un coussin, un ruban rouge autour du cou. Puis on le ramenait à la bergerie où il devait mourir de mort naturelle, car on le regardait comme porte-bonheur, ou sauveur du troupeau. Aux Baux-de-Provence, cette cérémonie a encore lieu de nos jours et attire de nombreux curieux.

Une autre coutume voulait que dans de nombreux villages de France on lâche des oiseaux dans l'église pendant la messe. A Entraigues, dans le Vaucluse, la veille de Noël, les jeunes gens capturaient des roitelets vivants pour en donner un au curé. Celui-ci, après la messe, montait en chaire et libérait l'oiseau, enrubanné de rose, devant les fidèles. Puis l'oiseau s'échappait par la porte laissée ouverte. Selon Mgr Chabot, le choix de ce petit oiseau symbolisait l'enfant de Bethléem, et la liberté accordée solennellement par le pasteur au passereau était vraisemblablement la représentation naïve de l'affranchissement de l'âme humaine, délivrée par la venue du Messie des chaînes du ravisseur infernal...

Mais si ces célébrations de la messe de minuit tentaient d'approcher de la Nativité initiale, il en fut d'autres au Moyen Age que leurs excès firent interdire...

L'office de l'âne

Que serait devenu l'Enfant Jésus sans l'âne qui avait porté sa mère ? Comment aurait-il pu atteindre l'Égypte et échapper à la persécution d'Hérode ? Au Moyen Age, la foi populaire attribuait à saint Augustin dans son sermon de Noël une louange de l'âne, et l'idée naquit de l'associer à la célébration de la Nativité. A Rouen, à Autun, à Beauvais et dans bien d'autres villes, un âne faisait triomphalement son entrée dans l'église, soit la veille de Noël, soit au cours des secondes vêpres du jour.

A Rouen, l'âne participait à la procession des prophètes, la veille de Noël, comme monture de l'un d'eux, Balaam. Un chanoine ayant revêtu la robe du prophète, monté sur l'âne, tirait la bride et le frappait de ses éperons, tandis qu'un jeune homme lui barrait le passage avec une épée et l'obligeait à s'arrêter. C'était l'ange dont parle l'Écriture. Un petit clerc, caché sous l'âne, disait alors d'une voix étrange : « Pourquoi me déchirez-vous ainsi avec l'éperon ? » Puis l'ange disait à Balaam : « Renonce à servir les desseins du roi Balac. » Et les chantres de dire : « Balaam, prophétise ! » Alors Balaam annonçait : « Une étoile sortira de Jacob. » Il laissait ensuite la place à Samuel et à David.

A Beauvais, c'était une très belle jeune fille, portant l'enfant dans les bras, qui pénétrait dans l'église sur un âne, suivie d'un cortège, clergé et fidèles mêlés. Ils étaient reçus par les chanoines, un verre et une bouteille à la main. La messe commençait, et le premier hommage à l'âne était chanté dans l'Introït :

Orientis partibus Adventavit asinus Pulcher et fortissimus Sarcinis aptissimus Hez, sire âne, hez !

(De l'Orient est arrivé un âne noble et très fort, le plus apte à toutes les charges.)

Les prières s'achevaient toutes par « hi-han » et à la fin de l'office le prêtre lançait trois « hi-han » retentissants auxquels les fidèles répondaient par : « Deo gratias, hi-han ! »

A Autun, l'âne était revêtu d'une chape d'or tenue aux quatre coins par les chanoines les plus considérés, et pendant la messe, la prose de l'âne chantée après l'épître se terminait ainsi :

Hez, va ! Hez va ! hez va ! hez ! Bialx sire asnes, car allez, Belle bouche, car chantez, Vous aurez du foin assez Et de l'avoine a plantez !

A force de « hi-han », la messe n'avait plus la dignité requise. Certains s'en offensèrent, tant et si bien que l'Église interdit cette célébration, qui partait pourtant d'un bon sentiment.

La fête des fous

« Il a détrôné les puissants et exalté les humbles » avait dit la Vierge dans le Magnificat, et cette parole avait donné vie à des cérémonies qui illustraient la fragilité des choses d'ici-bas, en inversant pour quelques heures puissance et faiblesse. Les enfants de chœur avaient leur fête le jour des Innocents, et pendant cette journée ils choisissaient un évêque, célébraient la messe, et le soir festoyaient avec le vin et les écus remis par le chapitre. La fête fut abolie à plusieurs reprises, pour cesser définitivement au XVIe siècle. La fête des fous était assez proche, et permettait au bas clergé de prendre la place des chanoines en titre. « On sacrait dans la cathédrale même l'évêque ou l'archevêque des fous », rappelle Maurice Vloberg dans *Les Noëls de France.* « Que l'on se figure un cortège de carnaval en possession du sanctuaire, s'y livrant à toutes les bouffonneries, à toutes les insanités de mimique, de rire et de danse, tandis que devant le tabernacle et le Dieu qui y réside s'accomplissaient les saints rites. Chez les figurants du bas clergé, c'était à qui prendrait le masque le plus hideux, le visage le plus affreusement barbouillé de suie, le travesti le plus pervers... » La fête des fous n'a pas atteint partout ce degré de licence ; néanmoins les condamnations des conciles et des synodes n'ont fait que se répéter, sans réel succès. Il fallut toute l'autorité du concile de Trente pour interdire définitivement de telles manifestations, qui rappellent les Saturnales romaines.

La nuit des merveilles

L'enfant sauveur naquit, et ce fut la première des merveilles. Dans cette nuit miraculeuse, l'univers entier se met en mouvement, les animaux parlent, les pierres se lèvent, des trésors apparaissent, la Mort désigne ceux qu'elle viendra prendre, l'avenir se dévoile. Nuit sainte, mais nuit magique, pendant laquelle l'homme côtoie l'étrange et risque de perdre la vie s'il s'en approche trop. Une des croyances les plus répandues à travers les régions de France et de nombreux pays était que, pendant la nuit de Noël, les animaux avaient l'usage de la parole. Mais malheur à qui les entendrait... D'où la coutume d'offrir aux animaux, avant la messe de minuit, une double ration de foin et de fourrage, pour s'attirer leurs bonnes grâces, ou les endormir par un repas copieux avant qu'ils n'aient pu nommer les morts à venir. Les récits de cette nuit des animaux sont quasiment les mêmes de région en région : un homme, peut-être ivre ou jouant à l'esprit fort, se cache dans l'étable pour entendre parler les animaux. Il s'entend nommer comme le prochain mort et, voulant attaquer les animaux, il se blesse et se tue, ou meurt de frayeur, confirmant la parole des bœufs. Dans le Berry, on raconte qu'un bouvier, qui se trouvait couché près de ses bœufs entendit le dialogue suivant :

« Que ferons-nous demain ? demanda tout à coup le plus jeune du troupeau.

— Nous porterons notre maître en terre, répondit d'une voix lugubre un vieux bœuf à la robe noire, et tu ne ferais pas mal, François, continua l'honnête animal en regardant le bouvier qui ne dormait pas, et tu ne ferais pas mal d'aller l'en prévenir afin qu'il s'occupe des affaires de son salut.

Le bouvier, moins surpris d'entendre parler ses bêtes qu'effrayé du sens de leurs paroles, quitte l'étable en toute hâte et se rend auprès du chef de la ferme pour lui faire part de la prédiction.

Celui-ci, assez mauvais chrétien, se trouvait alors attablé avec trois ou quatre garnements de son voisinage... Il fut frappé du masque effaré de François, à son entrée dans la salle.
— Eh bien, qu'y a-t-il ? lui demanda-t-il brutalement.
— Il y a que les bœufs ont parlé, répondit le bouvier consterné.
— Et qu'ont-ils chanté ? reprit le maître.
— Ils ont annoncé qu'ils vous porteraient en terre demain...
— Le vieux bœuf en a menti ! et je vais lui donner une correction, s'écria le fermier, le visage empourpré par le vin et la colère.

Et, sautant sur une fourche de fer, il s'élança hors de la maison, se dirigeant vers les étables. Mais il était à peine arrivé au milieu de la cour qu'on le vit chanceler, étendre les bras et tomber à la renverse. Ses amis, accourus pour le secourir, ne relevèrent qu'un cadavre, et la prédiction du bœuf se trouva accomplie... »

Ce don de la parole aurait été donné aux animaux par le ciel en souvenir du temps ou l'Enfant Jésus n'avait que leur haleine pour se réchauffer. En Angleterre, ce sont les abeilles qui, pendant la nuit de Noël, sortent de leur sommeil hivernal pour bourdonner, et dans l'Angleterre du Nord elles iraient jusqu'à bourdonner un cantique...

En Bretagne, la nuit de Noël est plutôt propice aux êtres surnaturels. On raconte que, pendant la messe de minuit, au moment de l'élévation, surgissent fantômes, fées des bois et des eaux, l'homme-loup, le conducteur des morts... Émile Souvestre, dans une jolie scène au coin de l'âtre, fait raconter par l'ancêtre toutes ces merveilles de la nuit de Noël. « Il ne reste à la ferme que le vieux père et la fille de sa petite fille... Tous deux gardent le silence. Enfin, après avoir regardé longtemps les étincelles tourbillonner dans les flocons de la fumée blanche, l'aïeul dit :
— Ce doit être maintenant que le prêtre élève l'hostie ; les merveilles de la nuit de Noël vont commencer.
— Quelles merveilles, doux père ? répond la jeune femme, qui sait le vieil homme heureux quand on l'écoute.
— Je vous les ai racontées bien des fois, mon enterreuse, dit le grand-parent. Le jour de la messe de minuit et au moment de l'élévation, tout ce qu'il y a d'êtres créés sous terre, sur terre et au-dessus de la terre, se montre, à la fois, dans le monde des chrétiens.
— Et ils sont beaucoup, vieux père ?
— Plus qu'il n'y a de sauterelles dans les prairies et de graines rouges sur les aubépines, ma fille. Ils arrivent tous à la fois sur trois rangs placés l'un sur l'autre, comme les étages des grandes maisons neuves de Quimper.
— Et qu'y a-t-il dans chacun de ces rangs, pauvre père ?
— Dans celui qui est le plus bas, on voit, d'un côté, les fées des bois qui étalent leurs richesses ou préparent des breuvages enchantés, et les fées des eaux qui sortent de leur puits, tandis que de l'autre côté se montrent les korrigans avec leur marteau de forgeron, leurs petites poches de toile, leurs maisons de pierre non taillées et les dragons qui gardent leurs trésors. Près d'eux se tient le garçon à la grosse tête... L'homme-loup s'élançant des taillis au tomber du jour, pour manger les enfants au-dessous de cinq ans ; le conducteur de morts que l'on rencontre souvent dans les montagnes avec un bissac qui contient les âmes des damnés ; enfin le cheval trompeur qui, sous la forme d'un poulain, va attendre les enfants au sortir de l'école, les laisse monter, les uns après les autres, sur son dos qui s'allonge puis part comme l'éclair en emportant aux mères du pays la joie de leur cœur.
— Et le second rang, grand-père ?
— Le second rang, petite chérie, est soutenu par l'ange maudit. Au milieu apparaît le char de l'Ankou, précédé du petit oiseau de la mort. Plus bas est couché Jean le Feu... Près de lui sont les âmes du purgatoire à qui Dieu accorde un répit et qui viennent recommencer, dans la vie, pour quelques instants, ce qui les occupait au moment de la mort. L'un prépare la moisson, l'autre marche à petits pas près de sa plus aimée, conduit à la danse par le diable. Il y a des noyés qui sortent de la mer en tendant les bras vers leur clocher... des prêtres condamnés comme ayant reçu, sans droit, l'argent d'une messe, et qui, pour la dire, attendent à l'autel que

quelqu'un vienne leur répondre. Plus loin sont les damnés : ils soulèvent la pierre de leur tombe pour demander des prières, ils serrent, dans leurs bras qui brûlent, la grande croix des cimetières. Il y en a qui ont déplacé des pierres bornales et qui s'efforcent de les arracher de terre pour les reporter à leur première place ; mais la pierre retourne toujours à l'endroit où leur avarice l'avait transportée, et ils restent chargés du péché. Il y a aussi le diable des carrefours qui vient acheter la poule noire, le sorcier qui cherche « l'herbe d'or », et le bœuf et l'âne de Bethléem, qui ce jour-là causent ensemble.
— Et il y a encore un troisième rang, vieux père ?
— Oui, cher cœur : il y a le rang des martyrs, des saints et des anges qui s'avancent, les uns après les autres, comme les prêtres à la procession du Saint Sacrement...
— Et ces merveilles de la nuit de Noël n'apparaissent qu'un instant, cher doux père ?
— Le temps de l'élévation de l'hostie, bonne fille ; puis tout disparaît ! Mais le chrétien qui oserait alors jeter de l'eau bénite sur les trésors étalés par ces créatures d'un autre monde en deviendrait maître à jamais et sans péché... »

Toutes ces croyances ont donné naissance aux contes et légendes les plus riches du folklore français. Mêlant le mystique et le magique, le péché et sa rédemption, les forces du bien et celles du mal, ces récits répondaient à un besoin de merveilleux qu'enrichissait encore la nuit de Noël...

La nuit des prédictions

Mais si le diable venait tenter les hommes avec ses richesses maudites pendant la nuit de Noël, d'autres apparitions étaient plus délicieuses... combien de superstitions selon lesquelles l'être que l'on épouserait se révélerait. Dans le canton de Vaud, les pratiques étaient variées, et chaque fois efficaces. La veille de Noël, entre 11 heures et minuit, il fallait placer trois glaces en triangle dans la chambre, balayer celle-ci, recueillir les balayures, les porter à l'égout du toit, le tout à reculons, et, en rentrant, on voyait dans l'un des miroirs la personne que l'on épouserait. On pouvait aussi mettre un peu de farine et de cendre dans un papier et placer le tout sous son oreiller. Et qui apparaîtrait en rêve ? Le futur époux... Ailleurs, on allait retirer à reculons une bûche dans le bûcher. Si elle était garnie d'écorce ou de résine, elle annonçait un riche mariage ; si elle était recourbée, elle présageait une difformité, un époux bossu ou boiteux ; si elle était noueuse ou tordue, le caractère du futur époux serait à son image...

Nuit propice à la divination... et aux prédictions météorologiques ! Tout un réseau complexe d'observations permettait d'annoncer le temps de l'année à venir. Présence du soleil, de la lune, du vent, selon le jour de la semaine, autant de données qui entraient en ligne de compte pour déterminer, par voie de proverbe, les dictons météorologiques.

« Si le soleil se montre à Noël, l'année sera belle », présage l'un d'eux, une belle année étant celle où les récoltes seront bonnes. Dans le calendrier des bons laboureurs pour 1618, Antoine Maginus définit précisément les relations de la lune et de Noël pour le temps à venir : « Quand le jour de Noël vient à la lune croissante, fera un bon an. Et d'autant qu'il sera après la lune nouvelle, d'autant sera l'an meilleur. Mais s'il vient au décroissant de la lune, l'an sera aspre. Et tant plus près du croissant, tant pis sera. » Les Noëls de pleine lune n'annoncent rien de bon pour les récoltes : « Quand Noël vient en clarté, vends tes bœufs et ta charrette pour acheter du blé » ou « Quand Noël est éclairé, beaucoup de paille et peu de blé », mais ces affirmations étaient mises en doute par des dictons contraires : « Lune blanche à Noël, bon grain à ramasser ou bon lin à récolter ». Les jours de la semaine étaient considérés comme fastes ou néfastes suivant le dieu auxquels ils étaient dédiés, croyances anciennes et foi religieuse n'étaient pas antagonistes pour augurer des récoltes.

Noël vint un lundi
Et tout se perdit
Quand Noël tombe un mardi
Pain et vin de toutes parts
Quand Noël tombe un mercredi
Tu peux semer champs et cassis
Quand Noël tombe un jeudi
Charrettes et bœufs tu peux vendre
Mais s'il tombe un vendredi
Le blé roule sur la cendre
Quand Noël tombe un dimanche
Les ennuis de l'hiver viendront en avalanche

Samedi n'est pas cité !

Mais dans le folklore météorologique de Noël se retrouvent surtout d'anciennes croyances païennes, liées au cycle des douze nuits, qui chacune représenterait un des mois de l'année à venir. La première était celle de Noël, la dernière celle de l'Épiphanie. Une série de dictons s'inspire de cette croyance, comme celui-ci :

Regarde comment sont menées
Depuis Noël douze journées
Car suivant ces douze jours
Les douze mois auront leur cours.

Souvent, pour en savoir davantage, on disposait le 25 décembre douze oignons de gauche à droite, le premier correspondant à janvier, le second à février, et ainsi de suite jusqu'à décembre. Les oignons étaient creusés en coquille de noix ; on mettait quelques grains de sel dans chacun d'eux et le jour de l'Épiphanie chaque oignon était examiné. Là où le sel avait fondu, le mois serait humide, là où il n'avait pas fondu, le mois serait sec. Que nous en est-il resté ? Toute une série de dictons qui établissent une relation entre Noël et Pâques, dont le plus connu est « Noël au balcon, Pâques au tison ». Ses variantes ne sont pas sans charme :

Qui à Noël cherche l'ombrier
A Pâques cherche le foyer

A Noël les moucherons,
A Pâques les glaçons

Noël grelottant
Pâques éclatant

Blanc Noël, vertes Pâques
Vert Noël, blanches Pâques

Nuit des merveilles, des miracles, des divinations, la nuit de Noël est la seule de l'année qui ait mis un tel imaginaire populaire en mouvement. Beaucoup de ces coutumes et des croyances appartiennent désormais au passé, mais un autre personnage a fait son apparition, par qui la nuit des merveilles est devenue la nuit des cadeaux.

La Venue de l'Enfant Jésus, *carte de Noël autrichienne, P. Ebner, vers 1930.*

La Visite du Père Noël.

La nuit des cadeaux

DRÔLE de nuit que celle-ci... Les souliers sont rangés au pied de la cheminée ou du sapin, et, au matin, les voilà remplis de paquets enrubannés. Ce n'est pas vraiment une surprise, puisque, depuis des semaines, les enfants ont envoyé des lettres au père Noël, ou déposé une liste des désirs, accompagnée d'une assurance de bonne conduite ! Le cadeau de Noël est devenu une institution, impossible d'y échapper. Pourquoi ces cadeaux, remis par l'intermédiaire d'un personnage mystérieux, à barbe blanche, à robe rouge, qui porte une hotte remplie de jouets, ou traverse les airs dans un traîneau à clochettes, précédé de rennes vigoureux ?

Au cours d'une vie, il y a des circonstances propres à chacun où l'on offre des cadeaux : anniversaire, première communion, fiançailles, mariage, naissance d'un enfant. Cette fois, ce sont des milliers de personnes qui, sous toutes les latitudes, le même jour, ou à quelques jours près, participent du même rite : le cadeau aux enfants, par personne interposée, ici le père Noël, mais ailleurs saint Nicolas, les Rois, Befana, ou d'autres encore. Curieuse pratique, qui n'a plus que des liens ténus avec l'Enfant Jésus...

Les cadeaux à travers le temps

Depuis l'Antiquité, dans les pays méridionaux comme dans les pays septentrionaux, le solstice d'hiver ou le changement de l'année était une époque de cadeaux. A Rome, pendant les Saturnales et les calendes de janvier, les Romains s'offraient des présents, les étrennes, en hommage à la déesse Strenia. Petits objets de cuivre, d'or ou d'argent pour se souhaiter la richesse, bougies pour la lumière, et miel pour la douceur. C'est peut-être un lointain souvenir de ces échanges qui nous fait offrir des boîtes de chocolats ou de marrons glacés à ceux que nous connaissons moins. Mais pendant que les Romains se faisaient des cadeaux les uns aux autres, le dieu nordique Odin chevauchait à travers les nuits d'hiver, répandant sur son passage des cadeaux pour les enfants sages. En Norvège, des gnomes sortaient de leurs cavernes pour faire de même. Les enfants étaient les bénéficiaires de l'année à venir. Les premiers évangélisateurs se sont donc trouvés confrontés à ces traditions et, faute de les interdire, les ont annexées. Ce n'était plus Strenia, ou Odin, mais l'Enfant Jésus qui était honoré, qui répandait ses bontés sur le monde le 25 décembre, ou avant, ou après, directement, ou par un intermédiaire. Chaque pays, chaque région même, lui a donné une physionomie particulière, un nom et des rites, avant l'uniformisation actuelle où le père Noël triomphe. Mais ce qui frappe à travers cette série de représentations, c'est à la fois leur variété et leurs points communs. Qu'ils soient homme ou femme, adulte ou enfant, ils sont aussi justiciers, récompensant les bons et punissant les méchants, parfois même ils se dédoublent pour remplir cette fonction sous deux visages, comme Janus.

Le même sous tant de visages

Figures de saints ou personnages imaginaires, ils traversent le ciel du 11 novembre au 6 janvier. Certains se limitent à des régions très précises, d'autres, par contre, déposent leurs cadeaux à travers plusieurs pays. Les premiers à apparaître dans le temps sont saint Martin et sainte Catherine, les 11 et 25 novembre. Saint Martin passait au siècle dernier en Catalogne ; il déposait sur les fenêtres des châtaignes et des fruits secs pour les enfants sages, des cendres et des crottes d'âne pour les paresseux. Maintenant, il distribue des cadeaux dans certaines régions de Belgique, d'Allemagne et d'Autriche. Sainte Catherine, elle, vole dans les airs sur la grande roue qui rappelle son martyre, au-dessus de la Catalogne espagnole. Elle choisit les rebords de fenêtre pour laisser ses présents. Au début du siècle, elle a fait quelques apparitions auprès de saint Nicolas pour l'aider à faire sa distribution. Le 30 novembre, le jour de la Saint-André, certains enfants allemands accrochent leurs chaussettes devant la fenêtre, avec l'espoir que Ruprecht, ou Anklöpfelesel, « l'âne qui frappe à la porte », vienne les remplir. Sainte Barbe passe dans la nuit du 4 décembre dans le Vorarlberg, en Autriche, ou accompagne le premier grand distributeur de cadeaux : saint Nicolas.

La nuit du 5 au 6 décembre : saint Nicolas

« Tout amie qu'elle fût de la vérité », raconte Suzanne Lifar dans *Une enfance gantoise,* « ma mère n'avait pu se résigner à rompre avec la tradition si forte en Belgique de la Saint-Nicolas... J'étais déjà grande et passablement instruite des mystères de la génération que je croyais encore ferme à l'existence du bon saint venant d'Orient dans son bateau chargé d'oranges et de jouets et déposant à la faveur de la nuit sa cargaison dans les cheminées. » Pour les petits Hollandais, il arrive d'Espagne, sur un grand bateau, accompagné de son valet Pierre le Noir, au visage couvert de suie, et vêtu d'un costume espagnol à culotte bouffante. Le maire d'Amsterdam, les édiles locaux, et parfois même la reine, l'accueillent en grande pompe le matin du 6 décembre. Il se promène ensuite à travers la ville sur son cheval blanc. Pendant l'année, Nicolas et Pierre vivent en Espagne, où, pendant que saint Nicolas tient à jour le grand livre des bonnes ou des mauvaises actions, Pierre le Noir veille à ce que les cadeaux soient en nombre suffisant. La nuit du 5 au 6 décembre, ils vont de maison en maison, de toit en toit, suivis du cheval blanc, et déposent des cadeaux, s'il y a lieu, devant la cheminée, ou dans un panier déposé devant la porte. Saint Nicolas est facétieux : il peut déguiser les cadeaux, les présenter de telle sorte qu'il soit impossible de deviner quel est le contenu du paquet, et, qui plus est, il va jusqu'à accompagner le cadeau d'un petit couplet rimé, moqueur ou encourageant selon le cas.

En Allemagne, c'est depuis bien longtemps qu'il est attendu. Martin Luther avait consigné dans un carnet le passage de saint Nicolas et de ses cadeaux en 1535. Puis la Réforme fit supprimer au XVIe et au XVIIe siècle cette présence dans l'Allemagne du Nord, mais dans l'Allemagne du Sud et en Autriche saint Nicolas continua ses visites annuelles. Il s'appelait Klausenmann en Bavière, Niklo en Autriche, Sünnerklaas en Frise du Nord, ailleurs Sunder Klaas, et voyageait accompagné d'un individu étrange dont le nom variait aussi : Ruprecht, Hans Trapp, Krampuss, Pelznickel... Couvert de peaux de bêtes, chaussé de paille, il tenait à la main une baguette dont il pouvait frapper les mauvais sujets. Saint Nicolas était le « bon », et l'autre, au visage couvert de suie ou de cendres, le « méchant », celui qui punissait.

En France, saint Nicolas visite le nord et l'est du pays. Dans la région de Commercy, d'après un texte de Lerouge, les parents, pendant tout le XVIIIe siècle et au début du XIXe, racontaient à leurs enfants, dès le plus bas âge, que tous les ans, dans la nuit du 6 décembre, jour de sa fête, le saint descendait par le tuyau de la cheminée et laissait pour chaque enfant un témoignage de satisfaction ou de mécontentement...

Saint Nicolas voyageait dans les airs, suivi d'un âne chargé de deux paniers, dont l'un était rempli de bonbons et de bonnes choses et l'autre rempli de verges. Il laissait son âne en haut de la cheminée... Chacun devait apporter, près du foyer principal de la maison, un ou deux souliers à son usage ; c'était là que le saint déposait des sucreries ou des verges. En Moselle, les enfants plaçaient à côté de leurs souliers une minuscule botte de foin et une corbeille d'avoine pour « la bourrique du saint ». Puis le saint apparut pour de bon. A Metz et à Nancy, on le vit avec « une longue barbe de chanvre tressée, mitré et crossé, frapper aux portes des habitations, interroger les enfants sur leur conduite et, selon le cas, leur distribuer des douceurs et des jouets, parfois accompagné du terrible père Fouettard, chargé d'une hotte et branlant sa trique ». En 1951, il arriva même en avion... Dans l'Artois, à Saint-Pol, il distribuait aux enfants, en plus des friandises traditionnelles, un gâteau qui le représentait. En pain d'épice, saupoudré de sucre glace, il avait l'allure d'un seigneur coiffé d'une toque et monté sur un âne. A Berck, il déposait oranges, biscuits, friandises, mais laissait les jouets au « Petit Jésus »...

Qui était saint Nicolas ? Évêque de Myre au IVe siècle, ses reliques furent transportées plus tard à Bari, au Monte Gargano en Italie. De sa vie, on sait peu de choses, sinon qu'il lutta contre le culte de Diane et d'Apollon. La légende s'empara de lui, et en fit un des saints les plus miraculeux. Il protégeait les prisonniers, les marins dans la tempête, les moissons, les jeunes filles et les enfants. Comment devint-il le patron des Lorrains et ce distributeur de cadeaux ? En l'an 1100, un gentilhomme lorrain, revenant de la croisade, passa par l'Italie et reçut, ou vola, les os de l'un des doigts de saint Nicolas. Il en fit don à l'église de Port, alors consacrée à la Vierge Marie. Les pèlerins se pressèrent en foule, l'église devint Saint-Nicolas-de-Port, et un nouveau miracle allait ajouter encore à sa gloire et à sa vénération par les Lorrains. Au cours de la sixième croisade, en l'an 1230, un seigneur lorrain, le chevalier Cunon de Réchicourt, fut fait prisonnier par les Infidèles. On l'enferma dans un cachot, on lui riva au cou un carcan de fer, on l'attacha par sept chaînes, scellées dans la muraille. Dix ans passèrent, mais le chevalier ne désespérait pas, il continuait de prier Dieu et d'invoquer saint Nicolas. Le matin du 5 décembre 1240, son geôlier lui annonça que sa fin était proche, et lui conseilla en se moquant d'implorer ce saint, dont la fête était pour le lendemain. Ce que fit le chevalier, puis il s'endormit. Quand il s'éveilla, il crut être le jouet d'un rêve : il se trouvait sur le parvis de l'église de Port. Il se souleva, malgré sa faiblesse et le poids des chaînes, et alla frapper au portail. Un jeune clerc s'approcha, et, effrayé par l'aspect de cet homme hirsute et enchaîné, refusa d'ouvrir et alla chercher le chanoine. Alors le grand portail s'ouvrit de lui-même, et le chevalier se jeta à deux genoux devant l'autel. Un peu plus tard, pendant la messe, lorsque la foule entonna le Te Deum, un nouveau miracle se produisit : « les fers qui enserraient la taille et les membres du captif s'esclatèrent et s'ouvrirent d'eux-mêmes, les chaînes se rompirent d'ensemble et toute cette monstrueuse ferraille chut à grand bruit sur les dalles... » Et quand au XVe siècle René II, duc de Lorraine, gagna la bataille de Nancy contre Charles le Téméraire, et qu'il attribua sa victoire à saint Nicolas, le patronage du saint fut confirmé par le pape Innocent X, au nom de l'Église de Rome. Le culte s'étendit le long de la Moselle, de la Meurthe et de toute la vallée du Rhin.

Mais d'autres miracles avaient eu lieu, prédisposant saint Nicolas à devenir le saint des enfants et des cadeaux.

Un père de famille, réduit à la misère, songeait à vendre ou déshonorer ses trois filles contre un peu d'argent. Saint Nicolas s'en émut, lança trois bourses d'or dans la maison, dont l'une alla se loger dans une chaussette qui séchait... Selon une autre version, la bourse, lancée par la cheminée, tomba dans un soulier qui se trouvait au bord de l'âtre. Ainsi naissent les coutumes.

La célébrité vint au saint pour ses miracles envers les enfants, enfant volé, puis retrouvé, mort et ressuscité. Le plus connu étant celui des trois petits enfants « qui s'en allaient glaner aux champs ». Mis en pièces et au saloir par le boucher à qui ils avaient demandé l'hospitalité, ils recouvrèrent la vie grâce à saint Nicolas qui passa par là sept ans plus tard. Une chanson populaire immortalisa ce haut fait... Saint Nicolas remplissait toutes les conditions pour devenir celui qui fête les enfants. Comme les récompenses ne vont pas sans punitions, le père Fouettard fit son apparition. « Invention non pas populaire, mais scolaire, souligne Arnold Van Gennep, créée par des pédagogues du XVIIIe siècle, probablement par les jésuites, grands amis des punitions corporelles, ou par leurs émules, les Frères des écoles chrétiennes. » Le cadeau céleste exige des contreparties : prières, sagesse, bon travail à l'école. Ce n'est pas un don gratuit et, plutôt que de toucher à la figure du bon saint, on en dessina une autre, susceptible de sanctionner et même de créer l'effroi. Car le père Fouettard déposait des verges ou des martinets pour les enfants méchants, mais aussi pouvait les emporter avec lui, leur infliger la pire punition, l'éloignement de la famille, rejoignant ainsi la grande famille des croquemitaines, des loups-garous, des monstres de la nuit.

La nuit du 24 décembre

Déjà la bûche, avant de brûler dans la cheminée, déversait dans certaines régions fruits secs, bonbons, et petits jouets. Remplie par miracle, et par qui ? En Haute-Savoie et dans le canton suisse de Genève, les enfants remerciaient le père Chalande. Puis il délaissa la bûche pour remplir les souliers. Dans le pays Basque et en Navarre, un personnage est brûlé le jour de Noël ; c'est Olentzaro, ce qui signifie le temps de Noël. La veille de Noël, les enfants le promènent dans les rues en faisant la quête, récoltant argent, victuailles, jambon et œufs, puis le mannequin est mis au feu, comme la bûche. Ces manifestations furent interdites en 1951 par le gouverneur franquiste de la région : étaient-elles vécues comme subversives, ou servaient-elles à tenir un autre discours ?

Mais la plupart du temps, la bûche et le personnage magique eurent chacun leur autonomie, apportant l'une des promesses ou des souhaits de fertilité, d'avenir, l'autre des biens de consommation immédiate... En cette nuit de Noël, les personnages sont nombreux. En Suède, le Jultomte, petit bonhomme maigrichon, qui ressemble à un lutin, est connu depuis toujours. Il se rendait utile dans les fermes, s'il y était bien traité, mais était prêt à jeter des sorts ou à jouer des mauvais tours s'il n'était pas considéré comme il le souhaitait. Comme le solstice d'hiver était une saison dangereuse, les paysans le flattaient particulièrement à cette époque et lui offraient à boire et à manger. Cette tradition persista, même après le christianisme, mais le Jultomte s'est adouci, et, au lieu de recevoir des cadeaux, c'est lui qui en fait. Son apparence s'est modifiée, il peut même porter une barbe blanche et une longue robe rouge, mais il est resté maigre, et son visage a gardé des traits menaçants. Menaçante aussi la Chauchevieille ou la Trottevieille dans le Jura. Elle venait terrifier ceux qui étaient allés se coucher au lieu d'assister à la messe de minuit. Les Trottevieilles, cousines de la précédente, étaient représentées comme des « fées aux figures de femmes, mais munies de cornes sur lesquelles elles enlevaient les enfants méchants pour les déposer dans le ruisseau devant la porte. On doit se les rendre favorables en déposant la nuit une chaudière de bouillie... » (Van Gennep.)

En Allemagne, dans le Nord, Frau Holle apporte, comme le Jultomte, des cadeaux, mais peut jouer de mauvais tours. Elle passe l'année dans une grotte, à lessiver, cuire son pain et filer la quenouille, en attendant le soir de Noël. Elle surveille la tenue des ménages et n'hésite pas à emmêler le lin ou le chanvre des ménagères peu soigneuses. En Suisse, on vidait les fuseaux le soir de Noël pour qu'elle ne vienne pas y toucher. La Tante Arié, en Franche-Comté, file aussi sa quenouille, et punit les jeunes filles paresseuses en emmêlant leurs fils ; par contre, la plus appliquée reçoit d'elle comme mari un jeune homme vertueux et une bourse pleine d'or... si on lui a fait un cadeau au préalable : du lait et du pain, ou une branche de gui pour trouver un mari. Les enfants se la représentent comme une personne au visage doux et avenant, mais qui a des dents de fer et des pattes d'oie. Parfois elle porte une couronne de diamants et prend des bains dans un bassin en déposant sa couronne qu'elle garde dans un coffre rempli d'or au fond de sa caverne. Puis, montée sur un âne, et annoncée par une clochette, elle parcourt le pays, visitant les maisons hospitalières et ordonnées, et apportant des cadeaux aux enfants. Dans les cantons de Vaud et de Neuchâtel, elle est plus féroce, elle n'hésite pas à jeter dans les rivières les enfants méchants.

Fées-sorcières et lutins à pouvoir maléfique ne parcourent que des régions assez limitées. Deux personnages ont un chemin beaucoup plus long à effectuer : l'Enfant Jésus et le père Noël.

L'Enfant Jésus

A Noël maman nous dit Que Jésus vient à minuit
Apporter de beaux présents Aux enfants obéissants

chantaient à la fin du siècle dernier les petits Picards pendant la veillée, et ils n'étaient pas les seuls à attendre le passage de l'Enfant Jésus. En Alsace, en Suisse romande, en Allemagne réformée, d'autres enfants s'en préoccupaient. Il était naturel que ce soit lui qui, la nuit de sa naissance, distribue des cadeaux aux enfants, ses semblables. La Réforme avait écarté saint Nicolas, trop papiste ou trop païen, et mis en sa place l'Enfant Jésus, mais l'habitude était prise et, dans certaines maisons, l'Enfant Jésus passa à la Saint-Nicolas et à Noël !

Comment passait ce doux enfant ? Le poupon emmailloté ne pouvait pas descendre dans les cheminées, alors sa représentation prit un tour particulier : un enfant toujours, mais d'au moins une dizaine d'années, petit garçon ou petite fille, vêtu d'une robe blanche, accompagné d'un âne, et parfois d'un croquemitaine. En Alsace, celui-ci s'appelle Hans Trapp, en souvenir, dit-on, du sinistre maréchal de la cour de l'Électeur palatin, Jean de Dratt, qui terrorisait les populations. Longtemps après sa mort, les parents faisaient trembler leurs enfants en disant : « Prends garde, Jean (Hans) Dratt va venir ! » Le nom s'est corrompu et est devenu Hans Trapp.

« Le soir de Noël, raconte Robert Redslob dans *Sous le regard de la cathédrale,* le Chrischkindl apparaît sous la forme d'une gracieuse petite jeune fille, en robe blanche, une couronne sur la tête, et dans la main, un sceptre surmonté d'une étoile. Les enfants, pris de frayeur, s'attachent à la jupe de leur mère... Mais l'un des plus petits, plus courageux que les autres, s'avance et récite une poésie de Noël sous le regard bienveillant de l'hôte miraculeux. Cependant, le Chrischkindl n'est pas seul à occuper la scène. Derrière lui, dans l'ombre de la porte, se tient un personnage sinistre, vêtu d'une longue robe de bure, un capuchon sur la tête, avec une longue barbe blanche et portant une hotte sur le dos, de laquelle émergent des poupées et des chevaux de bois, mais aussi des verges menaçantes... Le Chrischkindl va décider si son compagnon doit déverser des cadeaux de sa hotte ou laisser comme unique souvenir une verge dans la maison, ou peut-être même, supplice capital, emporter l'un des enfants dans la prison d'osier qu'il balance derrière ses épaules. » L'Enfant Jésus aussi a son croquemitaine, qui pourrait enlever les enfants... Ailleurs, il envoie des anges pour le représenter, vêtus de longues robes blanches, et leurs ailes d'or laissent quelquefois des traces sur les sapins.

Tante Arié, Trottevieille, Chrischkindl, tous ces personnages sont en train de céder le pas au grand triomphateur de la nuit de Noël : le père Noël.

Et puis... le père Noël

Père Noël, Father Christmas, Babbo Natale, Santaclaus, Weinachtmann, il ne connaît pas de frontières, et pourtant il n'est pas bien vieux. Quelques textes le font apparaître au XIIIe siècle, mais de façon si ambiguë qu'ils ont permis aux folkloristes d'élaborer des hypothèses qui ne résistent pas au temps. Le premier texte serait un Noël en patois anglo-normand, où il est dit que « Noël boit bien le vin anglais, le gascon, le français et l'angevin ». Pour Arnold Van Gennep, il ne s'agirait pas d'une personnalisation de Noël, mais de la fête elle-même, au cours de laquelle on boit beaucoup. Le

Henry old Santa Claus,
Thomas Nast,
Harper's Weekly, 1881.

second texte, de la fin du XIIIe siècle est un motet d'Adam de la Halle, vraisemblablement une chanson de quête, qui commence par ces vers :

Nos sires Nœus
Nous envoie à ses amis
C'est as amoureux
Et as courtois bien apris
Pour avoir des paradis.

Et Van Gennep, que la mort a empêché d'aller sur les traces du père Noël, de s'interroger : « Ce"sires" était-il un seigneur du pays ou un Noël personnifié ?... En tout cas, il n'est pas un distributeur de cadeaux, puisqu'il envoie les chanteurs en réclamer ailleurs... »

Et pourtant nous ne voyons plus que lui. Houppelande rouge bordée d'hermine blanche, visage rubicond, serti dans une barbe blanche elle aussi, une hotte inépuisable au dos, il est de toutes les images de la période des fêtes. D'où nous vient donc ce « petit papa Noël », qui a bercé notre enfance ?

Saint Nicolas de retour du Nouveau Monde

Dans La Nouvelle-Amsterdam, la première église fut consacrée à saint Nicolas, Sint Nicolaas ou Sinterklaas. Puis les Anglais prirent le pouvoir dans la cité, New Amsterdam devint New York, et saint Nicolas, Santa Claus. La métamorphose de saint Nicolas en père Noël est attribuée à un professeur de littérature grecque, qui, en 1822, à New York, lut à ses enfants la veille de Noël un poème de sa composition intitulé « La visite de saint Nicolas », puis « La veille de Noël ». L'histoire raconte qu'une invitée apprécia tant le poème qu'elle l'adressa l'année suivante, sans en prévenir l'auteur, à un journal qui le publia. L'évêque de Myre s'était transformé en une sorte de lutin jovial :

*Tandis que mes yeux s'émerveillaient**
Devant le paysage
Apparut un tout petit traîneau
Tiré par huit rennes minuscules

A la vivacité et à l'agilité
Du petit vieux qui conduisait
Je devinai tout aussitôt
Que c'était là saint Nicolas

Il sifflait, criait et interpellait
Son attelage féerique
Qui filait plus vite
Que les aigles...

Alors d'un seul élan
Rennes, traîneau et puis saint Nicolas
Se retrouvèrent ainsi
En haut du toit...

Comme je me retournais,
Eberlué,
Je vis sortir saint Nicolas
Bondissant hors de la cheminée

Tout de fourrure vêtu
Des pieds jusqu'à la tête
Et ses habits étaient ternis
Par la cendre et par la suie

Avec son baluchon de jouets
Flanqué sur son épaule
Il avait l'air d'un chiffonnier
Paré pour le marché

Ses yeux, comme ils brillaient
Ses fossettes joyeuses
Ses pommettes fleuries
Et son nez, telle une cerise, rutilait

Sa drôle de petite bouche
Avec ses lèvres gourmandes
S'entourait d'une barbe blanche
Plus blanche que la neige !

Il tenait le bout de sa pipe
Bien serré entre ses dents
Et la fumée l'auréolait
Comme un vieux saint qu'il était

... Il était joufflu et dodu à souhait
Ce joyeux petit elfe
Et il me fit bien rire
Lorsque je l'aperçus...

Le « vieux saint » avait perdu sa crosse et sa mitre, pour devenir un « joyeux petit elfe », et huit rennes avaient pris le relais de l'ânon gris. Thomas Nast, un des plus célèbres illustrateurs de Moore, acheva la transformation de saint Nicolas en un être jovial et rubicond, qui avait oublié verges et punitions. L'unanimité ne pouvait se faire sur cette représentation que si elle répondait à un besoin : fondre en une seule image les différents personnages qui coexistaient dans l'Amérique de la fin du XIXe siècle, le Weinachtmann des communautés allemandes, le Saint-

* Traduit par Isabelle Pitchal et Jacques Léna.

Nicolas des Néerlandais, le Chrischkindl des Alsaciens et des Suisses allemands. D'autant que Clement Moore n'avait oublié aucun des éléments des personnages légendaires de distributeurs de cadeaux : la nuit, la cheminée, les chaussures ou les chaussettes, et le grand sac de jouets. Le croquemitaine avait disparu, le père Noël moderne était né.

Alsace, Chrischkindl et Hans Trapp, *d'après Schuber « Illustration », 1858.*

En France

Dans les régions de France, le père Noël n'apparaît pratiquement pas avant le premier quart du XXe siècle. Dans le Dauphiné, avant 1939, les catholiques attendaient le Petit Jésus et les protestants le père Noël ; en Franche-Comté, la Tante Arié cédait du terrain au père Noël, en Flandre il se confondait avec saint Nicolas, et c'est probablement à Paris et dans la région parisienne que le père Noël « à l'américaine » a trouvé un premier lieu d'élection. Pour Claude Lévi-Strauss, il est « certain que ce développement... est un résultat direct de l'influence et du prestige des États-Unis d'Amérique. Ainsi, on a vu apparaître simultanément les grands sapins dressés aux carrefours ou sur les artères principales, illuminés la nuit ; les papiers d'emballage historiés pour cadeaux de Noël ; les cartes de vœux à vignettes, avec l'usage de les exposer pendant la semaine fatidique sur la cheminée du récipiendaire ; les quêtes de l'Armée du salut suspendant ses chaudrons en guise de sébiles sur les places et dans les rues ; enfin, les personnages déguisés en pères Noël pour recevoir les suppliques des enfants dans les grands magasins. » Mais cette fois encore, pour que le père Noël prenne tant d'importance en France, il fallait que sa présence reçoive l'agrément d'une tendance collective, hors de toute pression officielle. Le père Noël satisfaisait les protestants, et les laïcs de la Troisième République, la fête pouvait se dégager de l'emprise religieuse. A tel point que l'Église s'en émut, que le curé de Clichy-sous-Bois fit afficher, en 1940 ou en 1941, un quatrain contre le père Noël et à la gloire de l'Enfant Jésus, ce qui scandalisa un bon nombre de mères de famille, et que l'évêché de Dijon décida, en 1951, de brûler le père Noël sur le parvis de l'église Sainte-Bénigne, devant 250 enfants des Jeunesses catholiques... Les recommandations du cardinal Saliège, archevêque de Toulouse, pour être moins violentes n'en étaient pas moins impératives : « Ne parlez pas du père Noël pour la bonne raison qu'il n'existe pas et n'a jamais existé. Ne parlez pas du père Noël, car le père Noël est une invention dont se servent les habiles pour enlever tout caractère religieux à la fête de Noël. Mettez les cadeaux dans les souliers de vos enfants, mais ne dites pas ce mensonge que le Petit Jésus descend dans les cheminées pour les apporter. Ce n'est pas vrai. Ce qu'il faut faire, c'est donner de la joie autour de vous, car le Sauveur est né. » Mais le père Noël a la peau dure, et peut-être pour faire amende honorable, quelques mois plus tard, l'Académie des sciences, arts et belles-lettres de Dijon consacra une de ses séances aux origines du père Noël, avec une communication du chanoine de Cossé-Brissac. Pour ce dernier, le père Noël aurait eu pour origine Gargan, fils du dieu celte Bel. « Le père Noël ne serait donc pas un usurpateur, mais un ancien dieu incarné qui partage, le 25 décembre, une lourde tâche avec saint Nicolas », concluait l'Académie de Dijon. Elle ne fut pas la seule à tenter ce rapprochement. Henri Dontenville dans un essai sur *La France mythologique* rappelle que Gargan portait une hotte et distribuait des cadeaux. Mais Gargan, ou Gargantua, dans la mythologie populaire, n'aurait pas pu passer dans les cheminées, rétorque Arnold Van Gennep ; et il distribuait des cadeaux à tout moment de l'année... Le débat reste ouvert, mais le père Noël est là.

Le père Noël et sa houppelande

« Dessine-moi un père Noël... » Si, paraphrasant Saint-Exupéry, nous posons la question à un enfant, robe rouge, capuchon, hotte et barbe blanche s'inscrivent sur la feuille de papier, sans hésitation. Et pourtant, ce costume n'est que le dernier d'une longue série. Le Saint-Nicolas/Santa Claus de Clement Moore était vêtu d'une peau d'ours, mais déjà Thomas Nast l'avait doté d'un ensemble rouge, à veste courte et pantalon collant. Le père Noël américain porta ensuite un costume de flannelle rouge, dont la veste plus longue était agrémentée d'une bordure blanche, et un bonnet rouge bordé de blanc, dont l'extrémité très étirée se terminait par un pompon ou une touffe blanche. Le père Noël anglais, lui, choisit une robe longue, rouge aussi, avec une capuche attenante bordée de blanc. Quant au père Noël français, il hésita entre le vêtement du moine, de l'évêque, du pèlerin et parfois même du mendiant. « A la Noël de ma dixième ou onzième année, donc vers 1883 ou 1884, raconte Arnold Van Gennep, c'est

Grands magasins à l'époque de Noël en 1934.

mon grand-père... qui incarna le père Noël. Et fort bien, car il avait 1,84 mètre et était large à proportion. Un beau bonnet fourré, un froc franciscain avec sa cordelière (car il était du tiers-ordre). Mais, au lieu de sandales, de grosses bottes... Il n'avait pas de hotte, mais un panier de la cuisine et nous distribua toutes sortes de jouets. » Le bonnet fourré n'était pas éloigné de la peau d'ours de Cl. Moore... Puis le drap rouge l'emporta sur la bure brune, et le père Noël français se rapprocha de ses homologues étrangers, mais il garda sa hotte, leur laissant le traîneau.

Le premier janvier

L'an est mort, vive l'an nouveau... Une année nouvelle va commencer, pleine de promesses, de résolutions, de souhaits. « Aguilaneu », devenu « au gui l'an neuf », chantaient les enfants pendant leurs tournées de quête... Que le blé pousse... Mais un souhait ou une bénédiction sur une maison se monnaye, il fallait donner une piècette, de la nourriture, ou des sucreries, pour que cet appel à la protection de Dieu par les enfants soit entendu. Étrenner quelqu'un, c'est lui porter chance, et de nombreuses superstitions avaient cours. « Les petits boutiquiers, cite Van Gennep, les pauvres marchandes de fruits et de légumes considèrent beaucoup la qualité de la personne qui leur achète la première ; aussi les maraîchères préfèrent-elles ne pas vendre plutôt que d'être étrennées par certaines personnes. Une femme bonne et charitable sera toujours de bonne étrenne... Il est de bon augure aussi d'être étrenné par une femme de mœurs légères, tant pour l'année que pour la journée. Dans ce cas, la marchande disait : « Que le bon Guieu bénisse la main qui m'étrenne. » J'ai entendu dire à Lyon que de bonne étrenne était le jeune homme qui avait fait l'amour pendant la nuit. » Mais qui peut être de meilleure étrenne qu'un enfant, celui qui ne fait pas partie encore du monde de la vie difficile, et à qui on accorde l'innocence ?

Je suis d'un pays étrange,
Venu en ce lieu
pour demander à qui mange
la part à Dieu,

disaient-ils devant chaque maison. Les enfants, en ce jour, appartenaient au royaume de Dieu, comme avant le péché originel. « Même les souhaits des pauvres et des mendiants, ajoute Van Gennep, étaient non seulement acceptés, mais recherchés, surtout s'ils les sanctifiaient à quelque degré en chantant des cantiques ou des noëls, ce qui intégrait leurs droits, leurs gestes et leurs paroles dans le système chrétien. » Même s'ils étaient apparemment les bénéficiaires d'un don, enfants et mendiants en faisaient ce jour-là un plus important : un laissez-passer favorable pour l'année à venir.

Dans certaines régions de France, au siècle dernier, les étrennes se confondaient avec les cadeaux, et le « Bonhomme l'année » ou le « père Janvier » descendaient dans la cheminée pendant la nuit de la Saint-Sylvestre. Dans l'Allier, par exemple, il déposait des bonbons, des noix et des noisettes, un pain chaud d'un sou, une trompette de deux sous, une poupée des petites figurines de sucre blanc ou rose, des petits chevaux en fer blanc colorié, des pipes en sucre... En 1950, dans l'Isère et dans l'Ain, le père Janvier n'avait pas encore été détrôné par le père Noël, et même, certains enfants déposaient leurs souliers dans la cheminée non seulement la veille de Noël, mais la veille de l'an ! Hélas, hélas, tout est rentré dans l'ordre, celui du père Noël...

Père Gel et Babouchka

S'il est un pays où les enfants attendent le 1er janvier avec impatience, c'est l'Union soviétique. Là-bas, en effet, les réjouissances n'ont pas lieu le 25 décembre, mais le jour de l'an. Pendant la nuit de la Saint-Sylvestre, père Gel ou père Givre, qui ressemble beaucoup à notre père Noël, descend dans les cheminées et dépose des cadeaux pour les enfants sages. On raconte aussi aux enfants l'histoire de Babouchka : par une froide nuit d'hiver, alors que la neige recouvrait la terre, Babouchka avait fait un grand feu dans sa petite maison. Assise devant la cheminée, elle se réchauffait et somnolait doucement. Un grand coup fut frappé à sa porte. Devant elle se tenaient trois hommes âgés qu'elle n'avait jamais vus auparavant. Leurs vêtements étaient étranges, mais leurs visages bons, et ils tenaient dans leurs mains des cadeaux précieux. Ils lui expliquèrent qu'ils suivaient l'étoile qui les mènerait à Bethléem, où l'enfant roi venait de naître. Ils la prièrent de les accompagner. Mais Babouchka, déjà vieille et fatiguée, eut peur du froid et de la neige. Ils partirent seuls et elle se remit devant le feu. Le lendemain, curieuse de voir l'enfant, elle se leva, remplit un panier de jouets à lui offrir, et se mit en route pour rejoindre les trois hommes. Hélas, la neige était tombée pendant la nuit, effaçant à jamais les traces des Rois mages. Elle erra, interrogea tous ceux qu'elle rencontrait, mais ne trouva pas l'enfant. Depuis, chaque année, elle se remet en route, son panier de jouets au dos, et dépose des cadeaux pour les enfants qui auraient pu être celui de Bethléem...

L'Épiphanie

C'est la dernière nuit où les cadeaux descendent du ciel. Trois personnages sillonnent la nuit avec leurs présents : Berchta en Bavière, au Tyrol et en Suisse orientale, la Befana en Italie, et les Rois mages en Espagne.

Berchta

ou Perchta, est une sorcière, qui accompagne Wotan dans sa chevauchée fantastique, à la tête de l'armée des morts. Elle le quitte le 6 janvier pour aller distribuer des cadeaux. Elle ressemble beaucoup à Frau Holle. Comme elle, elle surveille les fileuses, terrorise les petits enfants et menace les adultes. Et pourtant, vêtue d'une peau de vache, le visage caché derrière un masque à cornes, elle est bienfaitrice pendant cette nuit. En France, Berthe la fileuse était connue dans le Jura. Cette fille du duc d'Alémanie avait fait beaucoup de bien à ses peuples. La légende était encore répandue au milieu du XIXe siècle que Berthe, chaque année à minuit, dans la semaine qui sépare Noël du premier jour de l'an, apparaissait sous les traits d'une royale chasseresse, la baguette magique à la main (Van Gennep). Elle emmêlait le lin ou le chanvre non encore filés ; elle franchissait toutes les portes et les fenêtres de la maison et regardait si les meubles étaient bien entretenus. Mais elle ne faisait pas de cadeaux.

La Befana

Befana, ce qui signifie Épiphanie, a les traits d'une sorcière. Vêtue de noir, les souliers percés, de grandes dents en avant, elle vole sur son balai au-dessus des maisons, une hotte ou un énorme sac sur le dos. Aux enfants sages, elle donne des cadeaux, aux enfants désobéissants elle ne laisse que des morceaux de charbon. Comme Babouchka, elle est à la recherche de l'enfant Jésus. On raconte qu'elle vivait à Bethléem, veuve, triste et sans enfant. Un jour, elle ramassait du bois dans la forêt. Un groupe de cavaliers montés sur des chameaux s'approcha d'elle. Ils lui demandèrent le chemin de Bethléem, où, guidés par l'étoile, ils allaient adorer l'enfant-roi. Elle voulut se joindre à eux, mais avant de partir retourna chercher son bois de peur qu'on ne le lui vole. Quand elle revint, les Rois mages étaient partis. Alors elle commença sa quête à travers Bethléem, puis à travers le monde, demandant son chemin aux animaux à qui le bœuf et l'âne avaient annoncé la nouvelle. Dans son sac elle mit des jouets et des présents. Au cours de sa recherche, elle arriva en Europe du Nord, et là, saint Nicolas, la prenant pour une sorcière, la chassa. Elle s'installa en Italie et saint Joseph, pris de pitié pour elle, lui expliqua que l'enfant-roi était dans tout enfant. Depuis ce jour, elle dépose ses cadeaux auprès des enfants. Mais la Befana a rencontré un adversaire sérieux en Italie, Babbo Natale, qui, comme un peu partout à travers le monde, passe le 25 décembre.

Les Rois mages

Trois pour la tradition romaine, ils sont douze pour l'Église d'Orient. Mais les trois rois que nous connaissons, Gaspard, Balthazar et Melchior se sont taillé la part du lion dans la tradition des fêtes françaises. Combien de tableaux où les rois de France sont représentés en mages adorant l'Enfant Jésus ! La plus ancienne épiphanie à personnage historique que nous connaissons représente Charles VII rendant hommage au Roi-Enfant, présenté par sa mère. Les deux autres mages, qui attendent à distance respectueuse, sont le dauphin, le futur Louis XI, et son frère. « L'une des scènes favorites des artistes et de leur clientèle », rappelle Philippe Ariès dans *l'Enfant et la vie familiale sous l'ancien régime,* « était la fête des Rois, probablement la plus grande fête de l'année. » Dès le XIVe siècle, le gâteau était traditionnel. Le roi coupait la galette, le roi buvait, et on buvait au roi, qui couronnait sa reine. Et c'est ce gâteau qui en France apporte le dernier cadeau du cycle de Noël : celui d'être le roi du jour, le roi d'un jour... En Espagne, la fête a conservé la primauté qu'elle a perdue en France au profit de Noël. Le soir de l'Épiphanie, les petits Espagnols déposent sur les balcons leurs souliers, remplis ou non de paille, pour que les Mages déposent les cadeaux et que les chameaux mangent. A Madrid et à Barcelone, comme dans bien d'autres petites villes, le cortège des Rois est annoncé en grande pompe. La foule se presse le long des rues pour les voir passer, suivis d'une troupe impressionnante de cavaliers. Peut-être ont-ils dans leurs havresacs le jouet qui sera demain dans le soulier...

De saint Martin aux Rois mages, de saint Nicolas au père Noël, beaucoup de personnages, religieux ou légendaires ont eu la charge délicieuse de déposer des cadeaux dans les sabots, les chaussettes ou les souliers. A travers les âges, leur apparence a changé, l'aspect effrayant de certains s'est adouci, d'autres, Arié, Holle, Ruprecht se sont effacés au profit d'un personnage vêtu de couleur chaude, à la barbe fleurie, et qui ne menace plus d'enlever les enfants : le père Noël. « En fait » concluait Claude Lévi-Strauss, en 1952, « cet être surnaturel, éternellement fixé dans sa forme et défini par une fonction exclusive et un retour périodique, relève plutôt de la famille des divinités ; il reçoit d'ailleurs un culte de la part des enfants, à certaines époques de l'année sous forme de lettres et de prières... C'est la divinité d'une classe d'âge de notre société.... et la seule différence entre le père Noël et une divinité véritable est que les adultes ne croient pas en lui, bien qu'ils encouragent les enfants à y croire et qu'ils entretiennent cette croyance par un grand nombre de mystifications. » Trente ans plus tard, il semble bien que l'interrogation fiévreuse : « Qu'est-ce qu'il t'a apporté le père Noël ? » se soit transformée en « Qu'est-ce que tu as eu comme cadeaux ? » Le cadeau de Noël se passe du père Noël, même si, comme Baïe, la fille de Jules Renard, nous faisons semblant d'y croire encore, ou de le faire par habitude. « Je sais que Noël n'existe pas, disait-elle à son chat, mais ça me chagrine. Par habitude, je mettrais tout de même mon soulier dans la cheminée » (*Journal,* de J. Renard, 1902). Est-ce par habitude que nous préparons des paquets mystérieux, par conformité à un rite dont le sens s'est perdu ou nous est parfois étranger ? Habitude ou rite ne suffiraient pas à entretenir cette pratique si elle n'était sous-tendue par quelque chose de plus profond : le pouvoir, pour une nuit, de répondre à l'attente d'un enfant, la possibilité de participer au mystère, de le faire partager, et la joie d'émerveiller.

Le Sommeil des Mages, *chapiteau de la cathédrale d'Autun.*

DEO : ET IN
TERRA : PAX : HOMINI
BVS
LAUDAMUS
DEO : ET : IN
TERRA : PAX : DOMINIBVS
BVS

2
CHANTS ET CONTES DE NOËL

LES PREMIERS chants de Noël furent ceux des Anges, si l'on en croit les Évangiles apocryphes... En fait, les premiers noëls chantés furent des hymnes liturgiques, en latin. Dès le XIXe siècle apparaissent les noëls populaires en langue d'oc. Ce fut surtout au XVe et au XVIe siècle que se propagèrent des recueils de noëls. Imprimés sur du papier à chandelle, ils étaient vendus par des colporteurs, et « leur en acheter », écrit Maurice Vloberg, « c'était faire montre de patriotisme et se porter chance, à en croire un noël gothique :

Et qui bon Français si sera
Point de chanter ne se tiendra
Noël ! a grand'halenée
Et tout son bien lui croistra
Moult le long de l'année
Amen. Noël ! Noël ! »

Les mystères et les jeux liturgiques avaient fourni les premiers thèmes de ces noëls. Puis les airs populaires servirent de soutien à des paroles célébrant la naissance de l'Enfant Roi. Chaque région puisa dans son patrimoine et les bergers s'appelèrent Jeannot et Jeannette, ou Guillaume et Guillaumette.

Au XVIe siècle chanter Noël faisait déjà partie des souvenirs d'enfance, d'après Pasquier : « En ma jeunesse, c'estoit une coustume que l'on avoit tournée en cérémonie de chanter tous les soirs des noëls qui estoient chansons spirituelles. » Ces recueils sont anonymes, composés, disent Clamon et le docteur Pansier qui les ont étudiés, « par le bas personnel du chapitre : sacristains, maîtres de chapelle, maîtres des enfants de chœur, organistes, musiciens, chantres, etc., qui, avec un certain nombre d'enfants de chœur, de voisins, de voisines, sont fréquemment cités dans ces courts épisodes ».

Le premier compositeur célèbre de noëls fut le provençal Saboly, au XVIIe siècle. Maître de chapelle à Saint-Pierre d'Avignon, il écrivit des noëls qu'il envoya à ses amis et fit chanter à Saint-Pierre. Quand il les publia à la fin de sa vie, tout Avignon les chantait déjà. Puis la Provence entière reprit ces airs, où chacun pouvait se reconnaître. Mistral disait de Saboly : « Il est le troubadour du pauvre monde, le chantre de l'auge, le chantre de l'âne, du foin, de la bergerie, du froid, du lange et de la misère ; et son bonheur, et son triomphe, c'est, tout en la relevant, de faire rire la misère ! »

Au XVIIIe siècle, ce fut l'apogée des noëls, et l'apparition des pastorales ; la pastorale Maurel en Provence, la pastorale franc-comtoise, dont les airs sont arrivés jusqu'à nous et se chantent encore.

◀ Ronde des Pastouraux à Noël, *Heures de Charles d'Angoulême, Bibliothèque Nationale, Paris.*

A travers la plupart des pays d'Europe, le développement des chants de Noël est identique : chants d'église, puis airs populaires qui célèbrent la nativité, l'annonce aux bergers et aussi la vie quotidienne. En Angleterre, de nombreux airs remontent au Moyen Age, ce sont les « christmas carols », le mot « carol » venant de l'ancien français, la carole, qui désignait une danse, une ronde. Les noëls ont souvent été chantés et dansés. En Allemagne, les chants populaires datent du XIe siècle, et au XVIe, après la Réforme, les luthériens composèrent de nombreux chants. Martin Luther lui-même en écrivit un en 1535 : « Vom Himmel hoch da komm'ich her. »

Puis les chants de Noël ont dépassé leurs frontières, et les enfants chantent aussi bien « Entre le bœuf et l'âne gris » que « Stille Nacht », mélodie allemande du XIXe siècle, ou même cette chanson, qui, à l'après-guerre, appelait non plus l'Enfant Jésus mais le « petit papa Noël », par la voix de Tino Rossi ! Mais tous ces chants, quelle qu'en soit l'origine, ont le même pouvoir d'inviter au recueillement ou à la joie, et de faire ressentir, dans l'accord des voix, le mystère et l'espérance de cette nuit de miracle.

Les contes de Noël médiévaux sont directement inspirés des Évangiles apocryphes. A la veillée, troubadours et jongleurs racontaient l'Histoire Sainte, brodant de-ci de-là au gré de leur inspiration, devant les cheminées des châteaux du Moyen Age, pendant que, devant la bûche, l'aïeul reprenait plus simplement la même histoire.

Ce n'est que bien plus tard, à la fin du XVIIIe siècle et surtout au XIXe siècle, que le conte de Noël tel que nous le connaissons se développe au point de devenir un genre littéraire. Chaque journal, chaque revue confiait à un écrivain en renom le soin de composer le récit de Noël. Le plus célèbre d'entre eux fut Charles Dickens. Un manufacturier aurait été si bouleversé à la lecture d'un de ses contes qu'il décida de donner un jour férié à ses ouvriers le jour de Noël.

Le choix des contes qui suivent emprunte cet itinéraire : contes médiévaux, les premiers miracles de l'enfant, puis contes plus récents où, pendant cette nuit de Noël, les sentiments humains retrouvent leur grandeur, aidés ou non par une apparition divine.

Le premier miracle de l'Enfant Sauveur

C'ÉTAIT à Beth-Léhem, la petite ville de Judée, à deux lieues de Jérusalem la sainte. Le soir descendait doux et pur, quoiqu'on fût au cœur de l'hiver. Depuis de longues heures déjà le marché était fini ; et cependant les rues étaient pleines de monde, et sans cesse la foule s'accroissait. Car l'empereur de Rome, désireux d'être fixé sur le nombre de ses sujets, avait ordonné à tous les habitants de la contrée de se faire inscrire au greffe de leur quartier.

Et tous étaient venus, rois, princes, bourgeois et simples artisans. L'hôte de la grande hôtellerie de Beth-Léhem, debout sur le seuil de sa porte, et regardant passer les flots de la multitude, disait à sa femme empressée autour des fourneaux :

« On prétend qu'il a déjà défilé dans les salles du greffe plus de cinquante mille personnes. Si l'affluence continue, les gens ne trouveront ni à se nourrir, ni à se loger... Nous, notre maison est vaste, et les familles de conséquence ont accoutumé d'y descendre. Je ne crois pas qu'il reste une seule chambre qui ne soit point retenue. Que s'il se présente des pauvres, des manants, de la canaille, des gueux et des pouilleux, il est urgent de veiller à ce qu'ils n'entrent point. Je vais, à ce dessein, faire fermer toutes les issues, pousser tous les verrous, et l'on n'ouvrira désormais qu'aux gentilshommes qui viendront en litière, en carrosse, ou en magnifique équipage. »

Ainsi parlait l'hôte, et sa femme fut d'avis qu'il parlait selon la raison.

Cependant, la foule commençait à se disperser, chacun gagnant son gîte en grande hâte. Les rues et les ruelles se vidaient l'une après l'autre. Il n'y avait plus guère dehors que les commères qui restent tard à deviser ensemble. Soudain, une d'elles dit aux voisines :

« Quelle est celle, là-bas, qui monte la rue si péniblement et d'une démarche si chancelante ?... Elle est toute jeunette encore, et pourtant elle va bientôt être mère... Rouge est sa jupe, si je ne me trompe, et bleu son manteau. Son visage est plutôt d'une jeune fille avant les fiançailles que d'une femme après les noces, tant il est délicat et fin, et agréable à regarder. »

« En effet, répartit une autre commère, on ne saurait dire si l'homme qui s'avance à côté d'elle doit être appelé son père ou son mari ; il a la barbe grise et l'air quasi vénérable. Avec quelle sollicitude il prend soin d'elle et la soutient !... Et toutefois il est lui-même bien chargé, le malheureux. Voyez, il a sur le dos un bissac rempli des instruments de sa profession. C'est sans doute quelque artisan, et qui n'a que le travail de ses dix doigts pour subvenir aux frais du voyage. »

Celui qui s'avançait de la sorte était Joseph le charpentier, et la femme qui l'accompagnait était Marie, de la race de David. Et si elle était si lasse, si pâle, si exténuée, c'est qu'elle portait dans ses entrailles un fruit que nulle autre mère n'a porté, un enfant qui était un Dieu. Cela, les commères l'ignoraient et, avec elles, le monde entier, les temps n'étant pas encore venus.

Joseph, en passant près d'elles, leur demanda où il trouverait à loger. Elles lui montrèrent la grande hôtellerie du haut de la rue, et Marie, bien doucement, les remercia... Et Joseph de heurter à la porte avec son bâton de voyageur. Il entendit l'hôtelier qui disait à une des servantes :

— On frappe. Allez voir qui est là, souvenez-vous qu'il n'y a place que pour qui a dans les poches bruit d'or ou d'argent...

— Hélas, répondit Joseph à la servante, je n'ai ni or ni argent à offrir à votre maître... Mais dites-lui en quel état est celle-ci qui est ma femme, et peut-être aura-t-il pitié. C'est ici la vingtième porte à laquelle nous frappons : personne n'a voulu de nous. Ce que nous demandons n'est pas grand-chose : une poignée de foin ou de paille et un toit qui nous abrite contre la fraîcheur mauvaise de la nuit...

— Non, non, cria de l'intérieur l'hôtelier, passez votre chemin. Nous n'hébergeons point les vagabonds !

Or, cet homme avait un fils clerc qui se destinait à la prêtrise et qui avait l'âme compatissante. Celui-ci ne put voir la figure honnête de Joseph et les yeux suppliants de Marie sans en être remué. Il dit à son père sévèrement :

— Votre cupidité vous perdra. N'est-ce pas elle déjà qui est cause si ma sœur Berta, l'aînée de vos filles, est venue au monde sans bras, comme une créature maléficiée ? Croyez-moi, ne vous exposez point à de pires infortunes en repoussant ces malheureux qui vous implorent. Accordez-leur l'hospitalité, fût-ce dans la crèche de l'âne. Au moins ils ne mourront ni de lassitude ni de froid.

L'hôtelier dit à la servante d'un ton bourru :

— Va donc, puisque mon fils clerc le veut ; prends la lanterne et conduis ces quémandeurs à l'étable.

La servante fit ce qui lui était ordonné, puis se retira, laissant Joseph et Marie dans l'ombre de la crèche. Mais aussitôt il s'éleva des vêtements de la Vierge une lumière douce comme la vapeur qui s'exhale des prés au clair de lune. Et Joseph vit qu'ils n'étaient pas seuls, que deux bêtes aussi étaient là, un bœuf et un âne, qui n'étaient même pas attachés. Et il dit à sa femme :

— N'ayez point de peur, Marie. Ces bêtes ne vous feront point de mal. Elles sont lasses, comme nous, car elles ont beaucoup peiné.

Ils s'allongèrent tous deux dans la paille fraîche. Et Joseph ne tarda pas à s'endormir, et Marie, ayant elle-même fermé les yeux, fit ce rêve : le fils qui devait naître d'elle se tenait debout à ses pieds et lui demandait : « petite mère, dites-moi, êtes-vous plongée dans le sommeil ou simplement étendue dans le repos » ? Et elle répondait : « je ne sais si je dors ou si je repose, mais je songe un songe qui vous concerne. » « Et quel est ce songe que vous songez ? » « Mon enfant chéri, des gens qui portent des fanaux s'avancent vers vous et vous arrêtent. Voici qu'ils vous traînent par les sentiers tristes d'une montagne jusqu'à la cime. Sur une croix vous êtes cloué et par des fouets de plomb vous êtes flagellé. Le sang coule sur votre face divine, mêlé aux crachats de la populace ; votre âme s'échappe dans un grand cri. Tel est mon rêve. » Comme elle achevait ces mots, elle se réveilla, et, ayant passé la main sur son visage, elle le sentit moite de sueur. Par la lucarne percée dans le toit, au-dessus de sa tête, elle vit que les astres étaient haut dans le ciel. Son fruit dans les entrailles remuait. Elle dit à Joseph, toute triste encore du songe dont elle venait de sortir :

— Secoue tes membres fatigués. Lève-toi, car les temps sont proches. Le Dieu que je porte en mon sein demande à connaître les amertumes de la vie.

Elle n'avait pas fini de parler que Jésus naissait. Comme un rayon de soleil traverse un verre sans le briser, ainsi naquit Jésus sans entamer la virginité de sa mère. Avec une poignée de foin arrachée au râtelier des animaux, Joseph façonna une couchette pour l'enfant.

Marie lui dit, d'une voix faible :

— Seule, je ne saurai l'emmailloter. Cours donc à l'hôtellerie. Prie une des filles de la maison qu'elle me vienne en aide.

Et Joseph alla, heurta derechef à la porte, supplia l'hôte au nom de l'Éternel.

— Ma femme vient d'enfanter pour la première fois. Elle est jeune et inexpérimentée. De grâce, permettez qu'une de vos filles, ou, à leur défaut, une de vos servantes, lui prête la main pour emmailloter l'enfant.

L'hôte sommeillait dans le lit clos, auprès du foyer :

— Vraiment, s'écria-t-il, ces gueux, quand on a la faiblesse de les accueillir chez soi, vous

Nativité et bergers, *Fresque de la Chapelle de la Vierge, Couvent Saint-Benoît, Subiaco, Italie.*

font plus de train que les gens de qualité !... Cherchez ailleurs, l'homme !... Mes filles sont couchées et mes servantes ont à s'occuper d'autre chose que de soigner les nouveau-nés.

Joseph, sans se décourager, reprit :

— J'ai vu par la fenêtre, en passant, une jouvencelle accroupie dans le coin de l'âtre et qui n'avait rien à faire que se chauffer...

— Tu l'entends, Berta, dit l'hôte ; il s'imagine que tu peux être à sa femme de quelque secours. Suis-le donc, afin qu'il reconnaisse son erreur et qu'ensuite il nous laisse en paix.

Sans une parole, Berta se leva du milieu des cendres et suivit Joseph jusqu'à l'étable. Et là :

— Voyez, dit-elle tristement, vous n'avez à attendre de moi aucune aide.

Et elle agite ses manches qui pendaient, car, au lieu de bras et de mains, elle n'avait, hélas, que deux moignons.

— Ton sort est à plaindre, lui dit Marie, mais tu ne seras pas venue en vain.

Et, l'ayant fait asseoir auprès d'elle, dans la litière, elle plaça l'enfant sur ses genoux. Et aussitôt Berta eut bras et mains, pour emmailloter Jésus qui lui souriait. Tel fut le premier miracle du Sauveur. Par la seule vertu de son sourire, une fille maléficiée fut guérie. Berta, le cœur plein d'allégresse, chanta une berceuse douce, la berceuse de Nédélek (Noël) :

Il n'y avait ni chandelle, ni feu,
Dans la crèche où naquit l'Enfant-Dieu
Dans la crèche où Jésus naquit
Sur une jonchée de foin vert,
Lui, le Rédempteur, le Messie !
Il n'y avait ni feu, ni chandelle ;
Le vent soufflait à travers le toit ;
Mais dans la nuit, mille cierges de cire
Brillaient plus clairs que la lune ;
Et c'étaient les anges qui faisaient le vent
En battant le ciel de leurs ailes.

Ainsi chantait Berta... Quand Jésus eut clos les yeux, Marie dit à Berta :

— Tu as veillé près de moi en cette nuit terrestre, tu goûteras à mes côtés la lumière du jour sans fin. Sainte au paradis tu seras. Et je veux que ta fête parmi les hommes se célèbre avant la mienne. Les femmes en couches t'invoqueront dans la douleur et te béniront dans la joie. Tu donneras force et santé aux nourrissons, aux nourrices un lait intarissable. Cette promesse que je te fais, sois assurée que mon fils la ratifiera.

Et cependant, à travers le ciel étoilé, dans la nuit de décembre plus claire qu'un soir de juin à l'heure du couchant, des anges passaient, par légions innombrables, et tourbillonnaient ainsi que des vols de mouettes blanches sur l'estuaire des rivières salées. Leurs grandes ailes silencieuses traçaient de-ci de-là des sillages couleur d'argent. Ils chantaient : « Gloire, gloire, dans les profondeurs du firmament, au créateur du soleil et de la lune et de tout ce qui est sur la face de la terre. »

A leur voix, le monde entier tressaillit. Une procession immense se mit en marche vers Beth-Léhem. Les hommes vinrent, les animaux suivirent, et les arbres, dit-on, inclinant leurs cimes dans la direction de l'étable sainte, pleurèrent d'être attachés au sol. Les pâtres des montagnes arrivèrent les premiers. Une étoile de là-haut leur avait fait signe et, jusqu'au terme du voyage, avait cheminé devant eux. Des pêcheurs, mouillés au large, entendirent des musiques ravissantes vibrer dans les flots ; leurs barques, rompant les amarres, dérivèrent d'elles-mêmes vers le rivage, comme pour leur enjoindre d'aller adorer le Messie. Après les bergers et les marins, ce fut le tour des laboureurs, des artisans, et enfin des rois. Aux mânes mêmes des ancêtres, enfouis dans les limbes, il fut donné de contempler le visage rayonnant de Jésus.

Telle est, dans ses traits principaux, la rustique épopée dont les chanteurs de Noël font retentir les bourgades bretonnes.

A. Le Braz, *Vieilles Histoires du pays breton.*

La fuite en Égypte et les miracles : La légende de la sauge

Tandis que les bourreaux du roi Hérode, féroces et tout couverts de sang, fouillaient la région de Bethléem pour égorger les petits enfants, Marie se sauvait à travers les montagnes de Judée, serrant le nouveau-né sur son cœur tremblant. Joseph courait à l'avant lorsqu'ils apercevaient un village, pour y demander l'hospitalité ou même un peu d'eau pour baigner le petit. Hélas, les gens étaient ainsi faits, dans ce pays si triste, que personne ne voulait rien donner, ni eau, ni abri, pas même une bonne parole.

Or, tandis que la pauvre mère se trouvait ainsi seule, assise au bord du chemin pour allaiter le petit, tandis que son époux menait l'âne à boire à un puits communal, ne voilà-t-il pas que des cris se firent entendre à peu de distance. En même temps, le sol trembla sous le galop des chevaux approchants.

— Les soldats d'Hérode !

Où se réfugier ? Pas la moindre grotte, ni le plus petit palmier. Il n'y avait près de Marie qu'un buisson où une rose s'ouvrait.

— Rose, belle rose, supplia la pauvre mère, épanouis-toi bien et cache de tes pétales cet enfant que l'on veut faire mourir, et sa pauvre mère à demi morte.

La rose, en fronçant le bouton pointu qui lui servait de nez, répondit :

— Passe vite ton chemin, jeune femme, car les bourreaux en m'effleurant pourraient me ternir. Vois la giroflée, tout près d'ici. Dis-lui de t'abriter. Elle a assez de fleurs pour te dissimuler.

— Giroflée, giroflée gentille, supplia la fugitive, épanouis-toi bien pour cacher de ton massif cet enfant condamné à mort et sa maman épuisée.

La giroflée, tout en secouant les petites têtes de son bouquet, refusa sans même s'expliquer :

— Va, passe ton chemin, pauvresse. Je n'ai pas le temps de t'écouter. Je suis trop occupée à partout me fleurir. Va voir la sauge, tout près d'ici. Elle n'a rien d'autre à faire que la charité.

— Ah ! Sauge, bonne sauge, supplia la malheureuse femme, épanouis-toi pour cacher de tes feuilles cet innocent dont on veut la vie et sa mère, à demi morte de faim, de fatigue et de peur.

Alors tant et si bien s'épanouit la bonne sauge qu'elle couvrit tout le terrain et de ses feuilles de velours fit un dais, où s'abritèrent l'Enfant Dieu et sa mère.

Sur le chemin, les bourreaux passèrent sans rien voir. Au bruit de leurs pas, Marie frissonnait d'épouvante, mais le petit, caressé par les feuilles, souriait. Puis, comme ils étaient venus, les soldats s'en allèrent.

Quand ils furent partis, Marie et Jésus sortirent de leur refuge vert et fleuri.

— Sauge, sauge sainte, à toi grand merci. Je te bénis pour ton bon geste dont tous désormais se souviendront.

Lorsque Joseph les retrouva, il avait de la peine à soutenir le train de l'âne tout ragaillardi par une vaste platée d'orge qu'un brave homme lui avait donnée.

Marie remonta sur la bête en serrant contre elle son enfant sauvé. Et Michel, l'archange de Dieu, descendit des hauteurs du ciel pour leur tenir compagnie et leur indiquer le plus court chemin par lequel se rendre en Égypte, tout doucement, à petites journées.

C'est depuis ce temps-là que la rose a des épines, la giroflée des fleurs malodorantes, tandis que la sauge possède tant de vertus guérissantes :

Comme l'on dit en Provence :

« Celui qui n'a pas recours à la sauge
Ne se souvient pas de la Vierge. »

Joseph Roumanille (repris par M. Toussaint-Samat)
Légendes et récits du temps de Noël.

Les deux sapins de l'église Sainte-Aurélie de Strasbourg

Il y avait un enfant pauvre, un orphelin, qui logeait dans une masure avec sa grand-mère ; et cette vieille se privait de tout pour que le petit mangeât quelquefois à sa faim. A l'entour de Noël, voilà que des baraques toutes pleines de jouets et de gâteaux s'élevaient sur les places de Strasbourg et les bonnes gens s'en allaient faire leurs commandes chez les pâtissiers, et tout le monde avait la mine réjouie, parce que Noël n'est pas seulement une fête splendide de l'Église, c'est aussi une fête où l'on mange très bien.

L'enfant pauvre savait que, depuis quelque temps, sa grand-mère se nourrissait à peine pour économiser de quoi acheter un gâteau — oh ! pas bien gros ! — un de ces gâteaux où il n'y a pas beaucoup de sucre mais qui tout de même font plaisir à ceux dont les désirs ne sont jamais comblés. Et il eut l'idée de gagner un peu d'argent afin de pouvoir apporter quelque chose de bon, lui aussi, et de montrer à sa vieille grand-mère qu'elle pouvait compter sur lui.

Il partit vers le bois, et là il arracha de terre, bien doucement pour ne pas leur faire de mal, deux petits sapins, se promettant de les vendre, car beaucoup de gens achètent des petits sapins qu'ils illuminent au soir de Noël.

La nuit tombait. Il revint vers la ville. Il frappa contre une porte richement sculptée.

« Toc ! toc ! toc ! Voulez-vous mes petits sapins ? Vous y attacherez des boules d'or et des étoiles de papier. C'est bien amusant pour les enfants ! »

Mais une voix répondit de derrière la porte :

« L'arbre de Noël est déjà acheté ! Repassez dans un an. »

Et dans toutes les autres maisons, après le toc, toc, toc de l'enfant pauvre, on faisait la même réponse. C'était à des portes de belles maisons qu'il frappait. Il se désespérait, se disant que si l'on ne voulait pas ses sapins chez les riches, on les voudrait encore moins chez les pauvres. Il avait grande envie de pleurer. Il s'était donné tant de fatigue, pour aller au bois, à l'heure où l'on entend la plainte lugubre des loups affamés.

Or il s'arrêta devant une petite maison dont les fenêtres étaient éclairées, et où l'on entendit des rires et des cris de joie. Il frappa.

Toc ! toc ! toc !

Les rires s'arrêtèrent. Une grosse voix cria :

« Qui frappe à la nuit tombée ? »

L'enfant n'osa répondre.

« Mais qui donc frappe chez moi, quand je veux être en paix ? » répéta la grosse voix, et des sabots claquèrent sur le plancher.

Un grand diable d'homme ouvrit la porte brusquement. Il était barbu jusqu'aux yeux, ce qui lui donnait un air pas commode du tout. Le petit bonhomme, serrant ses deux sapins contre sa poitrine, baissa les yeux humblement, non sans avoir aperçu un arbre magnifique, tout ruisselant de fils d'argent, tout rutilant de lumière, tout chargé de richesses ; et trois gentils enfants, garçons et filles, dansaient en rond, et chantaient un hymne à la gloire de ma mère l'oye qui rôtissait dignement et superbement, en répandant une odeur dont aucun parfum en vogue n'a encore trouvé le secret.

« Que veut ce béjaune ? fit l'homme. Le froid entre chez moi. Parle vite ou je te ferme la porte au nez ! Que veux-tu ? »

L'enfant murmura :

« Sire, je voulais vous vendre mes petits sapins, mais le vôtre est bien plus beau. Je rentrerai donc à la maison sans argent... »

« Tu viens proposer des sapins à Maître Heidel, syndic des pépiniéristes ? Es-tu fou ? Autant porter de l'eau à la mer ! Tes sapins ne vaudront jamais les miens. J'en ai vendu plus de cent

aux plus riches bourgeois de la ville, et j'ai gardé pour nous le moins beau ; pourtant, il touche mon plafond ! »

Tandis qu'il parlait, son chien noir, à poils ras, à pattes rouges, avec des oreilles coupées et l'air pas très poli, reniflait l'enfant qui avait grand-peur. L'homme siffla. Le chien rentra. La porte claqua. Maître Heidel, syndic des pépiniéristes, entendit le pas hésitant du pauvre petit homme qui s'éloignait. Or, il sembla à Maître Heidel qu'une voix secrète lui disait :

« Mon ami, si le Seigneur ne t'avait donné la force et la santé, et aussi la chance, Heidel, car tout est chance en ce bas-monde, tes enfants s'en iraient peut-être, ce soir, proposer des sapins rabougris dont personne ne voudrait. »

C'était un homme qui avait le ton bourru, ce Maître Heidel : autant dire qu'il était bon. Il se gratta le bout du nez, ce qui est, comme chacun sait, la marque extérieure d'un grand trouble de conscience. Il rouvrit la porte et cria dans la nuit :

« Eh ! mon petit bonhomme, apporte-moi tes sapins ! A la réflexion, je trouve qu'ils ont bonne tournure ! »

Il entendit l'enfant revenir vers lui, et vit sa petite silhouette qui se détachait, toute mince, sur la blancheur de la neige.

« Entre chez moi. Tu es aussi petit que le roi David, mais ce soir Goliath sera ton ami. C'est le surnom que je me donne, étant aussi laid que Goliath ! »

Il ouvrit un tiroir et tendit un beau lys d'or, un de ces lys d'or, chefs-d'œuvre des fondeurs de Strasbourg, et qui valait autant que le lys du roi de France.

« Sire, fit le petit bonhomme, il ne faut pas se moquer de moi ! Voici de quoi vivre un an...

— Tu exagères, répliqua Maître Heidel. Il y a de quoi vivre un peu. C'est mon cadeau. Prends donc, béjaune ! »

Comme le cœur bat fort quand un bonheur inattendu vous arrive ! Et ne voilà-t-il pas que Mme Heidel vous coupe un morceau de dinde à vous faire frémir, et vous le donne au petit marchand ? Et ne voilà-t-il pas que les enfants vous enveloppent dans du beau papier d'argent un demi-gâteau qui sentait si bon que ça vous chatouillait les narines au point de vous faire éternuer d'aise ? On n'a pas idée à quel point cette famille Heidel était une famille de braves gens ! Comment remercier, quand on est sur le point de pleurer parce qu'on est trop content ?

Révérence à la dame de la maison, révérence au syndic des pépiniéristes, et on embrasse les bons enfants qui ont partagé leurs gâteaux. Le chien rend politesse pour politesse. Il vous tend la patte, il pleure d'attendrissement, il est tout à fait ce qu'il faut que l'on soit pour une scène aussi touchante. Mais il est temps de rentrer chez la grand-mère. Dieu vous bénisse ! Dieu vous le rende ! La nuit est noire. Alors le chien accompagne le petit bonhomme, crainte des mauvaises rencontres.

Cependant, Maître Heidel jeta dans un coin les deux petits sapins et se mit à table.

Le lendemain matin, jour de Noël, Mme Heidel balaya soigneusement sa maison, car les jours de fête sont jours où l'on combat le désordre, et elle poussa les deux sapins rabougris dans la rue. Ses enfants se battaient dans la neige, en attendant l'heure de l'office divin ; ils s'emparèrent des deux petits sapins et, par jeu, pour imiter leur père dans son métier, s'en furent les planter derrière l'église Sainte-Aurélie à deux pas de la maison.

Voici les cloches qui sonnent et qui appellent la foule, laquelle emplit bientôt l'église. Maître Heidel, le syndic des pépiniéristes, est assis au premier rang. Il a revêtu une superbe redingote.

On voyait jadis, sur un vitrail de Sainte-Aurélie, une jolie colombe. Au grand étonnement de tous, elle se détacha du vitrail et vola droit vers Heidel. Elle se posa sur sa poitrine et parla :

« Pendant que vous chantez la gloire du sauveur des hommes, dit-elle, regardez celui qui s'est souvenu qu'il faut avoir des trésors de bonté pour les enfants des pauvres, car celui qui nous a sauvés était le fils d'un pauvre, et il naquit dans une étable parce qu'on ne voulait de lui nulle part ailleurs ! »

Puis la colombe s'envola, sortit par le portail et cria :

« Venez voir, bonnes gens, les deux sapins derrière Sainte-Aurélie ! »

Quand l'office fut dit, la foule dehors cria au prodige. Deux sapins, hauts comme deux clochers, aux troncs tout droits comme des mâts de navires, aux branches vastes et lourdes, s'élevaient au ciel. Et les oiseaux, dans l'air froid et pur de Noël, chantaient la gloire des charitables... La colombe avait repris sa place au vitrail.

Et le petit bonhomme, dira-t-on, qu'est-il devenu ?

L'histoire est simple : avec le lys d'or qu'Heidel lui avait donné, il acheta de la pacotille qu'il vendit à bon compte. Avec l'argent de cette vente à bon compte, il acheta un fonds de commerce un peu plus grand. Sa grand-mère était très bien habillée... Elle avait un chapeau avec des brides. Enfin les affaires prospérant, il s'associa avec Maître Heidel. Même il épousa une de ses filles.

Ces jeunes gens furent très heureux en ménage. Ils avaient tant d'enfants qu'on était assourdi quand on entrait chez eux. Tous les ans, à Noël, les enfants pauvres savaient qu'on leur ferait des présents et qu'on leur donnerait d'excellents gâteaux chez le syndic des pépiniéristes, car le petit bonhomme était devenu, lui aussi, syndic — et il portait la bannière de la corporation avec beaucoup d'autorité et de fierté. Pensez donc !... Un homme qui avait eu tant d'enfants !

Jean Variot, *L'Alsace éternelle.*

Les sabots du petit Wolff

Il était une fois — il y a si longtemps que tout le monde a oublié la date — dans une ville du nord de l'Europe, dont le nom est si difficile à prononcer que personne ne s'en souvient, il était une fois un petit garçon de sept ans, nommé Wolff, orphelin de père et de mère, resté à la charge d'une vieille tante, personne dure et avaricieuse, qui n'embrassait son neveu qu'au Jour de l'An et qui poussait un grand soupir de regret chaque fois qu'elle lui servait une écuellée de soupe.

Mais le pauvre petit était d'un si bon naturel qu'il aimait tout de même la vieille femme, bien qu'elle lui fît grand-peur et qu'il ne pût regarder sans trembler la grosse verrue, ornée de quatre poils gris, qu'elle avait au bout du nez.

Comme la tante de Wolff était connue de toute la ville pour avoir pignon sur rue et de l'or plein un vieux bas de laine, elle n'avait pas osé envoyer son neveu à l'école des pauvres : mais elle avait tellement chicané, pour obtenir un rabais, avec le magister chez qui le petit Wolff allait en classe, que ce mauvais pédant, vexé d'avoir un élève si mal vêtu et payant si mal, lui infligeait très souvent, et sans justice aucune, l'écriteau dans le dos et le bonnet d'âne, et excitait même contre lui ses camarades, tous fils de bourgeois cossus, qui faisaient de l'orphelin leur souffre-douleur.

Le pauvre mignon était donc malheureux comme les pierres du chemin et se cachait dans tous les coins pour pleurer, quand arrivèrent les fêtes de Noël.

La veille du grand jour, le maître d'école devait conduire tous ses élèves à la messe de minuit et les ramener chez leurs parents.

Or, comme l'hiver était très rigoureux, cette année-là, et comme, depuis plusieurs jours, il était tombé une grande quantité de neige, les écoliers vinrent tous au rendez-vous chaudement empaquetés et emmitouflés, avec bonnets de fourrure enfoncés sur les oreilles, doubles et triples vestes, gants et mitaines de tricot et bonnes et grosses bottines à clous et à fortes semelles. Seul, le petit Wolff se présenta grelottant sous ses habits de tous les jours et des dimanches, et n'ayant aux pieds que des chaussons de Strasbourg dans de lourds sabots.

Ses méchants camarades, devant sa triste mine et sa dégaine de paysan, firent sur son compte mille risées ; mais l'orphelin était tellement occupé à souffler sur ses doigts et souffrait tant de ses engelures qu'il n'y prit pas garde. Et la bande de gamins, marchant deux par deux, magister en tête, se mit en route pour la paroisse.

Il faisait bon dans l'église, qui était toute resplendissante de cierges allumés ; et les écoliers, excités par la douce chaleur, profitèrent du tapage de l'orgue et des chants pour bavarder à demi-voix. Ils vantaient les réveillons qui les attendaient dans leurs familles. Le fils du bourgmestre avait vu, avant de partir, une oie monstrueuse, que des truffes tachetaient de points noirs comme un léopard. Chez le premier échevin, il y avait un petit sapin dans une caisse, aux branches duquel pendaient des oranges, des sucreries et des polichinelles. Et la cuisinière du tabellion avait attaché derrière son dos, avec une épingle, les deux brides de son bonnet, ce qu'elle ne faisait que dans ses jours d'inspiration, quand elle était sûre de réussir son fameux plat sucré.

Et puis les écoliers parlaient aussi de ce que leur apporterait le petit Noël, de ce qu'il déposerait dans leurs souliers, que tous auraient soin, bien entendu, de laisser dans la cheminée avant d'aller se mettre au lit ; et dans les yeux de ces galopins, éveillés comme une poignée de souris, étincelait par avance la joie d'apercevoir à leur réveil le papier rose des sacs de pralines, les soldats de plomb rangés en bataillons dans leur boîte, les ménageries sentant le bois verni et les magnifiques pantins habillés de pourpre et de clinquant.

Le petit Wolff, lui, savait bien, par expérience, que sa vieille avare de tante l'enverrait se coucher sans souper ; mais, naïvement, et certain d'avoir été, toute l'année, aussi sage et aussi laborieux que possible, il espérait que le petit Noël ne l'oublierait pas, et il comptait bien, tout à l'heure, placer sa paire de sabots dans les cendres du foyer.

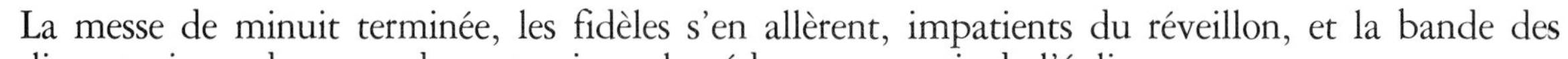

La messe de minuit terminée, les fidèles s'en allèrent, impatients du réveillon, et la bande des écoliers, toujours deux par deux et suivant le pédagogue, sortit de l'église.

Or, sous le porche, assis sur un banc de pierre surmonté d'une niche ogivale, un enfant était endormi, un enfant couvert d'une robe de laine blanche, et pieds nus, malgré la froidure. Ce n'était point un mendiant, car sa robe était propre et neuve, et, près de lui, sur le sol, on voyait, liés dans une serge, une équerre, une hache, une bisaiguë, et les autres outils de l'apprenti charpentier. Éclairé par la lueur des étoiles, son visage aux yeux clos avait une expression de douceur divine, et ses longs cheveux bouclés, d'un blond roux, semblaient allumer une auréole autour de son front. Mais ses pieds d'enfant, bleuis par le froid de cette nuit cruelle de décembre, faisaient mal à voir.

Les écoliers, si bien vêtus et chaussés pour l'hiver, passèrent indifférents devant l'enfant inconnu ; quelques-uns même, fils des plus gros notables de la ville, jetèrent sur ce vagabond un regard où se lisait tout le mépris des riches pour les pauvres, des gras pour les maigres.

Mais le petit Wolff, sortant de l'église le dernier, s'arrêta tout ému devant le bel enfant qui dormait.

« Hélas, se dit l'orphelin, c'est affreux ! ce pauvre petit va sans chaussures par un temps si rude... Mais, ce qui est pis encore, il n'a même pas, ce soir, un soulier ou un sabot à laisser devant lui, pendant son sommeil, afin que le petit Noël y dépose de quoi soulager sa misère ! »

Et, emporté par son bon cœur, Wolff retira le sabot de son pied droit, le posa devant l'enfant endormi, et, comme il put, tantôt à cloche-pied, tantôt boitillant et mouillant son chausson dans la neige, il retourna chez sa tante.

« Voyez le vaurien ! s'écria la veille, pleine de fureur au retour du déchaussé. Qu'as-tu fait de ton sabot, petit misérable ? »

Le petit Wolff ne savait pas mentir, et bien qu'il grelottât de terreur en voyant se hérisser les poils gris sur le nez de la mégère, il essaya, tout en balbutiant, de conter son aventure.

Mais la vieille avare partit d'un effrayant éclat de rire.

« Ah ! Monsieur se déchausse pour les mendiants ! Ah ! Monsieur dépareille sa paire de sabots pour un va-nu-pieds !.. Voilà du nouveau, par exemple !... Eh bien, puisqu'il en est ainsi, je vais laisser dans la cheminée le sabot qui te reste, et le petit Noël y mettra cette nuit, je t'en réponds, de quoi te fouetter à ton réveil... Et tu passeras la journée de demain à l'eau et au pain sec... Et nous verrons bien si, la prochaine fois, tu donnes encore tes chaussures au premier vagabond venu ! »

Et la méchante femme, après avoir donné au pauvre petit une paire de soufflets, le fit grimper dans la soupente où se trouvait son galetas. Désespéré, l'enfant se coucha dans l'obscurité et s'endormit bientôt sur son oreiller trempé de larmes.

Mais le lendemain matin, quand la vieille, réveillée par le froid et secouée par son catarrhe, descendit dans sa salle basse — ô merveille ! — elle vit la grande cheminée pleine de jouets étincelants, de sacs de bonbons magnifiques, de richesses de toutes sortes ; et, devant ce trésor, le sabot droit, que son neveu avait donné au petit vagabond, se trouvait à côté du sabot gauche, qu'elle avait mis là, cette nuit même, et où elle se disposait à planter une poignée de verges.

Et comme le petit Wolff, accouru aux cris de sa tante, s'extasiait ingénument devant les splendides présents de Noël, voilà que de grands rires éclatèrent au-dehors. La femme et l'enfant sortirent pour savoir ce que cela signifiait, et virent toutes les commères réunies autour de la fontaine publique. Que se passait-il donc ? Oh ! une chose bien plaisante et bien extraordinaire ! Les enfants de tous les richards de la ville, ceux que leurs parents voulaient surprendre par les plus beaux cadeaux, n'avaient trouvé que des verges dans leurs souliers.

Alors l'orphelin et la vieille femme, songeant à toutes les richesses qui étaient dans leur cheminée, se sentirent pleins d'épouvante. Mais, tout à coup, on vit arriver Monsieur le curé, la figure bouleversée. Au-dessus du banc placé près de la porte de l'église ; à l'endroit même, où, la veille, un enfant, vêtu d'une robe blanche et pieds nus, malgré le grand froid, avait posé sa tête ensommeillée, le prêtre venait de voir un cercle d'or, incrusté dans les vieilles pierres.

Et tous se signèrent dévotement, comprenant que ce bel enfant endormi, qui avait auprès de lui des outils de charpentier, était Jésus de Nazareth en personne, redevenu pour une heure tel qu'il était quand il travaillait dans la maison de ses parents, et ils s'inclinèrent devant ce miracle que le bon Dieu avait voulu faire pour récompenser la confiance et la charité d'un enfant.

F. Coppée, *Les Contes de Noël.*

Les pierres de Plouhinec

PLOUHINEC est un pauvre bourg au-delà d'Hennebont, vers la mer. On ne voit tout autour que des landes ou de petits bois de sapins, et jamais la paroisse n'a eu assez d'herbe pour élever un bœuf de boucherie, ni assez de son pour engraisser un descendant des Rohan (porc).

Mais, si les gens du pays manquent de blé et de bestiaux, ils ont plus de cailloux qu'il n'en faudrait pour rebâtir Lorient, et l'on trouve, au-delà du bourg, une grande bruyère dans laquelle les Korigans ont planté deux rangées de longues pierres qu'on pourrait prendre pour une avenue si elles conduisaient quelque part.

C'était près de là, vers le bord de la rivière d'Intel, que demeurait autrefois un homme appelé Marzinn : il était riche pour le canton, c'est-à-dire qu'il pouvait faire saler un petit porc tous les ans, manger du pain noir à discrétion et acheter une paire de sabots le « dimanche du laurier » (Pâques). Aussi passait-il pour fier dans le pays et avait-il refusé sa sœur Rozenn à beaucoup de jeunes garçons qui vivaient de leur sueur de chaque jour.

Parmi eux se trouvait Bernèz, brave travailleur et digne chrétien, mais qui n'avait apporté pour légitime, en venant dans le monde, que la bonne volonté. Bernèz avait connu Rozenn toute petite, quand il était arrivé de Ponscorff-Bidré pour travailler dans la paroisse, et elle l'avait souvent poursuivi avec la chanson que les enfants répètent à ceux de son pays :

Ponscorff-Bidré
Chair de chèvre, Bée !

Cela leur avait fait faire connaissance, et petit à petit, à mesure que Rozenn grandissait, l'attachement de Bernèz avait également grandi, si bien qu'un jour il s'était trouvé amoureux comme les Anglais sont damnés, je veux dire sans rémission.

Vous comprenez que le refus de Marzinn fut pour lui un grand crève-cœur ; cependant, il ne perdit pas courage, car Rozenn continuait à le bien recevoir et à lui chanter, en riant, le refrain composé pour ceux de Ponscorff.

Or, on était arrivé à la nuit de Noël, et, comme l'orage avait empêché de se rendre à l'office, tous les gens de la ferme se trouvaient réunis, et, avec eux, plusieurs garçons du voisinage, parmi lesquels était Bernèz. Le maître de la maison, qui voulait montrer son grand cœur, avait fait préparer un souper de boudins et de bouillie de froment au miel, aussi tous les yeux étaient tournés vers le foyer, sauf ceux de Bernèz, qui regardait sa chère Rosennik.

Mais voilà qu'au moment où les bancs étaient près de la table et les cuillers de bois plantées en rond dans la bassine, un vieil homme poussa brusquement la porte et souhaita bon appétit à tout le monde.

C'était un mendiant de Pluvigner qui n'entrait jamais dans les églises, et dont les honnêtes gens avaient peur. On l'accusait de jeter des sorts sur les bestiaux, de faire noircir le blé dans l'épi et de vendre aux lutteurs les herbes magiques. Il y en avait qui le soupçonnaient de devenir gobelinn (loup-garou) à volonté.

Cependant, comme il portait l'habit des pauvres, le fermier lui permit de s'approcher du foyer ; il lui fit même donner un escabeau à trois pieds et une portion d'invité.

Quand le sorcier eut fini de manger, il demanda à se coucher, et Bernèz alla ouvrir l'étable, où il n'y avait qu'un vieil âne pelé et un bœuf maigre. Le mendiant se coucha entre eux pour avoir chaud, en appuyant sa tête sur un sac de lande pilée.

Mais, comme il allait tomber dans le sommeil, minuit sonna. Le vieil âne secoua alors ses longues oreilles et se tourna vers le bœuf maigre.

— Eh bien, mon cousin, comment cela va-t-il depuis la Noël dernière que je ne vous ai parlé ? demanda-t-il d'un ton amical.

Au lieu de répondre, l'animal cornu jeta un regard de côté au mendiant.

— C'était bien la peine que la Trinité nous accordât la parole à la nuit de Noël, dit-il d'un ton bourru, et qu'elle nous récompensât ainsi de ce que nos ancêtres avaient assisté à la naissance de Jésus, si nous devions avoir pour auditeur un vaurien comme ce mendiant.

— Vous êtes bien fier, Monsieur de Ker-Meuglant, reprit l'âne avec gaieté ; j'aurais plutôt droit de me plaindre, moi, dont le chef de famille porta autrefois le Christ à Jérusalem, comme le prouve la croix qui nous a été imprimée, depuis, entre les deux épaules ; mais je sais me contenter de ce que les trois personnes veulent bien m'accorder. Ne voyez-vous point, d'ailleurs, que le sorcier est endormi ?

— Tous ses sortilèges n'ont pu encore l'enrichir, reprit le bœuf, et il se damne pour bien peu. Le diable ne l'a même pas averti de la bonne chance qu'il y aura ici près, dans quelques jours.

— Quelle bonne chance ? demanda l'âne.

— Comment, reprit le bœuf, ne savez-vous donc pas que, tous les cent ans, les pierres de la bruyère de Plouhinec vont boire à la rivière d'Intel et que, pendant ce temps, les trésors qu'elles cachent restent à découvert ?

— Ah ! je me rappelle maintenant, interrompit l'âne ; mais les pierres reviennent si vite à leur place, qu'il est impossible de les éviter et qu'elles vous écrasent si vous n'avez point, pour vous en préserver, une branche de l'herbe de la croix entourée de trèfle à cinq feuilles.

— Et encore, ajouta le bœuf, les trésors que vous avez emportés tombent-ils en poussière si vous ne donnez en retour une âme baptisée ; il faut la mort d'un chrétien pour que le démon vous laisse jouir en repos des richesses de Plouhinec.

Le mendiant avait écouté toute cette conversation sans oser respirer.

— Ah ! chers animaux, mes petits cœurs, pensait-il en lui-même, vous venez de me faire plus riche que tous les bourgeois de Vannes et de Lorient : soyez tranquilles, le sorcier de Pluvigner ne se damnera pas désormais pour rien.

Il s'endormit ensuite, et, le lendemain, au point du jour, il était dans la campagne cherchant l'herbe de la croix et le trèfle à cinq feuilles.

Il lui fallut chercher longtemps et s'enfoncer dans le pays, là où l'air est plus chaud et où les plantes restent toujours vertes. Enfin, la veille du jour de l'an, il reparut à Plouhinec avec la figure d'une belette qui a trouvé le chemin du colombier.

Comme il passait sur la lande, il aperçut Bernèz occupé à frapper avec un marteau pointu contre la plus haute des pierres.

— Que Dieu me sauve ! s'écria le sorcier en riant ; avez-vous envie de vous creuser une maison dans ce gros pilier ?

— Non, dit Bernèz tranquillement ; mais, comme je suis sans ouvrage pour le moment, j'ai pensé que, si je traçais une croix sur une de ces pierres maudites, je ferais une chose agréable à Dieu, qui me le revaudra tôt ou tard.

— Vous avez donc quelque chose à lui demander ? fit observer le vieil homme.

— Tous les chrétiens ont à lui demander le salut de leur âme, répliqua le jeune gars.

— Et n'avez-vous point aussi quelque chose à lui dire de Rozenn ? ajouta, plus bas, le mendiant.

Bernèz le regarda.

— Ah ! vous savez cela ? reprit-il. Après tout, il n'y a ni honte ni péché, et, si je recherche la jeune fille, c'est pour la conduire devant le curé. Malheureusement, Marzinn veut un beau-frère qui puisse compter plus de « réales » que je ne possède de « blancs » marqués.

— Et si je te faisais avoir plus de louis d'or que Marzinn ne demande de « réales », dit le sorcier à demi-voix.

— Vous ? s'écria Bernèz.

— Moi !

— Que me demanderiez-vous pour cela ?

— Rien qu'un souvenir dans tes prières.

— Ainsi, il n'y aurait pas besoin de compromettre mon salut ?

— Il n'y aurait besoin que de courage.

— Alors dites-moi ce qu'il faut faire ! s'écria Bernèz en laissant tomber son marteau. Quand on devrait s'exposer à trente morts, je suis prêt, car j'ai moins de goût à vivre qu'à me marier.

Quand le mendiant vit qu'il était si bien disposé, il lui raconta comment, la nuit prochaine, les trésors de la lande seraient tous à découvert, mais sans lui apprendre en même temps les moyens d'éviter les pierres au moment de leur retour.

Le jeune garçon crut qu'il ne fallait que de la hardiesse et de la promptitude ; aussi dit-il :

— Vrai comme il y a trois personnes en Dieu, je profiterai de l'occasion, vieil homme, et j'aurai toujours une pinte de mon sang à votre service, pour l'avertissement que vous venez de

« ... les pierres avaient fini de boire et revenaient prendre leur place... »

me donner. Laissez-moi seulement finir la croix que j'ai commencé à creuser sur cette pierre ; quand il sera temps, j'irai vous rejoindre près du petit bois de sapin.

Bernèz tint parole et arriva au lieu convenu une heure avant minuit. Il trouva le mendiant qui portait un bissac de chaque main et un autre suspendu au cou.

— Allons, dit-il au jeune homme, asseyez-vous là et pensez à ce que vous ferez quand vous aurez à discrétion l'argent, l'or et les pierreries.

Le jeune homme s'assit par terre et répondit :

— Quand j'aurai l'argent à discrétion, je donnerai à ma douce Rosennik tout ce qu'elle souhaite et tout ce qu'elle a souhaité, depuis la toile jusqu'à la soie, depuis le pain jusqu'aux oranges.

— Et quand vous aurez l'or à volonté ? ajouta le sorcier.

— Quand j'aurai l'or à volonté, reprit le garçon, je ferai riches tous les parents de Rosennik et tous les amis de ses parents jusqu'aux dernières limites de la paroisse.

— Et quand vous aurez enfin les pierreries à foison ? acheva le vieil homme.

— Alors, s'écria Bernèz, je ferai tous les hommes de la terre riches et heureux et je leur dirai que c'est Rosennik qui l'a voulu.

Pendant qu'ils causaient ainsi, l'heure passait et minuit arriva.

A l'instant même, il se fit un grand bruit sur la lande et l'on vit, à la clarté des étoiles, toutes les grandes pierres quitter leurs places et s'élancer vers la rivière d'Intel. Elles descendaient le long du côteau en froissant la terre et en se heurtant, comme une troupe de géants qui auraient trop bu ; elles passèrent ainsi pêle-mêle à côté des deux hommes, et disparurent dans la nuit.

Alors le mendiant se précipita vers la bruyère suivi de Bernèz, et, aux grandes places où il s'élevait un peu auparavant les grandes pierres, ils aperçurent des puits remplis d'or, d'argent et de pierreries qui montaient jusqu'au bord. Bernèz poussa un cri d'admiration et fit le signe de la croix ; mais le sorcier se mit aussitôt à remplir ses bissacs en prêtant l'oreille du côté de la rivière.

Il finissait de charger le troisième, tandis que le jeune homme remplissait les poches de sa veste de toile, lorsqu'un murmure sourd comme celui d'un orage qui arrive se fit entendre au loin. Les pierres avaient fini de boire et revenaient prendre leurs places. Elles s'élançaient, penchées en avant comme des coureurs et brisaient tout devant elles. Quand le jeune homme les aperçut, il se redressa en s'écriant :

— Ah ! Vierge Marie, nous sommes perdus !

— Non, pas moi, dit le sorcier, qui prit à la main l'herbe de la croix et le trèfle à cinq feuilles, car j'ai ici mon salut ; mais il fallait qu'un chrétien perdît la vie pour m'assurer ces richesses, et ton mauvais ange t'a mis sur mon chemin ; renonce donc à Rozenn et pense à mourir.

Pendant qu'il parlait ainsi, l'armée de pierre était arrivée ; mais il présenta son bouquet magique et elle s'écarta à droite et à gauche pour se précipiter vers Bernèz !

Celui-ci comprenant que tout était fini, se laissa tomber à genoux, et il allait fermer les yeux, lorsque la grande pierre qui accourait la première s'arrêta tout à coup, et, fermant le passage, se plaça devant lui comme une barrière pour le protéger.

Bernèz, étonné, releva la tête, et reconnut la pierre sur laquelle il avait gravé la croix ! C'était désormais une pierre baptisée qui ne pouvait nuire à un chrétien. Elle resta immobile devant le jeune homme jusqu'à ce que toutes ses sœurs eussent repris leur place.

Alors, elle s'élança comme un oiseau de mer, pour reprendre aussi la sienne, et rencontra sur son chemin le mendiant que les trois bissacs chargés d'or retardaient.

En la voyant venir, celui-ci voulut présenter ses plantes magiques ; mais la pierre devenue chrétienne n'était plus soumise aux enchantements du démon, et elle passa brusquement en écrasant le sorcier comme un insecte.

Bernèz eut, outre ce qu'il avait recueilli lui-même, les trois bissacs du mendiant, et devint ainsi assez riche pour épouser Rozenn et pour élever autant d'enfants que le roitelet a dans sa couvée.

Émile Souvestre
Les Merveilles de la nuit de Noël

Noël chouan

PAR UNE NUIT de l'hiver de 1795, une escouade de soldats de la République suivait la traverse qui, longeant la lisière de la forêt de Fougères, communique de la route de Mortain à celle d'Avranches. L'air était vif, mais presque tiède, quoiqu'on fût à l'époque des nuits les plus longues de l'année ; çà et là, derrière les haies dénudées, de larges plaques de neige, restées dans les sillons, mettaient dans l'ombre de grands carrés de lumière.

Les patriotes marchaient, les cadenettes pendantes sous le bicorne de travers, l'habit bleu croisé de baudriers larges, la lourde giberne battant les reins. Ils allaient, le dos voûté, l'air ennuyé et las, emmenant un paysan, qui, vers le soir, en embuscade dans les ajoncs, avait déchargé son fusil sur la petite troupe. Aussitôt poursuivi, traqué, acculé contre un talus, l'homme avait été pris et désarmé : les bleus le conduisaient à Fougerolles, où se trouvait la brigade... Au carrefour de Servilliers, le sergent commanda la halte ; les hommes harassés formèrent des faisceaux, jetèrent leurs sacs sur l'herbe et, ramassant du bois mort, des ajoncs et des feuilles qu'ils entassèrent au milieu de la clairière, allumèrent du feu, tandis que deux d'entre eux liaient solidement le paysan à un arbre.

Le chouan, de ses yeux vifs et singulièrement mobiles, observait les gestes de ses gardiens : il ne tremblait pas, ne disait mot ; mais une angoisse contractait ses traits : évidemment, il estimait sa mort imminente. Son anxiété n'échappait pas à l'un des bleus qui le cerclaient de cordes. C'était un adolescent chétif, à l'air goguenard et vicieux ; de ce ton particulier aux Parisiens des faubourgs et, tout en nouant les liens, il ricanait de l'émotion du prisonnier :

« T'effraie pas, bijou ; c'est pas pour tout de suite ; t'as encore au moins six heures à vivre : le temps de gagner une quine à la ci-devant loterie, si tu as le bon billet. Allons, oust, tiens-toi droit !

— Ficelle-le bien, Pierrot : il ne faut pas que ce gars-là nous brûle la politesse.

— Sois tranquille, sergent Torquatus, répondit Pierrot ; on l'amènera sans avarie au général. Tu sais, mauvais chien, continua-t-il en s'adressant au paysan qui avait repris son air impassible, il ne faut pas te faire des illusions ; tu ne dois pas t'attendre à être raccourci comme un ci-devant : la République n'est pas riche et nous manquons de guillotines ; mais tu auras ton compte en bonnes balles de plomb ; six dans la tête, six dans le corps. »

Le paysan, silencieux, demeurait calme. Il semblait guetter un bruit lointain que les cris et les rires des soldats l'empêchaient de percevoir. Et tout à coup il courba la tête et parut se recueillir : du fond de la forêt montait dans l'air tranquille de la nuit le son d'une cloche que le souffle des bois apportait, clair et distinct, doucement rythmé. Presque aussitôt une seconde cloche, plus grave, se fit entendre à l'autre bout de l'horizon et bientôt après une troisième, grêle et plaintive, très loin, tinta doucement.

Les bleus, surpris, s'émurent :

« Qu'est-ce là ?... Pourquoi sonne-t-on ?... Un signal, peut-être... Ah ! les brigands !... c'est le tocsin ! »

Tous parlaient à la fois ; quelques-uns coururent à leurs armes. Le paysan releva la tête et, les regardant de ses yeux clairs :

« C'est Noël, dit-il.

— C'est ? Quoi ?

— Noël... On sonne la messe de minuit. »

Les soldats en grommelant, reprirent leurs places autour du feu et le silence s'établit : Noël, la messe de minuit ; ces mots qu'ils n'avaient pas entendus depuis si longtemps les étonnaient. Il leur venait à la pensée de vagues souvenirs d'heures heureuses, de tendresse, de paix. La tête basse, ils écoutaient ces cloches, qui, à tous, parlaient une langue oubliée.

Le sergent Torquatus posa sa pipe, croisa les bras et ferma les yeux de l'air d'un dilettante qui savoure une symphonie. Puis, comme s'il eût honte de cette faiblesse, il se tourna vers le prisonnier et d'un ton très radouci :

« Tu es du pays ? » demanda-t-il.

— Je suis de Coglès, pas loin.

— Il y a donc encore des curés par chez vous ?

— Les bleus ne sont pas partout. Ils n'ont pas passé le Couesnon, et par là on est libre. Tenez, c'est la cloche de Parigué qui sonne en ce moment ; l'autre, la petite, c'est celle du château de Monsieur du Bois-Guy, et là-bas, c'est la cloche de Montours. Si le vent donnait, on entendrait d'ici tinter la Rusarde, qui est la grosse cloche de Landéan.

— C'est bon, c'est bon, on ne t'en demande pas tant », interrompit Torquatus, un peu inquiet du silence que gardaient ses hommes.

A ce moment, de tous les points de l'horizon, s'élevaient, dans la nuit, les sonneries des villages voisins : c'était une mélodie douce, chantante, harmonieuse, que le vent enflait ou atténuait tour à tour. Et les soldats, le front baissé, écoutaient : ils pensaient à des choses auxquelles, depuis des années, ils n'avaient pas songé ; ils revoyaient l'église de leur village, toute brillante de cierges, la crèche faite de gros rochers moussus où brûlaient des veilleuses rouges et bleues ; ils entendaient monter dans leur souvenir les gais cantiques de Noël, ces airs que tant de générations ont chantés, ces naïfs refrains, vieux comme la France, où il est question de bergers, de musettes, d'étoiles, de petits enfants et qui parlent aussi de concorde, de pardon, d'espérance... Torquatus secouait la tête en homme qu'une méditation obsède.

« Comment t'appelles-tu ?, demanda-t-il brusquement au chouan.

— Branche d'or.

— Oh ! là ! là ! quel nom ! s'exclame Pierrot, dont le rire moqueur resta sans écho.

— Silence, fit le sergent. On se nomme comme on peut. Branche d'or est un nom de guerre. J'ai bien pris celui de Torquatus, moi ! »

Les cloches au loin sonnaient toujours. Et la voix du sergent, peu à peu, se faisait douce comme s'il eût craint de rompre le charme que cette musique lointaine versait sur la nature endormie :

« Tu as une femme ? fit-il. »

Branche d'or serra les lèvres, ses sourcils s'abaissèrent sur ses yeux, son front se plissa ; il répondit par un signe affirmatif.

« Et ta mère, interrogea Pierrot, elle vit encore, ta mère ? »

Le chouan ne répondit pas.

« As-tu des enfants ? » demanda un troisième.

Un gémissement sortit de la poitrine du prisonnier : à la lueur du foyer on vit des larmes rouler sur ses joues. Les soldats se regardaient, gênés, l'air honteux.

« J'vas le détacher un instant, sergent ? » insinua Pierrot, que l'émotion gagnait.

Torquatus approuva d'un geste. On délia Branche d'or, qui s'assit sur l'herbe, au pied de l'arbre, et cacha son visage dans ses mains hâlées.

« Dam ! remarqua le sergent, c'est un vilain Noël qu'ils auront là, sa femme et ses marmots, s'ils apprennent... Ah ! misère ! Quelle sale corvée que la guerre !... Dans les temps jadis, voyez-vous, mes enfants, continua-t-il s'adressant à ses hommes, tout le monde, à ces heures-ci, était joyeux et content. Noël, c'était la liesse et la bonne humeur ; aujourd'hui... »

Et regardant le feu mourant, il ajouta, rêvant tout haut :

« J'ai aussi une femme et des garçons, là-bas en Lorraine : c'est le pays des arbres de Noël ; on coupe un sapin dans le bois, on le charge de lumière et de jouets... Comme ils riaient, les chers petits ! Comme ils battaient des mains !... Ils ne doivent pas être gais, à présent.

— Chez nous, dit un autre, entraîné par ces confidences, on faisait à l'église un grand berceau, avec l'Enfant Jésus dedans, et toute la nuit on distribuait aux garçons et aux filles des gâteaux et des pièces blanches.

— Dans le Nord, d'où je suis, racontait un troisième, le bonhomme Noël passait dans les rues, avec une grande barbe et un grand manteau, couvert de farine, pour représenter la neige, et il frappait aux portes en criant d'une grosse voix : « Les enfants sont-ils couchés ?... » Oh ! comme on avait peur et qu'on était heureux ! »

Tous maintenant se taisaient : les uns restaient le front penché, l'esprit loin dans le passé paisible et doux ; d'autres regardaient le paysan d'un air de commisération, et quand soudain les cloches de Noël, qui par deux fois s'étaient tues, reprirent dans l'éloignement leur chant mélancolique et clair, une sorte d'angoisse passa sur la petite troupe.

Le sergent se leva, fit fiévreusement quelques pas, regarda ses hommes comme pour les consulter, et, frappant sur l'épaule de Branche d'or :

« Va-t-en ! » dit-il.

Le chouan leva la tête, ne comprenant pas.

« Va-t-en, sauve-toi... tu es libre.

— Sauve-toi donc, criaient les bleus, sauve-toi, puisque le sergent l'ordonne ! »

Branche d'or s'était dressé, ébahi, croyant à quelque cruelle raillerie. Il dévisagea l'un après l'autre tous les soldats, puis, comprenant enfin, il poussa un cri et s'élança dans la forêt...

G. Lenotre
Légendes de Noël

La petite fille aux allumettes

Il faisait affreusement froid ; il neigeait, et il commençait à faire sombre ; c'était le dernier soir de l'année. Par ce froid et dans cette obscurité une petite fille marchait dans la rue, tête nue et pieds nus ; oh ! elle avait bien eu des pantoufles, lorsqu'elle était sortie de chez elle, mais à quoi bon ! C'étaient de très grandes pantoufles, sa mère les avait mises en dernier lieu, tant elles étaient grandes, et la petite les avaient perdues en se dépêchant de traverser très vite ; l'une des pantoufles fut impossible à retrouver et un garçon courait avec l'autre, disant qu'elle pourrait lui servir de berceau, quand il aurait des enfants.

La petite fille marchait donc avec ses petits pieds nus, qui étaient rouges et bleus de froid ; elle serrait dans un vieux tablier une quantité d'allumettes soufrées, et en tenait un paquet à la main en marchant ; de toute la journée personne ne lui en avait acheté ; personne ne lui avait donné le moindre sou ; elle avait faim, elle était gelée, elle avait un aspect lamentable, la pauvre petite ! Les flocons de neige tombaient sur ses longs cheveux dorés, qui bouclaient joliment dans son cou, mais elle ne pensait pas à cette parure. A toutes les fenêtres brillaient les lumières et une délicieuse odeur d'oie rôtie se répandait dans la rue, car c'était la veille du jour de l'an, et ça, elle y pensait.

Dans un angle entre deux maisons dont l'une avançait un peu plus que l'autre dans la rue, elle s'assit et se blottit ; elle avait replié ses petites jambes sous elle, mais elle avait encore plus froid, et elle n'osait pas rentrer chez elle, car elle n'avait pas vendu d'allumettes, et pas eu un sou, son père la battrait, et il faisait froid aussi chez eux, on n'avait que le toit au-dessus et le vent sifflait jusque dedans, malgré la maille et les chiffons qui bouchaient les plus grosses fissures. Ses petites mains étaient presque mortes de froid. Oh ! comme une petite allumette pourrait faire de bien. Si elle osait en tirer rien qu'une du paquet, la frotter contre le mur et se réchauffer les doigts. Elle en tire une, pfutt ! comme le feu jaillit, comme elle brûla ! Ce fut une flamme chaude et claire, comme une petite lumière qu'elle entoura de sa main ; c'était une drôle de lumière ! Il semblait à la petite fille qu'elle était assise devant un grand poêle de fer à boules de cuivre et tuyau de cuivre ; le feu brûlait délicieusement, il réchauffait très bien ; non, qu'est-ce qu'il y a ?... La petite fille étendait déjà les pieds pour les réchauffer aussi... quand la flamme s'éteignit. Le poêle disparut... la fillette resta avec un petit bout d'allumette brûlée à la main.

Une seconde fut frottée, brûla, éclaira, et aux endroits où sa lueur tombait sur le mur, celui-ci devenait transparent comme un voile ; la petite vit l'intérieur d'une salle, où la table était mise, la nappe était d'une blancheur éclatante couverte de porcelaine fine, l'oie rôtie fumait pleine de pruneaux et de pommes, et — ce qui était encore plus magnifique —, l'oie sauta du plat, marcha sur le parquet avec une fourchette et un couteau dans le dos et vint jusqu'à la pauvre fille ; alors, l'allumette s'éteignit, et l'on ne vit plus que l'épais mur gris.

Elle alluma encore une allumette. Elle se trouva alors assise sous un superbe arbre de Noël ; il était encore plus grand et plus paré que celui qu'elle avait vu par la porte vitrée chez le riche négociant au dernier Noël ; des milliers de lumières brûlaient sur les branches vertes, et des images bariolées, comme celles qui ornent les fenêtres des boutiques, la regardaient. La petite étendit les mains en l'air... Et l'allumette s'éteignit ; les multiples lumières de Noël montèrent de plus en plus haut, elle vit qu'elles étaient devenues les étoiles scintillantes, l'une d'elles fila, et traça une longue raie lumineuse dans le ciel.

« En voilà une qui meurt », dit la petite, car sa vieille grand-mère, la seule personne qui avait été bonne pour elle, mais qui était morte maintenant, avait dit : « Quand une étoile tombe, une âme monte vers Dieu. »

Elle frotta encore une allumette contre le mur, et une lueur se répandit, au milieu de laquelle était la vieille grand-mère, nette, brillante, douce, et aimable.

« Grand-mère ! cria la petite. Oh ! emmène-moi ! Je sais que tu seras partie quand l'allumette sera finie ; partie comme le poêle chaud, la délicieuse oie rôtie et le grand arbre de Noël béni ! »

Et elle frotta en hâte tout le reste des allumettes qui étaient dans le paquet, elle voulait retenir sa grand-mère ; et les allumettes brillèrent d'un tel éclat qu'il faisait plus clair qu'en plein jour. Jamais grand-mère n'avait été si belle, si grande ; elle enleva la petite fille sur son bras, et elles s'envolèrent superbement et joyeusement, haut, très haut ; et là, pas de froid, ni de faim, ni d'inquiétude... Elles étaient chez Dieu !

Et dans le coin de la maison, au froid matin, la petite fille était assise avec des joues roses et le sourire à la bouche... Morte, gelée, la dernière nuit de la vieille année. Le matin du Nouvel An se leva sur le petit cadavre, assis près des allumettes soufrées, dont un paquet était presque entièrement brûlé. Elle avait voulu se réchauffer, dit-on. Nul ne sut ce qu'elle avait vu de beau, avec quelle splendeur elle et sa grand-mère étaient entrées dans la joie du Nouvel An !

Andersen, *Contes*.
Traduit par P. G. La Chesnais. Le Mercure de France, 1937.

Noël ancien

DANS mon pays natal, Noël ne comptait pas, quand j'étais enfant. Mon petit pays libre-penseur supprimait, dans la mesure de son possible, une fête dix-neuf fois centenaire qui est celle de tous les enfants. Ma mère, ma très chère « Sido » athée, n'allait pas à la messe de minuit, rendez-vous, comme celle du dimanche, des familles bien pensantes et de quelques châtelains qui s'y rendaient en landaus fermés. Elle craignait pour moi la froide église au clocher foudroyé, ses courants d'air, ses dalles fendues, ne craignait-elle pas d'autres charmes, les pièges catholiques de l'encens, des fleurs, l'engourdissement des cantiques, le vertige doux des répons ?... Ce n'est pas avec moi qu'elle s'en fût expliquée, quand j'avais dix ans...

C'est pendant mes premiers mois de catéchisme, à la rentrée d'octobre, que je frayais avec les élèves de l'école libre. D'habitude, nous les tenions, nous autres de la laïque, loin de nous. Mais nous respirions aux leçons de catéchisme et aux offices une douceur propre à capter les mécréantes de plus de dix ans, et quel plaisir de faire amitié avec ce qu'on a honni ! Le jour qu'à mon épaule de petite fille une épaule pareille s'appuya, qu'une tresse blonde glissa contre l'une de mes tresses et se leva sur mon livre ouvert et qu'un doigt taché d'encre, un ongle noir soulignèrent le texte latin : « C'est là qu'on reprend : Ora-a pro-o nobis... » je fus conquise

Conquise à la piété ? Non pas. Conquise à... des génuflexions, des prières volubiles, des échanges d'images et de chapelets, et surtout à des récits de « souliers de Noël ».

La première fois qu'une petite fille « vouée », en robe bleue, tablier blanc, un bout de natte ficelé d'une ganse bleue, la médaille d'argent au cou, me demanda : « Qu'est-ce que Petit Jésus t'a mis dans tes souyers à Nouël ? » je fis ma plus grosse voix pour répondre :

« Mes souyers ! Ben, tu m'arales avec mes souyers ! Combien t'y de foués que je répète que c'est les parents, et pas le Petit Jésus ? Et pis, d'abord et d'une, Nouël compte pas, c'est le premier de l'an qu'est pour de bon. »

La main sur la bouche, les « petites des sœurs » s'envolèrent scandalisées :

« Oh ! ce qu'alle a dit ! Oh ! ce qu'alle a dit ! »

J'entends encore claquer au loin les sabots, et l'exclamation changée en refrain : « Oscaladi ! Oscaladi ! »

Décembre me trouva moins brusque, et comme sentimentale. Je relisais les contes d'Andersen, à cause de la neige, et de Noël. Je demandais à ma mère des histoires de Noël... Ses pénétrants yeux gris s'attachaient aux miens, elle me tâta le front et le pouls, me fit tirer la langue et boire du vin chaud sucré, dans ma toute petite timbale d'argent bosselée.

En Basse-Bourgogne, le gobelet de vin chaud est panacée. Même mouillé d'une goutte d'eau, il me déliait la langue, devant le feu de souches de pommier. Mes sabots emplis de cendres chaudes séchaient lentement, fumaient, et je remuais les doigts de mes pieds, en parlant, dans les chaussons de laine.

« Maman, Gabrielle Vallée m'a dit que dans ses souyers, l'an dernier, à Noël... Maman, la Julotte des Gendrons é m'a dit qu'à Noël, elle a vu une comète dans la cheminée... Maman, y a Fifine, mais vrai, tu sais — croix de bois, croix de fer, si je mens, je vais en enfer — elle a vu descendre une lune dans ses sabots, à Noël, et une couronne tout en fleurs, et le lendemain...

— Bois tranquillement », disait ma mère.

Elle me disait « bois » comme elle m'eût dit « Enivre-toi et parle ». Elle m'écoutait sans sourire, avec cette sorte de considération que souvent je l'ai vue témoigner aux enfants. Mise en confiance, le feu du vin de Treigny aux joues, je racontais, j'inventais :

« D'ailleurs, monsieur Millot l'a bien dit, que c'est toujours dans la nuit de Nouël... Et le frère à Mathilde, donc ! La nuit de Nouël d'ya deux ans, il s'en va voir à ses vaches, et au-dessus de la cabane à z'outils il voit dans le ciel une grande étouelle qui lui dit... »

Ma très chère « Sido » me posa sa main rapide sur le bras, me regarda de si près que j'en eus la parole coupée.

« Tu y crois ? Minet-Chéri, est-ce que tu y crois ? Si tu y crois... »

Je perdis contenance. Une fleur de givre, que j'étais seule à voir, qui tintait suspendue dans l'air et s'appelait « Noël » s'éloigna de moi.

« Mais je ne te gronde pas, dit ma mère. Tu n'as rien fait de mal. Donne-moi cette timbale. Elle est vide ».

C'est peu de jours, peu de nuits après que je fus éveillée avant le jour, par une présence plutôt que par un bruit. Habituée à coucher dans une chambre très froide, j'ouvris les yeux sans bouger, pour ne pas déplacer le drap que je tirais jusqu'à mon nez, ni l'édredon de duvet qui gardait chaud mes pieds sur le cruchon d'eau bouillante. L'aube d'hiver, et ma veilleuse rose en forme de tour crénelée, divisaient ma chambre en deux moitiés, l'une gaie, l'autre triste. Vêtue de sa grosse robe de chambre en pilou violet, doublée de pilou gris, ma mère était debout devant le cheminée et regardait mon lit. Elle chuchota très bas : « Tu dors ? » et je faillis lui répondre en toute sincérité : « Oui, maman. »

Elle tenait d'une main mes sabots qu'elle posa sans bruit devant l'âtre vide, et sur lesquels elle équilibra un paquet carré, puis un sac oblong. Elle empanacha le tout d'un bouquet d'ellébores, celles qui fleurissaient tous les hivers sous la neige dans le jardin, et qu'on nomme Roses de Noël. Je crus alors qu'elle allait sortir, mais elle se dirigea vers la fenêtre, souleva distraitement le rideau...

Elle avait sous les yeux, peut-être sans les voir, le jardin d'en face, noir sous une neige mince et trouée, la rue déclive, la maison de Tatave le fou, les thuyas toujours verts de madame Saint-Aubin, et le ciel d'hiver qui tardait à s'ouvrir. Elle mordait son ongle avec perplexité.

Tout à coup elle se retourna, glissa sur ses « feutres » vers la cheminée, enleva les deux paquets par leurs ficelles croisées et planta les ellébores entre deux boutonnières de son corsage. Elle pinça de son autre main les « bricoles » de mes sabots, pencha sa tête un moment dans ma direction comme un oiseau et partit.

Le matin du premier janvier, je retrouvai, à côté de l'épais chocolat fumant, les paquets ficelés d'or, livres et bonbons. Mais je n'eus plus, de toute ma jeunesse, de cadeaux de Noël — d'autres cadeaux de Noël que ceux que Sido m'avait apportés cette nuit-là : ses scrupules, l'hésitation de son cœur vif et pur, le doute d'elle-même, le furtif hommage que son amour concéda à l'exaltation d'une enfant de dix ans.

Colette,
En pays connu. Hachette, éditeur.

Réparation

NANAY et sa mère vivent pauvrement. La veille de Noël, l'enfant a formulé l'espoir de trouver pleines de cadeaux, à son réveil, les chaussures qu'il place devant la cheminée. Et la mère a haussé les épaules tristement.

... Le bruit du moulin à café me réveilla. Me rappelant aussitôt que c'était Noël, je sautai du lit, courus à la cheminée : mes chaussures étaient vides. Ma mère, cessant de moudre, me regardait.

Je me baissai, secouai mes souliers. Peut-être était-ce un petit objet qui avait glissé vers la pointe ? Mais non, il n'y avait rien. Je regardai dans le trou. Mon cadeau ne s'était-il pas arrêté à mi-chemin ? Je ne découvris que les parois noires par où soufflait un air frais.

Alors, venant en chemise, à pas lents, vers ma mère, je la pris par le cou, et, soudain, fondis en larmes.

« Il n'est pas venu ! il n'est pas venu ! »

J'étais abandonné, rejeté de je ne sais quelle patrie enfantine et céleste. Étais-je si mauvais, si méprisable ? Quelle action vile avais-je commise ?

Je me sentis à l'instant coupable, indigne de la moindre attention. Cette découverte me bouleversait, tandis que je mouillais de mes joues ruisselantes la figure de ma mère. Elle me parlait sans que je comprisse un seul mot. Il y avait en moi un tel tumulte que rien ne pouvait le dominer.

Ces chaussures vides étaient un verdict dont je reconnaissais mille fois la justesse. Tout simplement, je n'avais pas sondé jusqu'alors la profondeur, la vastitude de ma corruption. Ce qui m'arrivait n'était que trop mérité. Il fallait toute l'indulgence, tout l'amour de ma mère pour me tolérer. Il est vrai qu'elle ignorait bien des choses qu'hypocritement je lui dissimulais.

... Aussi quand elle me prit dans ses bras pour me porter dans mon lit en couvrant mon visage de baisers, cela ne m'allégea point, car il me semblait que c'était un autre enfant qu'elle embrassait...

Je me rendormis dans les larmes.

Quand je rouvris les yeux, ce court sommeil m'avait un peu apaisé.

Comme je me tournais dans mon lit, ma mère m'appela : « Nanay ! Nanay ! Il est venu ! »

Je me jetai au bas du lit et courus à la cuisine. Une orange, pareille à une petite boule de feu, brillait dans une chaussure ; quelques papillottes dépassaient de l'autre avec leurs franges frisées, multicolores.

« Je te l'avais bien dit ! Il était encore trop tôt ! Sa distribution n'était pas terminée. Je sors pour faire une commission et en rentrant qu'est-ce que je vois ? Ça ! »

Appuyé contre ma mère, merveilleusement ému, je regardais mon cadeau de Noël.

« Seulement il ne t'a pas apporté ton livre. Il n'en avait sans doute plus. Va ! »

Ma mère me poussa vers la cheminée, mais, pendant un instant, à deux genoux, je n'osai étendre le bras.

« Prends donc, nigaud ! »

Doucement, je pris la petite orange dans une main, serrant dans l'autre les bonbons enveloppés dans le papier étincelant.

« Eh bien ! tu ne la manges pas ? »

Non, je n'y songeais guère, je contemplais mon trésor.

« Habille-toi au moins ! »

Mais je ne sentais pas le froid. Quatre papillottes, une orange guère plus grosse que le poing, mais le cœur si léger soudain, si léger...

D'une voix inquiète, ma mère me demanda :

« Tu n'es pas content ? Peut-être que l'année prochaine...

— Oh ! si, maman ! »

Ma mère sourit, puis mon élan l'étonna sans doute, car elle me regarda, ne comprenant plus la raison d'une joie aussi vive. Et à mi-voix, comme si elle se posait une question :

« Tu es un drôle de garçon », dit-elle.

Marc Bernard,
Extraits de *Pareils à des enfants*. Éditions Gallimard.

Numéro de Noël de « Companion », 1923.

Il est né le divin enfant

2

Ah ! qu'il est beau ! qu'il est charmant !
Ah ! que ses grâces sont parfaites !
Ah ! qu'il est beau ! qu'il est charmant !
Qu'il est doux, ce divin Enfant.

3

Une étable est son logement
Un peu de paille est sa couchette ;
Une étable est son logement :
Pour un Dieu quel abaissement !

4

Partez, ô Rois de l'Orient !
Venez vous unir à nos fêtes ;
Partez, ô Rois de l'Orient !
Venez adorer cet Enfant !

5

O Jésus, ô Roi tout-puissant,
Tout petit enfant que vous êtes,
O Jésus, ô Roi tout-puissant,
Régnez sur nous entièrement !

Entre le bœuf et l'âne gris

ARRANGEMENT DE JOHN L. PHILIP

2
Entre les deux bras de Marie
Dort, dort, dort, le fruit de vie

Refrain

3
Entre les roses et les lys
Dort, dort, dort le Divin Fils.

Refrain

4
Entre les pastoureaux jolis
Dort, dort, dort le petit fils.

Refrain

Belle nuit, sainte nuit

2

Belle nuit, sainte nuit !
Dans les champs, les bergers,
Par les anges avertis,
Font partout retentir leur voix :
Le sauveur vient de naître,
Le sauveur est là !

3

Belle nuit, sainte nuit !
Mon Jésus bien aimé,
Quel sourire dans tes yeux,
Tandis que pour l'homme,
Sonne l'heure sainte,
L'heure du salut !

Les anges dans nos campagnes

ARRANGEMENT DE JOHN L. PHILIP

2

Bergers, quittez vos retraites,
Unissez-vous à leurs concerts,
Et que vos tendres musettes
Fassent retentir les airs !
Gloria in excelsis
Deo !
Gloria in excelsis
Deo !

Mon beau sapin

ARRANGEMENT DE JOHN L. PHILIP

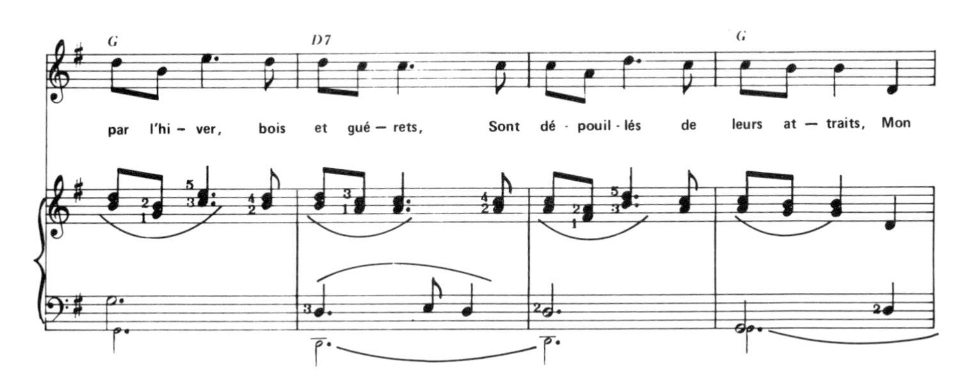

2

Toi que Noël planta chez nous
Au saint anniversaire,
Joli sapin comme ils sont doux,
Et tes bonbons et tes joujoux,
Toi que Noël planta chez nous
Par les mains de ma mère.

3

Mon beau sapin tes verts sommets
Et leur fidèle ombrage,
De la foi qui ne ment jamais,
De la constance et de la paix,
Mon beau sapin tes verts sommets
M'offrent la douce image.

Jingle bells

ARRANGEMENT DE JOHN L. PHILIP

2

Day or two ago
I thought I'd take a ride,
Soon Miss Fanny Bright
Was scated at my side.
The horse was lean and lank,
Misfortune seemed his lot,
He got into a drifted bank
And then we got upsot!

Refrain

3

Now the ground is white,
Go it while you're young!
Take the girls tonight,
And sing this sleighing song
Just get a bobtail'd bay,
Two forty for his speed,
Then hitch him to an open sleigh
And crack! You'll take the lead.

Refrain

Vive
JOYEUX NOEL

3

NOËL DANS LA MAISON

Entrez Scrooge ! cria une voix inconnue. Il obéit. Cette seconde pièce était bien le salon, il n'y avait pas à en douter ; mais elle avait subi une transformation surprenante. Les murs et le plafond étaient si artistement décorés de feuillages qu'on eût dit un bosquet. De toutes ces touffes, de toutes ces guirlandes pendaient des fruits brillants ; les feuilles lustrées des rameaux de buis, de gui, de laurier et de lierre reflétaient la lumière comme autant de petits miroirs. Dans la cheminée flambait un large feu, tel que ce foyer malheureux n'en avait vu depuis bien des hivers ; sur le plancher, une espèce de trône était formé par une accumulation de dindes et d'oies grasses, de poulardes et de chapons, de jambons et de roastbeefs froids, de gibiers et de cochons de lait, de ronds de saucisses, de pâtés, de ploumpoudings, de barils d'huîtres, de marrons rôtis, de pommes vermeilles, d'oranges dorées, de poires juteuses, d'immenses gâteaux et de bowls de punch qui parfumaient l'appartement de leur délicieuse vapeur. Mollement assis sur ce trophée gastronomique, était un joyeux géant, superbe à voir, armé d'une torche, assez semblable à une corne d'abondance, qui illumina la face de Scrooge lorsqu'il entrebâilla la porte.

— Entrez, entrez, mon cher... Je suis l'Esprit de Noël présent, dit l'Esprit ; regardez-moi donc. »

Dickens. *Un conte de Noël.*

L'esprit de Noël c'est aussi une maison qui change de visage, qui se cache sous le houx et le gui, et où les fils d'or et d'argent tracent des arabesques. Chaque jour, un signe nouveau : une fenêtre du Calendrier de l'Avent qui s'ouvre sur une promesse, une bougie qui éclaire la nuit, les aiguilles de pin qui parfument la pièce, les boules de verre, irisées ou multicolores, qui sortent de leur cachette annuelle. Émerveillement, rires émus, et tant de souvenirs...

1
2
3
4
5
6
7
8
9
10
11
12
13
14
15
16
17
18
19
20
21
22
23
24

Le calendrier de l'Avent

Encore presque un mois avant Noël, mais déjà les jouets se pressent dans les vitrines, les publicités télévisées se font plus tentatrices que jamais, et l'impatience grandit. Pour adoucir l'attente, les enfants ouvrent, soir après soir, une des petites fenêtres du calendrier de l'Avent, qui est arrivé chez nous en droite ligne des pays scandinaves.

En Suède, c'est une grande image coloriée, imprimée sur carton, doublée par derrière d'une autre, en papier, qui porte, elle, des dessins cachés. Sur le carton sont dessinées vingt-quatre petites fenêtres fermées et numérotées ; chaque jour de l'Avent, on ouvre la fenêtre correspondante ; et le dessin caché se dévoile ; fleur, trompette, jouet, et bien sûr pour le dernier jour : Jésus et la crèche... Ce calendrier est en vente dans les papeteries, mais si vous n'en trouvez pas, fabriquez-le vous-mêmes.

Calendrier plat traditionnel

Matériel : 1 feuille de papier fort, ou de bristol (il faut pouvoir découper facilement les fenêtres au cutter), 1 feuille de papier calque de la même dimension, de la colle, des images recueillies dans les magazines, les livres hors d'usage, les journaux d'enfants.

Choisir une image représentant soit un paysage d'hiver, soit une scène avec enfants, soit une scène de Noël, d'au moins 30 cm de long sur 25 de large. La coller sur une feuille de papier fort. Si la gravure choisie est déjà rigide, ne pas la doubler. Déterminer l'emplacement des 24 ouvertures, en plaçant la dernière, celle qui découvrira la Nativité, au centre du tableau. Les ouvertures sont de taille différente. Dessiner au crayon les ouvertures et les fendre sur trois côtés au cutter, sans les ouvrir. Retourner la gravure, la trace des découpes est visible. Appliquer le papier calque, et reporter au crayon les marques des ouvertures. Découper 24 petits sujets, dont une Nativité (qui peut être une image de missel par exemple). Les autres sujets sont : une bougie, une fleur, un ballon, un soleil, mais le choix est libre. Coller les éléments choisis sur le papier calque, à l'emplacement des ouvertures, vérifier bien la superposition, et coller le tour de la feuille de papier calque sur l'autre feuille. Ne pas coller toute la surface.

Pour agrémenter encore la gravure, coller des paillettes, pour rappeler les cartes postales anciennes.

Le calendrier de l'Avent-maison

Le principe est le même que pour le calendrier plat : deux épaisseurs, dont une en papier calque, qui porte les dessins cachés.

Construction de la maison ; voir le schéma ci-contre :

Découper le papier calque aux mêmes mesures.

Décorer la maison, en s'inspirant des vieilles maisons à colombages, par exemple, en dessinant et en collant divers éléments. Prévoir les 24 ouvertures, les fendre au cutter sans les ouvrir. Retourner la figure, appliquer le papier calque et reporter la marque des ouvertures, y coller les petites gravures choisies, vérifier la superposition. Coller le papier calque avec soin, aux contours et aux pliures de la maison.

La maison peut se poser sur une surface plane, ou se suspendre. Posée, elle peut être éclairée de l'intérieur au moyen d'une petite lampe.

Numéroter les ouvertures et n'en ouvrir qu'une chaque jour pour préserver le plaisir de la découverte...

Les calendriers de l'Avent à surprises

Si certains calendriers ont des petites fenêtres qu'on ouvre, d'autres sont munis d'anneaux auxquels on accroche pour chaque jour de décembre des petits cadeaux, dans des sacs numérotés. Bien qu'il nous semble que cette pratique ne puisse qu'accentuer l'emprise commerciale de la fête, voici deux propositions s'en inspirant, mais la modifiant quelque peu.

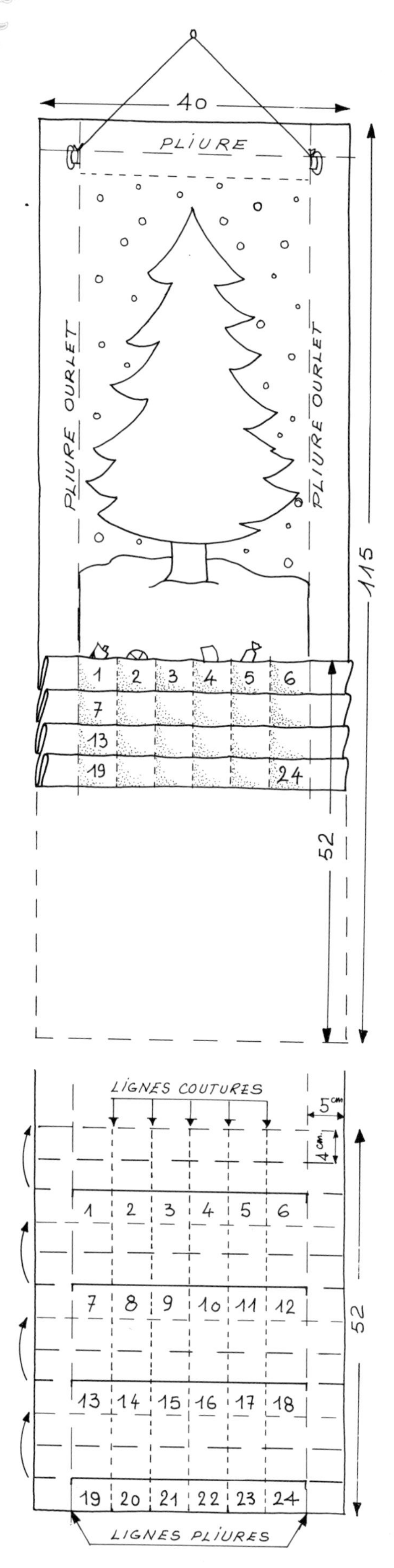

Suggestions pour les surprises : bonbons, petits objets, bien sûr, mais pourquoi pas images à coller ensuite dans un petit album, fait à la maison, et racontant une histoire : soit un conte traditionnel, soit la Nativité, récit qui s'illustrerait au jour le jour.

Autre suggestion

Choisir une gravure se rapportant à Noël, de 20 à 30 cm de côté, la coller sur un carton et la découper en 24 morceaux géométriques et inégaux pour en faire un puzzle. Mettre un morceau de puzzle dans chaque petit sac. Le puzzle sera reconstitué le 24 décembre...

Le tableau aux petits sacs

Un père Noël perché sur un toit, qui attend son heure, comme les enfants ! Reprenant une illustration de Noël du début du siècle, ce tableau peut se réaliser en tissu appliqué et cousu, puis rebrodé ou en feutrine collée. Les formes sont simples. Pour les réaliser, placer un calque quadrillé sur le modèle, et agrandir à la taille souhaitée en reportant sur un papier kraft ou journal le quadrillage : 1 cm sur papier calque correspondant à 2 cm.

Reporter sur le papier patron les contours des personnages agrandis.

Première technique : tableau brodé

Matériel : 1 morceau de contre-plaqué de 27 cm sur 40 cm ; 30 cm sur 45 cm de tissu bleu moyen qui sert de fond ; écheveaux de coton à broder, rouge, brun, vert, blanc, rose, ocre, jaune.

Reporter sur la toile le dessin, et broder au point plat les grandes surfaces : le père Noël et le cadre sont rouges ; l'âne est brun, les toits brun plus clair, les cheminées ocres, la fumée : gris très clair, les oiseaux : gris moyen et marron clair, les cadeaux sur le dos de l'âne : avion jaune, paquet blanc enrubanné de rouge, la selle : ocre, le ruban autour du cou de l'âne : rouge et les grelots jaunes. Le houx, le gui du cadre : rouge, vert et blanc. Les lettres Noël : rouges, les étoiles : jaunes.

Terminer la broderie, le bas, par une ligne de point de bourdon rouge.

Tendre la toile sur le contre-plaqué, agrafer à l'arrière, fixer 24 petits crochets auxquels suspendre les petits sacs.

Tableau en tissus appliqués

Procéder comme précédemment pour le report du modèle. Mais une fois le dessin obtenu à la grandeur nature, reporter celui-ci sur une feuille de papier calque, et découper chacun des éléments : cadre, lettres, fumée, âne, père Noël, toits, etc.

Matériel : planche de contre-plaqué de 27 cm sur 40, tissu de fond de 30 cm sur 45 cm, chutes de tissus, ou de feutrine.

Reporter le dessin sur le tissu de fond, découper avec soin chacun des éléments dans les tissus choisis : à la mesure exacte, s'il s'agit de feutrine à coller, en ajoutant quelques millimètres, s'il s'agit de tissus à appliquer au point de surjet.

Appliquer sur la toile de fond les éléments un à un, en prenant bien soin de commencer par les éléments du fond : toits, cheminées, fumée. Le cadre rouge se pose en dernier.

Tendre la réalisation sur le contre-plaqué et agrafer à l'arrière. Fixer les crochets.

Ces tableaux demandent temps et précision, mais une fois réalisés et admirés, ils feront partie dans la famille du rituel de Noël, au même titre que les santons familiers ou que les décorations de l'arbre.

Pour les petits sacs : couper dans des chutes de tissus 24 rectangles de 6 cm sur 15 cm, les plier et les coudre sur les deux côtés, faire un ourlet large sur la partie ouverte, pour passer un cordonnet. Numéroter les sacs.

1 CARREAU = 1,5 cm.

Les couronnes

Accrochée aux portes, suspendue au-dessus de la table, ou posée sur une cheminée, la couronne de l'Avent a fait son apparition en France depuis relativement peu de temps. Originaire de l'Allemagne du Nord, elle s'est répandue dans les pays scandinaves avant de gagner les États-Unis et la plupart des pays européens. Formée d'une couronne de paille dans laquelle on pique des branchages qui cachent celle-ci, elle porte quatre bougies, une pour chaque semaine de l'Avent. Au cours de la première semaine, une bougie est allumée chaque soir pendant quelques instants, la deuxième semaine, deux bougies sont allumées, jusqu'au soir de Noël où toutes les quatre sont allumées ensemble.

Les couronnes à bougies

Matériel : couronne de paille à recouvrir, fil de fer souple, branches de cèdre, de buis, de genévrier, rubans, bougies. Pour réaliser la couronne de paille : si l'on n'en trouve pas de toute prête, prendre une grosse poignée de paille du diamètre de la couronne, dans laquelle on glisse un fil de fer souple que l'on recourbe en forme de cercle.

. On peut aussi la réaliser en grillage petit carré : rouler sur lui-même un long rectangle de grillage et en faire un cercle. Fermer les extrémités avec un fil de fer souple. Remplir la couronne de mousse pour fleurs que l'on trouve chez les fleuristes, pour piquer plus facilement les branches de sapin.

Si vous n'avez ni paille, ni grillage, voici une solution de fortune : prendre un cintre en fil de fer, le déformer jusqu'à lui donner une forme hexagonale, rabattre le crochet et le couper à la pince. Donner du volume avec la mousse à fleurs, et maintenir avec du ruban adhésif.

La décoration de la couronne

Un seul impératif : les quatre bougies, le reste est affaire de goût : branches de buis, de sapin, immortelles, pommes de pin ; couronne gourmande de bonbons acidulés aux couleurs vives, ou couronne aérienne de tulle blanc. Pour piquer les éléments sur la couronne, utiliser un fil de fer fin, un peu comme celui qui attache les boules de Noël sur le sapin ; le glisser sous les écailles des pommes de pin, ou autour des tiges des immortelles, laisser quelques centimètres que l'on pique dans la paille ou la mousse. Pour les branches de sapin ou de buis, les disposer de façon à cacher la paille, et les fixer avec du fil de fer tout autour de la couronne. Enfin, recouvrir avec des branchettes conservées à cet effet. Pour fixer les bougies, le mieux est d'utiliser des supports de bougies à piques.

Quelques idées de couronnes :

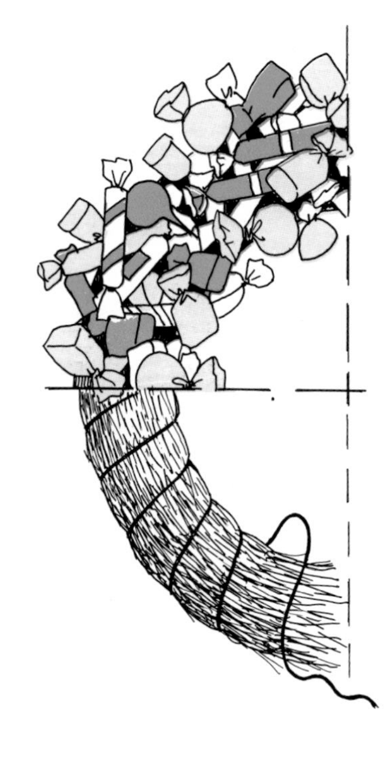

La couronne traditionnelle aux couleurs de Noël

Recouverte de branches vertes, sapin, buis, quatre bougies rouges, et des nœuds de ruban rouge : habiller la couronne de paille ou de grillage, de branchettes de buis ou de sapin superposées maintenues par un fil de fer, piquer quatre bougies rouges, préparer quatre nœuds rouges à la coque rigide (utiliser des rubans munis de fil de fer, comme les fleuristes) et les placer entre les bougies.

Pour suspendre la couronne : faire les nœuds rouges à la base des bougies et fixer quatre rubans rouges entre les bougies, égaliser la longueur, nouer ces rubans et suspendre à un anneau de lustre par exemple.

La couronne de fleurs (immortelles)

Habiller la couronne de branchettes vertes, moins serrées que précédemment, préparer les fleurs en ne gardant que deux centimètres de tige, et fixer un fil de fer à partir de la base des fleurs, piquer les fleurs dans la couronne pour la masquer complètement. Piquer quatre bougies.

La couronne de pommes de pin

Habiller la couronne en la garnissant de petites pommes de pin, piquées au moyen de fil de fer, ou collées avec une colle pour tous matériaux, piquer entre les pommes de pin des branchettes vertes, ou du buis, ou du genévrier, afin de dissimuler complètement la paille, piquer les quatre bougies, et nouer un ruban à la base de chacune d'elles.

Variante : procéder comme précédemment, mais ne pas mettre de feuillage ; passer la couronne et les pommes de pin à la bombe de peinture dorée, et finir de décorer avec des boules d'arbre de Noël dorées, et des rubans or, piquer quatre bougies blanches ou or.

Les couronnes de porte

Elles se fabriquent de la même manière que les couronnes à suspendre : cette fois, pas de bougies, mais un entourage de la couronne de paille et un motif décoratif au sommet.

La couronne verte et rouge

Habiller la couronne de paille de branches de sapin ou de buis, maintenues par du fil de fer, puis enrouler un ruban de velours rouge autour de la couronne et terminer par un nœud au sommet, dont les pans assez longs retombent.

La couronne dorée

Habiller la couronne en enroulant sur toute la surface des guirlandes d'arbre de Noël. Terminer en piquant en grappes des boules d'arbre de Noël de taille différente, ou des sujets décorant habituellement l'arbre.

La couronne de tissu

Une couronne tressée aux couleurs de Noël : choisir trois tissus assortis, découper dans le biais trois bandes de 15 cm sur 1,60 m. Plier chaque bande endroit sur endroit et coudre à la machine sur toute la longueur, retourner sur l'endroit ce long tube. Procéder de même pour chaque bande. Les remplir de kapok, sans trop tasser. Maintenir les trois extrémités par une épingle de sûreté et tresser les trois bandes le plus serré possible et en allant le plus près possible de l'autre extrémité. Former un cercle avec la tresse et maintenir les extrémités de chaque bande par une épingle, de façon à ce qu'elle forme un cercle fermé. Rentrer les bords de chaque bande et coudre les deux extrémités au point de surjet. Fermer de la même façon chacune des bandes, répartir le kapok uniformément.

Une fois la couronne terminée, la décorer en piquant des nœuds, ou d'autres sujets au choix.

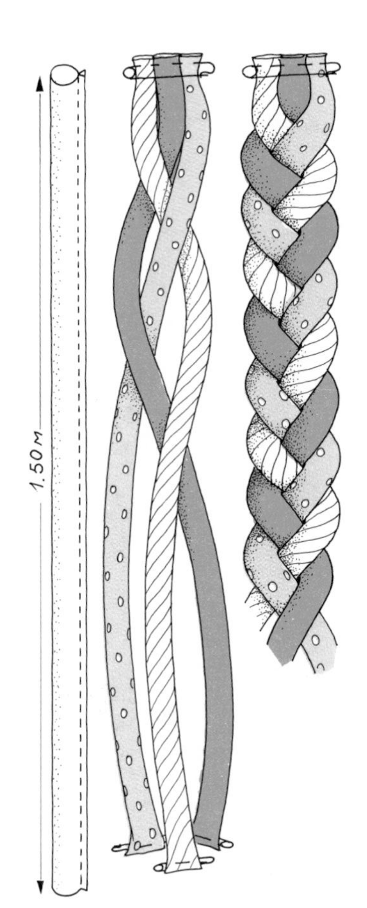

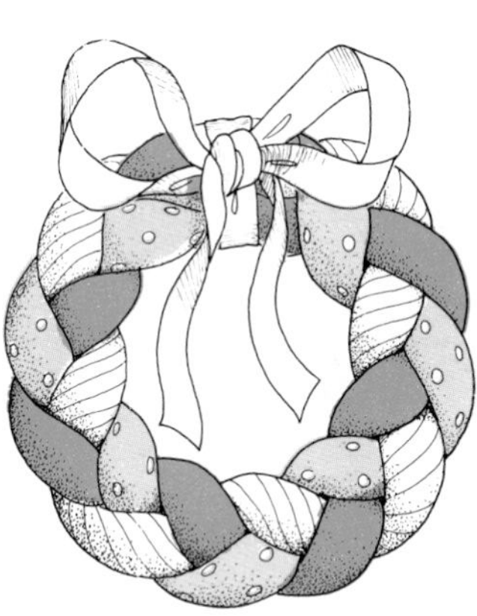

La couronne de tissu.

Préparatifs. *De Thulstrup. Harper's Weekly, 1880.*

Ruprecht interroge les enfants le soir de Noël. *Gravure de H. Lips, XVIIIe siècle.*

Les bougies

« Le soir sur la table auvergnate recouverte d'une nappe blanche, on plaçait au centre d'une grosse brioche un chandelier de cuivre avec la chandelle de Noël. Le vieux père l'allumait, se signait, l'éteignait et la passait au fils aîné, qui, debout, tête nue, faisait les mêmes gestes ; elle passait de main en main jusqu'au plus jeune, qui, aidé de sa mère, la replaçait sans l'éteindre au centre de la table, puis le repas maigre commençait... » Cette tradition, rapportée par Jacqueline Demoinet, se retrouve dans la plupart des régions de France et à l'étranger. Ce peut être, comme en Provence, non plus une, mais trois bougies, symbole de la Trinité. En Franche-Comté, les trois bougies sont de couleur différente : une rouge en souvenir des ancêtres, une bleue pour les absents, une verte à l'intention de ceux qui vont venir. Dans les pays nordiques, une bougie brûle à la fenêtre pendant toute la période de l'Avent, parfois plusieurs, autant que de membres de la famille ; et pour les petits Suédois, un des préparatifs essentiels de la fête consiste à couler les bougies, avec une aide attentive, bien sûr... Bougies évoquant les grands feux solsticiaux d'antan, bougies sans lesquelles Noël n'aurait pas sa lumière.

Fabrication des bougies

Matériel : paraffine, stéarine (le quart de la proportion de la paraffine), cire teintée (vendue en rondelles) pour les bougies de couleur, mèche (vendue au mètre).

Moules

Moules professionnels bien sûr, mais mieux vaut tenter l'expérience avec des moules improvisés comme des pots de yaourts vides, des verres, des boîtes de conserves ou de boisson, ou même des oranges ou des pamplemousses. Pour ces derniers, les vider, les enduire d'une mince couche de paraffine à l'intérieur, et pour démouler « éplucher » la bougie.

2 vieilles casseroles pour faire fondre paraffine et stéarine.

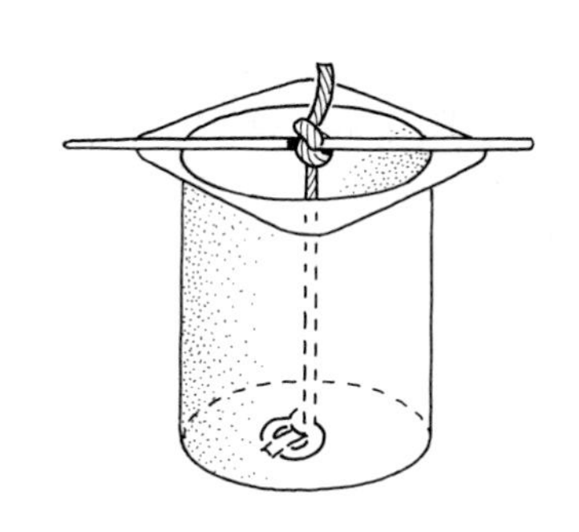

Préparation des moules

Couper la mèche, fixer une des extrémités sur un bâtonnet ou un fil de fer qui sera posé à plat sur le haut du moule, et attacher à l'autre extrémité de la mèche une petite rondelle de métal ou un poids qui maintiendra la mèche verticale dans le moule.

Préparation de la cire

Dans une casserole, mélanger la paraffine (80 %) en morceaux ou en poudre, et la stéarine (20 %). Faire fondre à feu très doux, soit au bain-marie, soit en plaçant une plaque d'amiante entre la flamme et la casserole, mélanger de temps en temps à l'aide d'une baguette. Quand le mélange est complètement liquéfié et qu'il prend lentement sur la baguette, couler les bougies.

Pour les bougies colorées, faire fondre la paraffine dans une casserole, et la stéarine et le colorant dans une autre, puis mélanger ; les colorants sont très efficaces, les doser soigneusement.

Démoulage des bougies

La cire, en refroidissant, se contracte légèrement ; aussi, quand elle est dure, verser un peu de cire chaude pour combler et obtenir des surfaces régulières.

Laisser durcir au moins douze heures. Démonter les fixations de la mèche, enlever la base du moule quand cela est possible, et sortir doucement la bougie du bas vers le haut.

Les bougies à rayures. Laisser durcir un peu chaque couche avant de couler la suivante, de couleur différente.

Les bougies décorées. Appliquer sur une bougie un motif décoratif : graminées, feuilles, fleurs, ou chromos, et recouvrir d'une mince couche de paraffine.

Les supports de bougies

Les couronnes de feuillages : coller sur un socle rond de carton fort ou de métal pommes de pin, feuilles de houx, ou fleurs de saison en couronne, et placer la bougie au centre.

Sur le même principe, former une petite couronne de rameaux de sapin et placer la bougie.

Pour réaliser un centre de table avec des bougies, prendre un plateau d'osier ou une corbeille, le couvrir d'une couche d'argile ou de pâte à modeler, placer les bougies et masquer l'argile ou la pâte à modeler par des branchettes de houx, de sapins, placer quelques boules de Noël rouges ou des pommes rouges, ou des fleurs séchées.

Conseils pratiques pour les bougies

Les frotter avec du savon humide : elles éclaireront davantage et ne couleront pas.

Au cas où les bougies seraient trop grosses pour les chandeliers prévus : tremper leur extrémité dans de l'eau très chaude pour les rendre malléables et bien les ajuster.

Pour enlever les taches de bougies : sur du tissu : gratter d'abord la tache avec précaution pour en diminuer l'épaisseur, puis placer le tissu entre plusieurs épaisseurs de papier de soie ou entre deux buvards, repasser au fer moyennement chaud en répétant l'opération jusqu'à élimination de la tache. Enlever ensuite la tache grasse avec un détachant.

Procéder de la même façon pour un tapis ou une moquette, en prenant garde de ne pas arracher les poils.

Pour un meuble ciré : tremper une lame de couteau dans l'eau bouillante et la passer très vite sous la tache.

Autre conseil pratique pour empêcher les bougies de couler : les faire tremper 24 heures dans de l'eau fortement salée.

Et n'oublions pas, de réalisation plus simple, les *mandarines lumineuses :* choisir des mandarines dont la peau se décolle facilement. Avec un couteau pointu, découper une calotte ronde puis retirer chacun des quartiers, un par un, sans arracher les filaments du milieu qui serviront de mèche. Mettre un peu d'huile dans la mandarine évidée, attendre que la mèche s'en imprègne et allumer.

La crèche provençale

« Car moi aussi ... comme en somme toute la Provence ... j'ai toujours fait, je fais toujours ma propre crèche à la Noël » confie Marie Mauron dans un livre émouvant sur *le Monde des Santons. « Je me retrouve ou me refais une famille. Je démaillotte les santons avec la double joie de les découvrir, de les reconnaître... Le fond de ma crèche : collines, pinèdes et vergers, moulin, lac en étain, maset, bergerie, oratoire, ne varie pas beaucoup. Mais l'esprit de ma crèche n'est jamais deux ans de suite le même. Puisque les santons sont ma famille calendale, j'en use avec eux selon l'humeur, le temps, la compagnie qui me viendra d'ailleurs. Si j'attends mes amis les pâtres, ma crèche est semée de troupeaux ; s'il doit venir des paysans bénir ma bûche de Noël, les santons ont les bras, le socle chargés de légumes et leurs ânes portent des fruits sur le dos ; pour plaire aux artisans du village, aux braconniers de la colline, aux pêcheurs de la Sorgue, je mets au premier plan ceux des santons qui les représentent le mieux. Pour les enfants, je répands sur la mousse plus ou moins artificielle qui ceinture mon Bethléem les animaux familiers de nos mas : le chien, les poules, la folle chèvre et le lapin qui fait le beau. Ainsi ma crèche est tantôt bocagère, pastorale ou villageoise, mystique parfois ou sentimentale, grave ou, plus souvent enjouée. »* Quel meilleur mode d'emploi donner à celui ou à celle qui la veille de Noël sort du profond d'une armoire la précieuse boîte contenant les santons endormis ? Les faire vivre à nouveau, laisser parler le cœur, raconter une histoire, chaque fois la même, celle de l'adoration de l'enfant-roi, et chaque fois différente.

Le décor

La crèche classique provençale reproduit tout un paysage : colline, cours d'eau, étang, champs, sentiers, moulin, à travers lequel se pressent ceux qui ont vu l'étoile, qui viennent adorer le Messie.

Pour la colline ou les montagnes, recouvrir de papier kraft ou papier rocher un peu froissé quelques livres ou quelques morceaux de bois. Sur cette colline ou ces montagnes tracer des chemins, piquer des branches de houx ou des ramures de pin, de chêne, des tiges de thym pour figurer les arbres. Le sol peut être couvert de sable, ou de mousse, artificielle ou non. La préparation de la crèche peut être l'occasion d'une promenade en forêt, tout, brindilles, pommes de pin, lichens, petits cailloux, trouvera sa place dans la crèche et participera de la joie de Noël. Paul Arène décrit dans *Domnine,* l'émerveillement d'une petite fille abandonnée à qui sœur Nanon-des-sept-soleils, une franciscaine provençale du Tiers-ordre, fait faire sa première crèche : et pour l'embellir davantage, ce furent, pour la petite Domnine « pendant huit jours des courses dans la montagne d'où elle revenait transie mais heureuse, rapportant des mousses veloutées, des rameaux couverts de lichens et pareils à de petits arbres, des concrétions, des cailloux bizarres qui allaient servir à figurer en vivant une chimérique Galilée que le Christ n'eût, certes, pas reconnue, mais bien faite pour encadrer, sans souci de la couleur locale, des santons bravement vêtus en paysans provençaux ».

Pour l'étang, le lac et les cours d'eau : du papier d'aluminium fait très bien l'affaire, ou des morceaux de miroir dont les bords sont cachés par la mousse.
Pour les champs : en Provence on fait germer des graines de lentilles dans une assiette remplie d'eau, mais toute autre graine à germination rapide convient.
Les moulins, maisons, châteaux peuvent s'acheter tout faits, ou se construire en carton fort colorié, ou plus simplement provenir du coffre à jouets...

Santons provençaux de la maison Neveu à Aubagne.

Les santons

Ballade des petits santons

Nous sommes les petits santons
De Thérèse Neveu d'Aubagne
A la Noël quand nous sortons
Des emballages, des cartons,
Pour la ville et pour la campagne
Tout le passé nous accompagne
Nous sommes les petits santons
De Thérèse Neveu d'Aubagne

Les couleurs claires, les beaux tons
Ornent le vêtement, le pagne,
Les culottes et les festons
De notre argile, et nous partons
Plus fiers qu'Artus ou Charlemagne
Pour la crèche en Sainte Montagne
Nous sommes les petits santons
De Thérèse Neveu d'Aubagne

Tous bergers avec leurs moutons
Qui descendent du Pic de Bertagne
Vieux qui marchent à croupetons
En s'appuyant sur leurs bâtons ;
Margarido, chère compagne
De roustido qu'un rire gagne
Nous sommes les petits santons
De Thérèse Neveu d'Aubagne.

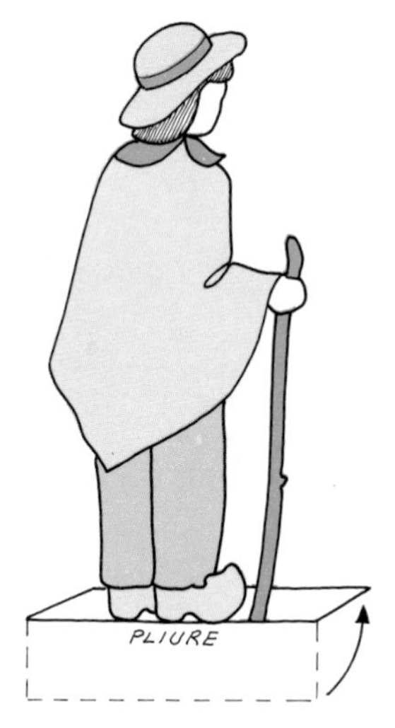

Comme le chante Albert Lopez dans cette ballade, les santons, même s'ils reproduisent des types traditionnels de la Provence, sont toujours les santons de quelqu'un... Il suffit de regarder la Margarido de l'atelier Neveu, celle de René Pesante ou celle de Simone Jouglas. Mais qui sont ces « santouns », ces petits saints ? Tout d'abord, bien sûr, Marie, Joseph et l'Enfant, puis l'ange suspendu, l'ange « Boufareù » qui sonne de la trompette et appelle tout un chacun à célébrer la naissance ; et l'âne et le bœuf, qui, pour n'être pas mentionnés dans l'Évangile, n'en ont pas moins pris place autour de l'Enfant. Puis s'organise le défilé du peuple apportant les offrandes : tout d'abord les bergers, à qui l'Étoile annonça la bonne nouvelle, et qui la répandent en chemin ; ils viennent déposer aux pieds de l'Enfant l'agneau nouveau-né, tandis que le troupeau les escorte.

Ensuite défile toute la Provence : le meunier, son sac de farine sur l'épaule, le « tambourinaire », le chasseur, la femme à la cruche, la femme à la galette, les bohémiens et leurs ours, Margarido bien sérieuse sur son âne, avec son panier recouvert d'un linge blanc, ou au bras de son mari, elle avec un parapluie, lui avec une lanterne, la fileuse et la tricoteuse, le pêcheur, l'aveugle soutenu par un enfant, le valet de ferme, le couple de vieux, elle avec sa chaufferette, tandis que, la lumière à la main, il la guide sur le chemin, le maire du village, ceint de l'écharpe tricolore. Et il ne faut pas oublier à la fenêtre de l'étable le « ravi », qui crie son émerveillement...

Les santons existent en trois tailles, pour permettre la perspective, les santons puces sont au sommet de la colline tandis que les plus grands atteignent l'étable.

Mais sur le chemin, que d'histoires à raconter : les petits vieux s'arrêtent un instant pour se reposer, la fileuse bavarde avec le pêcheur, le braconnier, en ce soir de paix, fait route avec le maire... De jour en jour ils se déplacent, la crèche est vivante, en perpétuelle animation, mêlant la vie quotidienne à la tradition. Au point que les santonniers introduisent de nouveaux personnages, de nouveaux corps de métier, empruntant l'expression d'un aïeul, ou le geste d'un voisin. A Aubagne, un des hauts lieux du monde des santons, à la mort de Pagnol, en 1974, les santonniers ont voulu lui rendre hommage en recréant en santons tout le monde de l'auteur. Santons qui ont les traits de Raimu, de Pierre Fresnay ou d'Orane Demazis, interprètes de Pagnol.

Les santonniers donnent l'exemple : pourquoi, lorsqu'on n'est pas de tradition provençale, ne pas tenter de faire sa crèche, comme certaines paroisses, actuellement, en remplaçant les représentations traditionnelles par des personnages plus proches de l'univers quotidien des paroissiens et des enfants ? Ou pourquoi ne pas

La crèche découpée *(voir page suivante).*

réaliser une crèche de tradition familiale, comme celle, qu'enfant, j'avais découverte avec émerveillement, où Joseph et Marie, dessinés et peints par la main paternelle, se penchaient sur un enfant de celluloïd, puis de cire... Les santons ont remplacé par la suite ces personnages de papier, mais c'est à eux que va ma tendresse.

La crèche découpée

Quelques feuilles de papier canson, un crayon noir à mine assez douce, une grande table, et chacun de représenter qui Marie, qui Joseph, qui la concierge, le chat familier, le grand frère et la petite sœur, la vieille dame qu'on voit au jardin, Papie et Mamie, et pourquoi pas le sapin de Noël qui a fait son apparition dans la maison.

Choisir un papier assez fort, qui sera stable une fois plié. Pour colorer les personnages, le mieux est de se servir de crayons feutre, qui ne coulent pas et permettent des couleurs unies sur les petites surfaces. Si les personnages sont plus grands, la peinture à l'eau est préférable, mais d'une utilisation plus délicate. Si les enfants sont encore petits, mettre à leur disposition des magazines dans lesquels ils peuvent découper des surfaces colorées et les coller sur les personnages. Découper avec soin les silhouettes et les placer dans une grotte faite de papier rocher froissé.

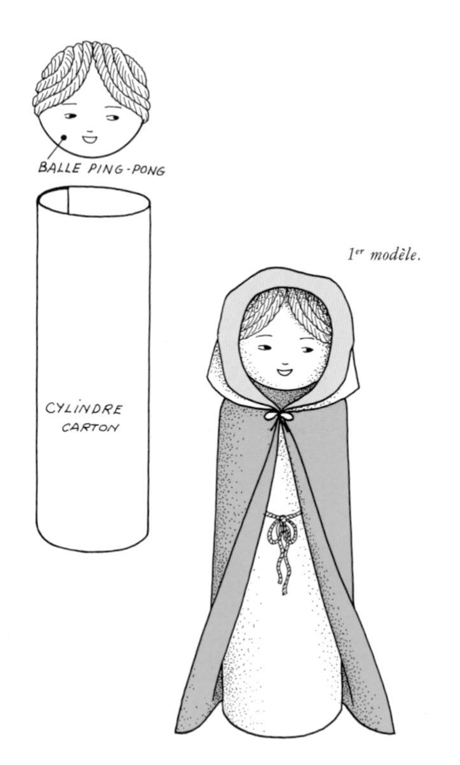

1er modèle.

Voici quelques suggestions de personnages, mais je suis prête à parier que la liste sera plus longue et plus variée qu'on aurait pu le prévoir. Se joindront peut-être aux Rois mages, Cendrillon, Robin des Bois ou l'homme de l'espace...

Version plus élaborée

Dessiner les personnages sur des feuilles de carton, les découper, et choisir dans des chutes de tissu et des pelotons de laine détricotée de quoi les habiller. Colorer au feutre ou à la peinture les mains et les visages, dessiner l'œil, ou coller une petite perle, découper les tissus ou les matières choisies suivant la silhouette du vêtement et les coller. Pour faire tenir les personnages, coller à l'arrière un support en forme de triangle replié.

Les crèches en volume

Cette fois, il ne s'agit plus de personnages à plat, mais de construction en carton.
1er modèle : le corps des personnages est fait d'un cylindre de carton, la tête d'une balle de ping-pong, et les vêtements de tissus coupés et collés, les cheveux de brins de laine collés eux aussi.
Matériel : papier fort ou carton, balles de ping-pong, chutes de tissu, carton doré, pour les couronnes des Rois mages, brins de laine, de paille, petits bouts de ruban, perles, passementerie, colle, ciseaux.

Tracer des rectangles de 16 cm sur 12, les rouler en cylindres, les 12 cm correspondant à la hauteur du cylindre, et fermer celui-ci à la colle. Coller sur le cylindre le tissu qui servira de vêtement de base au personnage, le mieux étant la feutrine, rentrer à l'intérieur du cylindre le tissu qui dépasserait. Préparer la tête en dessinant à l'encre les yeux, la bouche des personnages, coller sur le sommet de la balle des brins de laine pour faire les cheveux, ajouter selon le cas chapeau, couronne, ou moustaches de laine. Coller la tête sur le cylindre. Préparer le vêtement de dessus, cape, houppelande avec un rectangle de tissu dont on replie le haut vers l'extérieur.

Pour l'enfant Jésus, réduire de moitié la taille du cylindre et couper une section d'une balle de ping-pong, compléter la tête par un petit peloton de laine, et procéder de la même façon que précédemment.

Pour l'âne et le bœuf, faire quatre incisions dans le cylindre et introduire quatre bâtonnets qui feront les pattes. Coller des oreilles à l'âne, des oreilles au bœuf et des cornes, faites de morceaux de cure-dents de bois.
2e modèle
Matériel : papier canson ou papier fort pour les cylindres de soutien, ciseaux, colle, magazines à découper, ou au choix photos à découper.

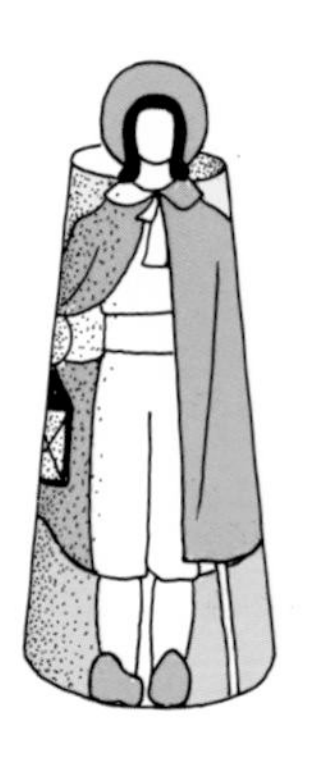
2e modèle.

Dessiner à plat des surfaces qui une fois collées formeront des cylindres un peu coniques, de 21 cm de hauteur, et de 20 cm de base large, et de 15 cm de l'autre côté. En préparer autant que de personnages souhaités. Colorer ces surfaces, au feutre ou à la peinture, ou encore en collant des papiers de couleur découpés, dans la tonalité des vêtements choisis pour chaque personnage ; par exemple, plusieurs bleus pour la Vierge, beige et brun pour Joseph. Dessiner à côté sur une hauteur de 21 cm les personnages à plat, ou les découper dans des magazines, ou dans des photos, et coller ces formes sur le cylindre, qui sert de support à l'image. Une fois la forme collée, découper la partie supérieure du cylindre de façon à dégager la tête du personnage, puis fermer le cylindre à la colle.

Crèche provençale en santons habillés.

Les crèches en modelage

La réalisation de ces crèches est plus longue et peut demander plusieurs jours, il s'agit en fait de fabriquer ses propres santons. On peut trouver dans le commerce des boîtes de moulages proposant le plâtre, les moules et les couleurs pour les santons ; donc prendre son temps et suivre attentivement la notice.

Pour laisser plus de liberté à l'invention, mieux vaut prendre à pleines mains la terre glaise, et puis du bout des doigts faire naître petit à petit un personnage dont la silhouette est familière, ou au contraire tout à fait surprenante...

Conseils pratiques : la terre glaise demande une cuison au four à céramique, ce qui n'est pas toujours facile à trouver, mais il existe une terre dite « Darwi », que l'on peut acheter dans les magasins spécialisés de peinture, et qui durcit sans cuisson. Mais avec ces deux matières le modelage s'exécute de la même façon : préparer la terre glaise en la coupant en tranches et la pétrissant à la main longuement jusqu'à ce qu'elle deviennent lisse, sans aucune bulle dans la masse, car la terre risquerait de se fendiller à la cuisson. Pour la terre Darwi, la pétrir longuement jusqu'à ce qu'elle deviennent souple.

Travailler sur une surface plane, recouverte d'une feuille de plastique ou de toile cirée. Modeler les personnages. Pour ajouter des éléments, bras, chapeau, panier, les exécuter à part et les coller au corps avec un peu d'eau. Pour la terre glaise, ne prendre que la quantité correspondant au sujet envisagé, tandis que le reste est maintenu à l'humidité sous un linge humide ou une pochette de plastique. A la cuisson, les personnages rapetissent un peu et il convient donc de leur attribuer au modelage des proportions plus importantes. Au fur et à mesure du travail, lisser les personnages avec les doigts humides, enlever l'excédent d'humidité qui peut se trouver à la base du sujet.

Quand les personnages sont modelés, les laisser sécher un jour ou deux pour la terre Darwi, trois à cinq pour la terre glaise, après avoir enfoncé une petite aiguille à tricoter de la base du modèle presque jusqu'au sommet, pour faire sécher à l'intérieur.

Une fois les personnages secs, les poncer au papier de verre fin avant de peindre, à la gouache épaisse, d'abord les grandes surfaces, ensuite les détails : visage, cheveux, au pinceau plus fin. Passer au four pour la terre glaise, ou vernir, éventuellement, pour l'autre terre, une fois que la peinture est bien sèche.

Crèche-tableau en application de tissus

Il s'agit d'un triptyque sur lequel les sujets et les personnages sont fixés par un velcro.

Pour réaliser les personnages

Agrandir chaque motif d'après la grille, puis découper le patron de chaque personnage sur un bristol. Reporter la silhouette sur un tissu de couleur claire, beige ou rose, ne pas couper, et broder le visage, les cheveux. Le mieux est d'utiliser un tambour à broder, qui maintient le tissu en place. Préparer les applications : vêtements, auréoles. Les découper, en laissant un 1/2 cm pour la couture. Les fixer sur la silhouette en faisant un petit rentré, et les coudre au point glissé.

Couper autour de la silhouette, en laissant 1/2 cm, une première fois, puis une seconde silhouette pour le dos. Les poser endroit contre endroit, coudre en laissant une ouverture pour retourner et bourrer. Remplir de coton ou de kapok, à l'aide d'un bâtonnet, en veillant à ne pas déformer la silhouette. Fermer et surpiquer à la main les formes : bras, visages, etc.

Les sapins sont réalisés de la même façon, deux épaisseurs de tissu, cousues, retournées, bourrées et surpiquées.

Le fond du triptyque

Il est fait d'un contre-plaqué très léger, à découper suivant le schéma. Recouvrir les trois parties d'une épaisseur de ouatine, puis d'un tissu bleu nuit, couper en prévoyant 2 cm de plus. Coller ou agrafer sur l'envers l'excédent de tissu.

Les épaisseurs de nuages sont préparées à part, avec un tissu blanc et une bordure bleu ciel. Les découper selon la grille et les préparer une à une. Coudre la partie bleu ciel sur le tissu blanc. Couper une doublure unie et une épaisseur de ouatine, poser la doublure et la partie cousue endroit contre endroit, ajouter la ouatine, piquer autour en laissant une ouverture pour retourner. Couper l'excédent de ouatine le plus près possible de la couture, retourner et fermer. Surpiquer à la main.

Appliquer les épaisseurs de nuages sur le fond à points glissés sur les côtés, le haut restant libre.

Disposer les sapins, les personnages, et coller une grande étoile dorée sur le panneau central.

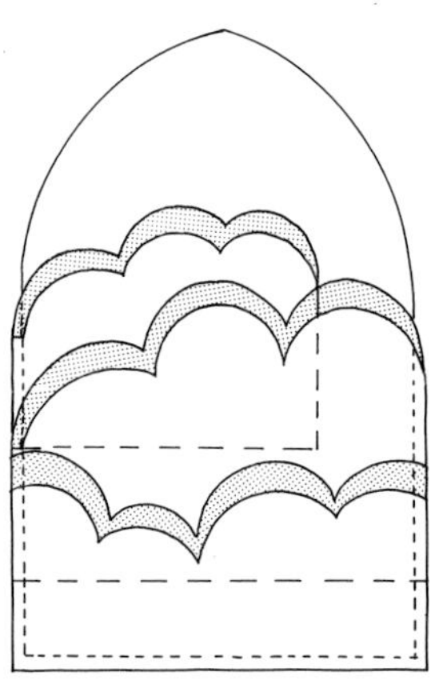

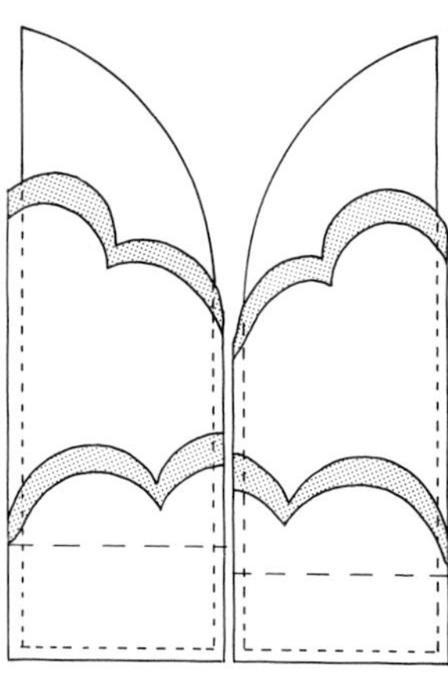

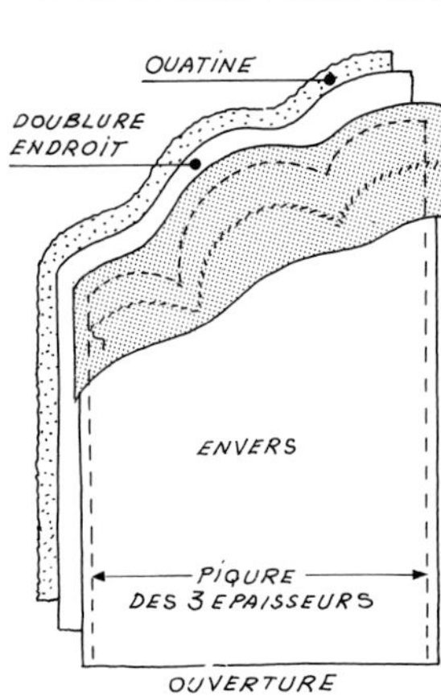

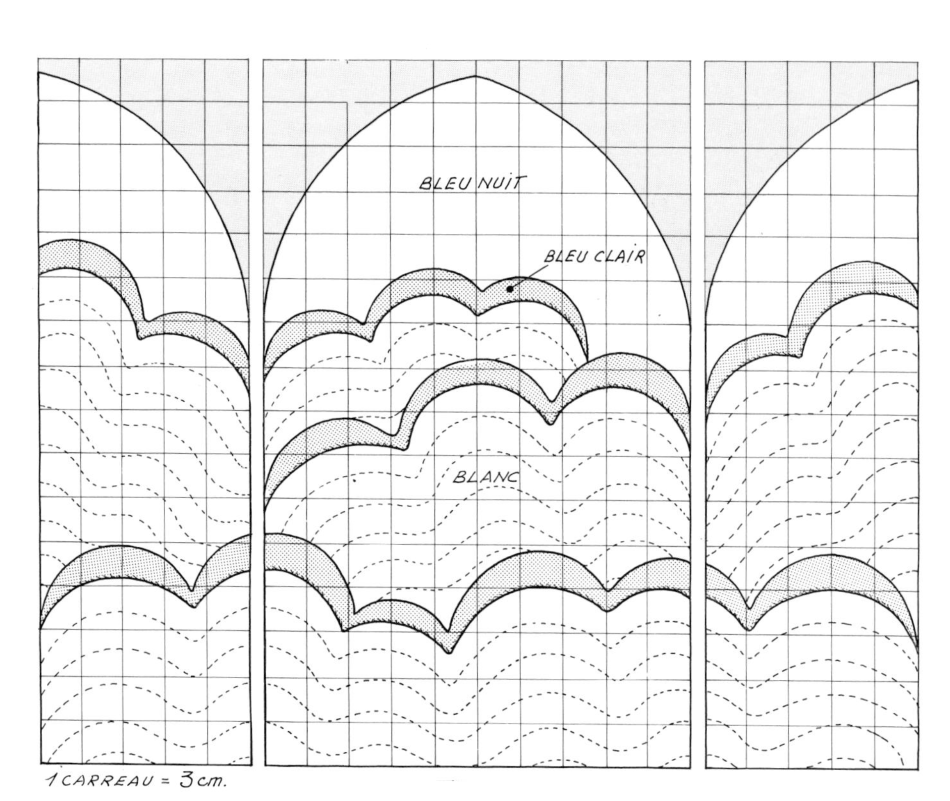

1 CARREAU = 1 cm COUPER LE PETIT SAPIN 7 FOIS DONT 4 AVEC LE TRONC

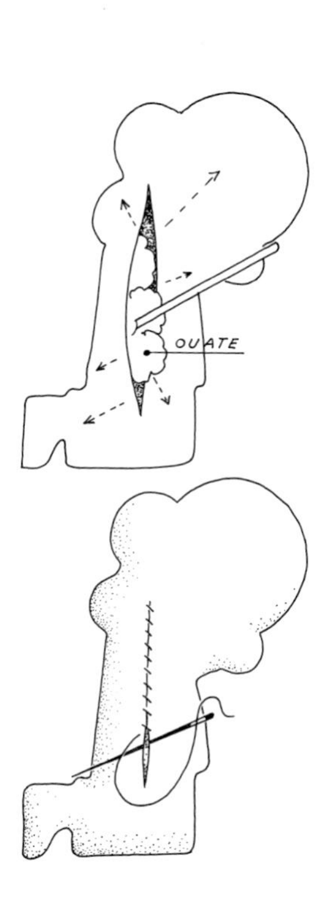

Le sapin

« Le sapin fut dressé dans un tonneau rempli de sable, mais personne ne pouvait voir que c'était un tonneau, car il était enveloppé d'une étoffe verte, et il était posé sur un grand tapis bariolé. Oh, comme l'arbre était frémissant ! Qu'allait-il devenir ? Des domestiques et des demoiselles se mirent à le parer. A une branche pendaient des petits filets découpés dans du papier de couleur ; chaque filet était rempli de bonbons ; des pommes et des noix dorées étaient accrochées comme si elles avaient poussé là, et plus de cent petites lumières rouges, bleues et blanches, étaient fixées dans les rameaux. Des poupées, qui avaient tout à fait l'air d'être des personnes — l'arbre n'en avait jamais vu —, se tenaient en l'air dans la verdure, et tout en haut, à la cime, fut placée une grande étoile de clinquant ; c'était superbe, tout à fait magnifique. » (Hans Christian Andersen, *Le Sapin.*)

Le « beau sapin », « roi des forêts », mais roi de Noël aussi. Dès la mi-décembre, les rues se transforment en forêts de sapins, et un des grands moments de l'approche de Noël est celui du choix, de l'achat, et de la décoration du sapin. Plus que la crèche, le sapin est devenu le symbole de Noël. Et pourtant cette tradition est relativement récente : trois à quatre siècles au plus. Certes, le culte de la verdure au cœur de l'hiver est très ancien : les Romains, pendant les Saturnales de décembre et les calendes de janvier, décoraient leurs demeures de feuillages, de houx, de lierre, parfois même de sapins. Les peuples païens célébraient les derniers jours de l'année par des réjouissances, accompagnées de sacrifices, parfois humains, au pied d'arbres consacrés, et en Scandinavie du Nord, lors des fêtes de Yul, à la fin décembre, célébrant le retour de la terre vers le soleil, on plantait devant la maison un sapin, auquel on attachait des torches et des rubans de couleur.

D'après Francis Weiser *(Fêtes et coutumes chrétiennes),* cette coutume du sapin serait essentiellement chrétienne, et due à la combinaison de deux symboles religieux du Moyen Age : la lumière de Noël et l'Arbre du Paradis. Un des mystères les plus populaires, joué dans les églises à partir du XIe siècle, était celui du « Paradis ». On y voyait la création de l'homme, le péché d'Adam et d'Eve et leur expulsion du jardin. Le mystère se terminait sur l'annonce de la venue du Sauveur et de son incarnation. Or le jardin d'Eden était représenté par un sapin où étaient accrochées des pommes. Plus tard, lorsque les mystères furent interdits, les fidèles, attachés à cette représentation de l'Arbre du Paradis et ne pouvant plus le voir à l'église, le mirent, une fois l'an, dans leurs maisons, en l'honneur d'Adam et Eve. Car si l'Église latine ne célèbre pas Adam et Eve comme saints, les Églises orientales les ont canonisés. Ainsi le 24 décembre, on pouvait voir l'Arbre du Paradis dans les maisons des fidèles de plusieurs pays d'Europe : c'était un sapin avec des pommes rouges...

Arbre de la connaissance, arbre du Bien et du Mal, permanence de la vie au cœur de la mort de la nature, voilà tout ce dont notre sapin est l'héritier. « Partout l'arbre est regardé comme un symbole de vie, d'abondance et de prospérité », écrit Mgr Chabot dans *La Nuit de Noël dans tous les pays,* « tout éclatant de lumières, tout chargé de jouets et de friandises, cet arbre merveilleux est pour les cœurs innocents le symbole de celui qui est « la lumière du monde » et la source de tout don céleste... Ce sapin, qui reste vert au milieu du deuil de la nature... »

Historiens et folkloristes s'accordent pour affirmer que l'Alsace est le pays où la coutume du sapin de Noël a pris naissance. Les premières traces de notre sapin remonteraient au XVe siècle, où des documents établissent qu'à l'approche de la fête, les gens se rendaient dans la forêt et cherchaient des arbres de Noël, au point que des gardes forestiers étaient spécialement dépêchés pour éviter les abus. En 1521, à Sélestat, un édit municipal autorisait les gardes forestiers à laisser couper de petits sapins en vue de la fête de Noël. La ruée vers les sapins devait être importante puisque à Saint-Hippolyte, au XIVe siècle, la forêt était gardée neuf nuits avant et neuf nuits après Noël, et au XVe siècle, à Buhl, près de Guebwiller, trois semaines avant et trois semaines après la fête...

A partir de l'Alsace, la tradition s'est répandue en Allemagne, puis au cours du XIXe siècle, elle gagna l'Autriche, la Tchécoslovaquie, l'Angleterre, les États-Unis et la France. A Paris, le premier arbre de Noël fut dressé aux Tuileries par la belle-fille du roi Louis-Philippe, la princesse Hélène de Mecklembourg, duchesse d'Orléans, en 1837. Mais c'est seulement quelques années plus tard que la coutume s'implanta, encouragée par l'impératrice Eugénie. Elle allait se répandre en France, après la guerre de 1870.

L'achat du sapin

Avec ou sans racines ? Voué à la cheminée ou à la décharge publique ? Le sapin coupé est moins cher, certes, mais il contribue au saccage des forêts. Si le choix se porte sur un sapin en container, vous pourrez le conserver un an ou deux, à condition de prendre certaines précautions : diminuer le soir la chaleur de la pièce dans laquelle il se trouve, et avant de le mettre sur le balcon, le laisser une bonne semaine dans un endroit mal chauffé. Une fois sur le balcon, placer le container dans un bac de bois percé, rempli de tourbe et de sable. L'arroser assez régulièrement et toutes les cinq à six semaines lui donner un engrais de fond à effet lent.

Pour le sapin avec racines : s'il est vendu en pot de terre, remplacer cette dernière par du terreau de feuillages et s'assurer que le drainage peut se faire. Dans le cas contraire, mettre au fond du pot une couche de gravillons et de la tourbe. Couper d'un coup d'ongle au cours de la croissance du sapin les bourgeons d'allongement au profit des bourgeons qui augmentent la masse. Si le sapin avec racines est vendu en motte, le mettre dans un pot plus large de 10 cm de diamètre, drainer le fond du pot, et remplir de terreau de feuilles. Pour le replanter dans un jardin, creuser un grand trou exclusivement rempli de terreau de feuilles mêlé à la terre.

Pour un sapin coupé : ne pas l'acheter trop tôt, pas plus d'une semaine à l'avance, et le conserver dans un endroit plutôt froid (cave) ou à l'extérieur. Ne pas le placer dans un courant d'air une fois que vous l'avez installé.

Pour le faire tenir ; le mieux est de le faire clouer par le fleuriste sur deux planches croisées en X. Sinon, mettre le sapin dans un petit baquet ou un seau rempli de sable ou de journaux tassés si l'arbre n'est pas trop lourd. Ou encore préparer un support de sapin qui servira d'une année sur l'autre : prendre quatre planchettes de bois et les assembler selon le croquis ci-contre.

Conseils : choisir un arbre bien vert dont les aiguilles résistent à la traction, l'acheter au dernier moment. Une fois coupé, le sapin perd de 40 à 50 % de son poids en eau dans les quatre ou cinq jours suivants. Une fois décoré, et solidement fixé pour qu'il ne s'écroule pas accidentellement, mouiller d'eau chaque jour ses branches et les aiguilles à l'aide d'un pulvérisateur. En Suède, comme le sapin doit durer jusqu'au vingtième jour après Noël, son support est prévu pour contenir de l'eau et un membre de la famille est spécialement chargé de le remplir et d'humidifier le sapin. Cette pratique permet aussi de réduire les risques éventuels d'incendie provoqué par la chute d'une bougie mal équilibrée par exemple.

La décoration du sapin

L'arbre de Noël fut très tôt décoré, de pommes, d'objets, de jouets ; les bougies vinrent plus tard. La première description que nous ayons d'un arbre de Noël remonte à 1605, dans un ouvrage anonyme sur les usages de la ville de Strasbourg : « Pour Noël, il est d'usage à Strasbourg, d'élever des sapins dans les maisons ; on y attache des roses en papier de diverses couleurs, des pommes, des hosties coloriées, du sucre... » A la même époque, le pasteur Dannhauer, à Strasbourg encore, constate cet usage et le blâme vigoureusement : « Dans les maisons on suspend à la Noël, pour la récréation des enfants, des bonbons et des jouets aux branches d'un sapin. » La fête, selon lui, devenait profane...

Quant aux bougies et aux lumières, elles apparaissent au XVIIIe siècle. Les premières descriptions d'arbres illuminés nous viennent d'Allemagne : en 1708, Liselotte von der Pfalz, écrivant à sa fille qui se trouve alors en France, lui raconte qu'elle a participé à l'allumage d'un « Lichtenbaum », d'un arbre illuminé. En 1737, le juriste Kissling, de Wittenberg, constate la multiplication « de sapins décorés de lumières » dans le sud de l'Allemagne, et en 1771, c'est devant un sapin que Goethe fera endurer d'affreuses souffrances à son héros Werther : « Le même jour que Werther écrivit à son ami la lettre que nous venons de rapporter — c'était le dimanche avant Noël — il alla le soir chez Charlotte et la trouva seule. Elle s'occupait à ranger des jouets qu'elle destinait à ses frères et sœurs pour leurs cadeaux de Noël. Il parla du plaisir qu'auraient les enfants, et des temps où l'apparition subite d'un arbre paré, chargé de bougies, de bonbons et de pommes, le plongeait dans l'extase du paradis. — Eh bien, dit Lotte en s'efforçant de cacher son embarras sous un aimable sourire, si vous êtes bien sage, vous aurez aussi vos étrennes, un petit pain de cire et autre chose encore... »

Arbre du Paradis, arbre de lumière, arbre à cadeaux, un véritable arbre magique... Dès le XVIIe siècle l'arbre était porteur de présents : on le secouait pour en faire tomber poupées, marionnettes, bonbons de sucre. L'apogée de cet arbre à cadeaux semble avoir été atteint au milieu du XIXe siècle, si l'on en croit ce

Arbre de Noël en Alsace, le « Monde illustré », 1858.

chroniqueur du *Journal de Rouen* qui écrivait en 1858 : « Vers le milieu de la soirée, la porte du salon a été ouverte à deux battants : un magnifique arbre de Noël, illuminé en lanternes de couleurs, s'est avancé (c'est le vrai mot), hissé sur un petit char traîné par deux gros chiens, au milieu du salon, absolument comme un marronnier de la place de la Bourse. Les domestiques ont emmené les chiens et l'arbre est resté immobile. Alors les jeunes invités ont pu distinguer les innombrables petits objets accrochés aux branches : nécessaires de poupées, noix dorées prédisant l'avenir, bonbons merveilleux représentant les plus jolies choses, livres nouveaux, bébés criant, poupées élégantes, bilboquets et toupies de toutes sortes. Le fils de Madame Der.. donna à chaque invité une carte numérotée répondant à un numéro attaché à chaque objet et bientôt l'arbre dépouillé avait laissé à toutes les petites mains des gages de souvenir. » Et puis les jouets sont devenus si lourds qu'ils ont trouvé place non plus aux branches mais au pied du sapin...

Dès que les enfants grandissent, le sapin se prépare en famille et à la joie de la surprise succède celle de la participation à la fête. Qu'importe si les anges battent de l'aile au bout d'un rameau, ou si les guirlandes ont un petit air de guingois, quelle émotion de sortir des boîtes où dorment depuis un an les boules miroitantes, les chenilles d'or et d'argent, les bougies et les figurines. Certaines se sont abîmées, d'autres ne résistent pas aux joies des retrouvailles, mais ce n'est pas là un bien grand malheur, car voici quelques suggestions pour renouveler le décor du sapin, s'adressant aux petits et aux grands.

Les propositions sont groupées par matière : objets en papier, en bois, en paille, et même en gâteaux, reprenant une tradition danoise et suédoise.

Les décorations de papier : les guirlandes

En papier plié
Matériel : papier d'aluminium, ou papier d'emballage cadeau doré, le mieux serait un papier couleur double face.

Couper des bandes sur toute la longueur du rouleau de 1 cm de large. Coller deux des extrémités à angle droit. Replier une bande sur le carré formé par les deux bandes collées, puis plier sur ce carré la seconde bande. Continuer jusqu'à la fin des bandes et coller les deux extrémités. On obtient un carré de la même taille que le carré initial, mais dont l'épaisseur s'est augmentée de tous les pliages. Une fois que la colle est bien prise, déplier la guirlande.

En papier découpé
Préparer des carrés de 6 cm de côté, de 4 cm, si vous disposez de plus de temps et êtes plus minutieux. Les plier en quatre. Découper le motif. Plier un premier motif en deux, coller la base, puis plier le second, le glisser dans le premier et coller la base, continuer jusqu'à obtenir la longueur voulue.

Autre motif : plier en deux des rectangles de 4 cm sur 6 cm, découper le motif, le plier, coller la base. Plier le second rectangle, découper le motif, le replier, le glisser dans le premier et coller la base, continuer ainsi jusqu'à la longueur désirée.

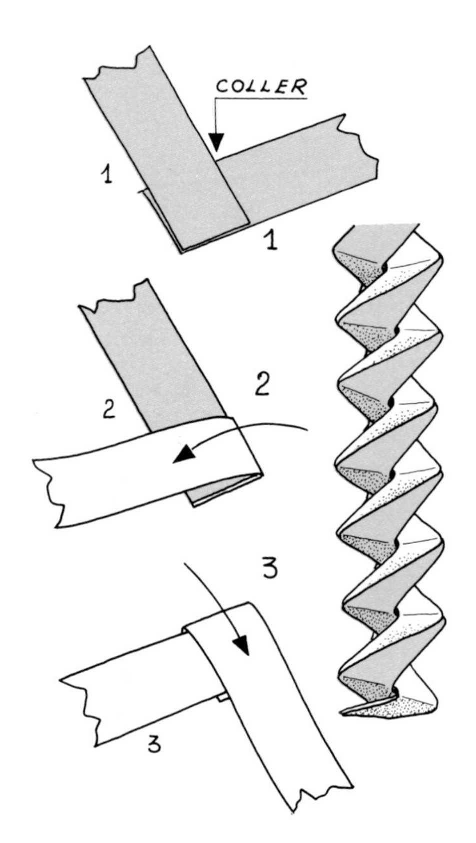

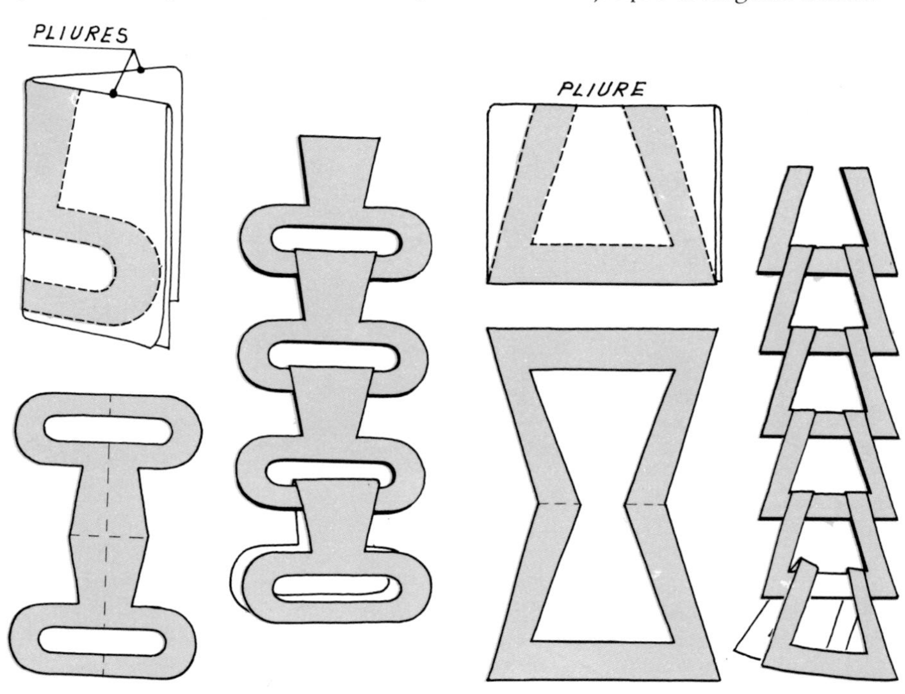

Les ribambelles

Préparer des bandes de papier de 6 à 10 cm de hauteur, selon le sujet choisi, sur une longueur de 60 cm. Plier la bande en accordéon tous les 6 cm. Bien marquer la pliure. Reporter le dessin, découper tout autour, sauf aux pliures.

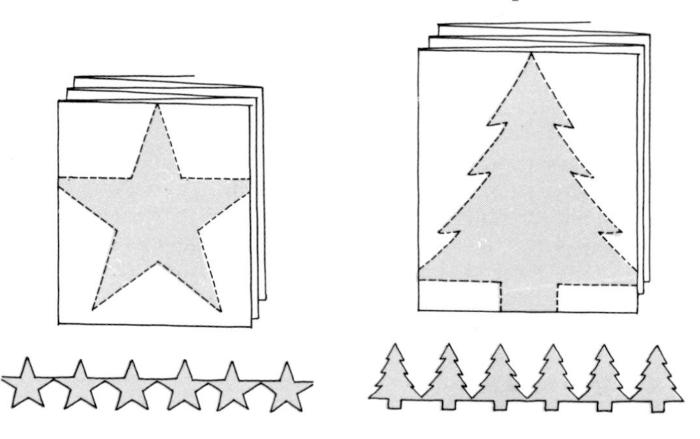

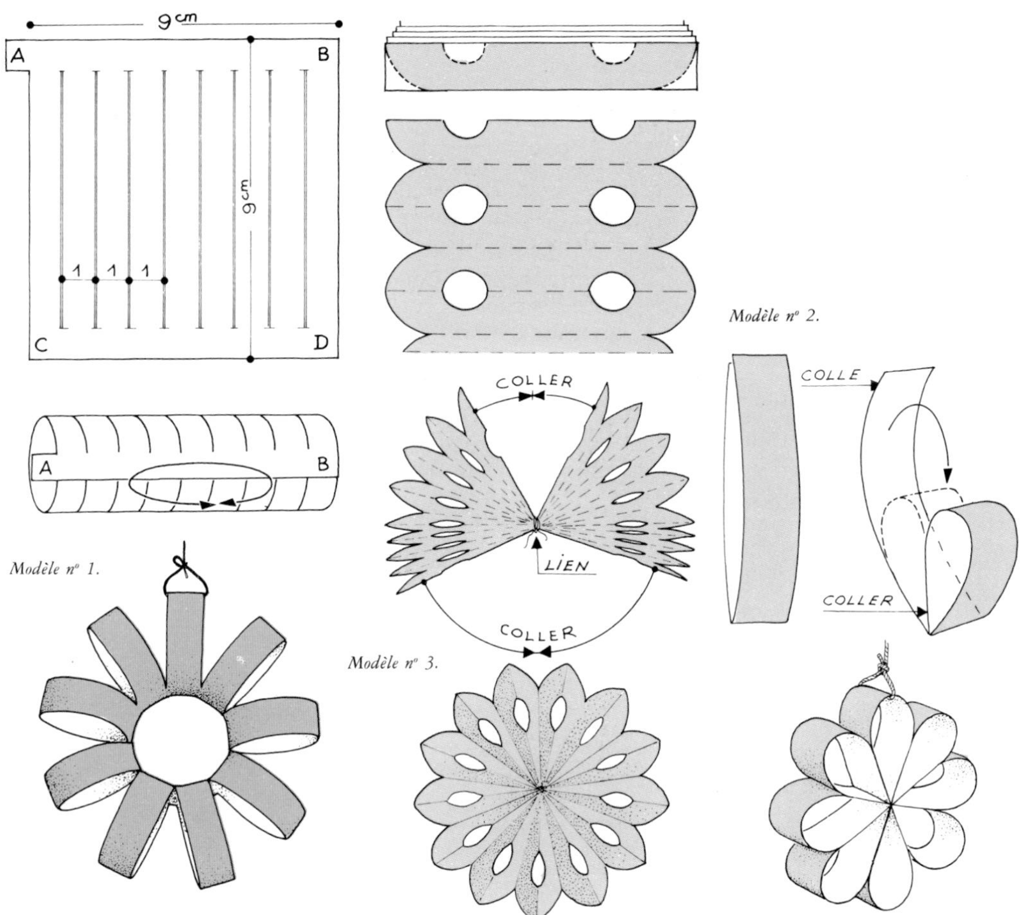

Modèle n° 1.

Modèle n° 2.

Modèle n° 3.

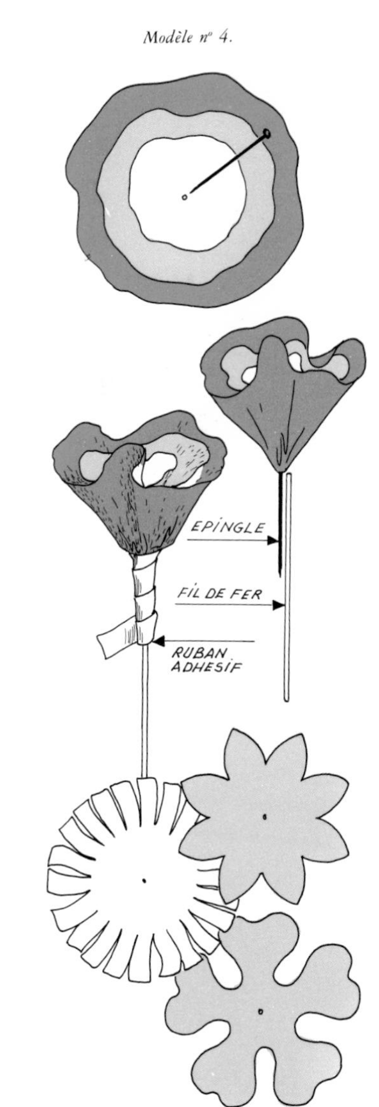

Modèle n° 4.

Les objets à suspendre : les fleurs

Modèle nº 1. Papier double face, ou papier gommé (deux feuilles de couleurs différentes collées). Découper un carré de 9 cm de côté en laissant une languette de 1 cm sur un côté.

Tracer à 1 cm l'une de l'autre 8 droites qui s'arrêtent à 1 cm des bords. Découper en suivant ces droites aux ciseaux fins ou à la lame de rasoir. Attention, y aller doucement ! Coller les points A et B aux points C et D. Former un cercle en glissant la languette à l'intérieur, coller les deux extrémités et la languette. Attacher au sapin par un ruban rouge.

Modèle nº 2. Papier extra-strong de couleur sur les deux faces ou papier gommé (deux feuilles de couleurs différentes collées l'une à l'autre).

Couper 4 bandes de 20 cm sur 2 cm. Plier chaque bande en deux. Replier chacune des demi-bandes vers le milieu et coller les extrémités. Chaque bande donne deux pétales. Procéder de même avec les autres bandes. Puis coller entre elles les quatre paires de pétales au centre.

Modèle nº 3. Papier gommé de couleur ou papier double face. Découper un rectangle de 7 cm sur 15 cm. Le plier en accordéon tous les 1,5 cm. Découper les extrémités et les parties centrales comme sur le schéma. Nouer au centre et ouvrir en éventail. Coller les extrémités deux par deux. Coller à l'arrière un brin de laine pour suspendre.

Modèle nº 4. Papier de soie ou papier crépon de trois couleurs différentes, ruban adhésif vert, épingles à tête, fil de fer fin.

Découper les pétales, tracer trois cercles concentriques et de taille croissante, la couleur la plus foncée correspondant au plus grand cercle. Les superposer en les centrant bien. Piquer l'épingle à tête à travers les trois épaisseurs, pousser les trois corolles vers la tête de l'épingle, fixer le fil de fer en l'enroulant à la base des corolles et autour de l'épingle, et bien tenir le tout avec le ruban adhésif. Couper le fil de fer à 5 cm de la base de la fleur.

Pour varier l'apparence des fleurs, découper les pétales de façons différentes.

Modèle n° 2.

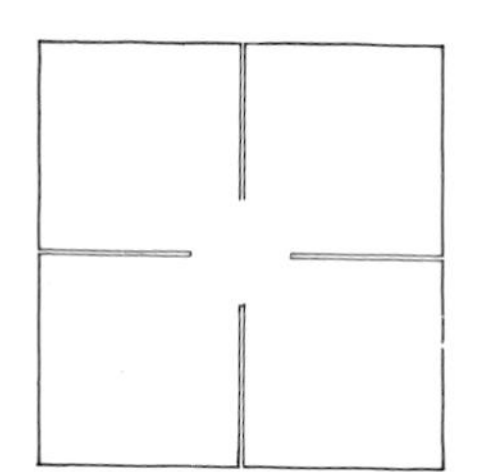

Les étoiles de papier

Modèle n° 1. Carton souple doré.
Tracer un cercle de 8 cm de diamètre. Le diviser en douze parties et tracer le dessin de l'étoile comme sur le schéma. Découper le contour de l'étoile et la petite patte d'attache. Marquer les plis recto suivant le grand pointillé, et verso suivant les petits pointillés. Percer un trou dans la patte d'attache pour passer le fil.

Modèle n° 2. Étoiles en cornet. Papier or ou argent, colle.
Découper des carrés de 8 cm de côté. Les plier l'un après l'autre en quatre : une fois horizontalement, puis verticalement. Couper suivant les plis jusqu'à 1 cm du centre. Rouler chaque partie découpée en cornet, fixer à la colle. Même opération pour le second carré. Coller l'un sur l'autre les deux carrés, en plaçant les cornets en quinconce.

Modèle n° 3. L'étoile éventail. Papier doré ou métallisé, colle, ciseaux.
Procéder comme pour la fleur n° 3 : couper une bande de 60 cm sur 7 cm. Plier en accordéon tous les 0,5 cm ; maintenir au centre par un fil ou un petit élastique et ouvrir en éventail. Coller les extrémités.

Pour varier, découper des petits triangles ou des formes simples sur le papier plié en ne prenant que quelques épaisseurs à la fois et en reportant sur les épaisseurs suivantes le motif découpé.

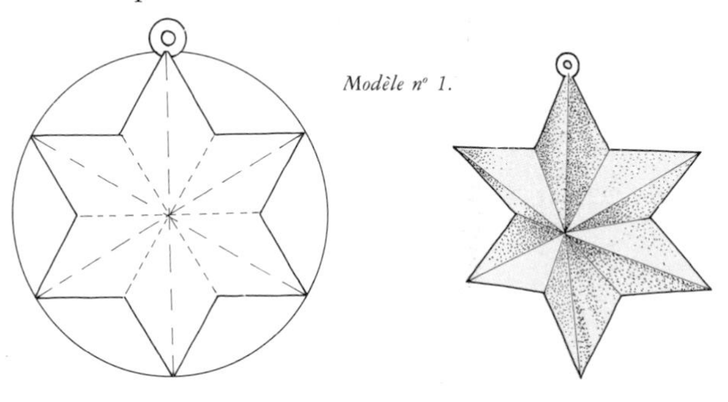

Modèle n° 1.

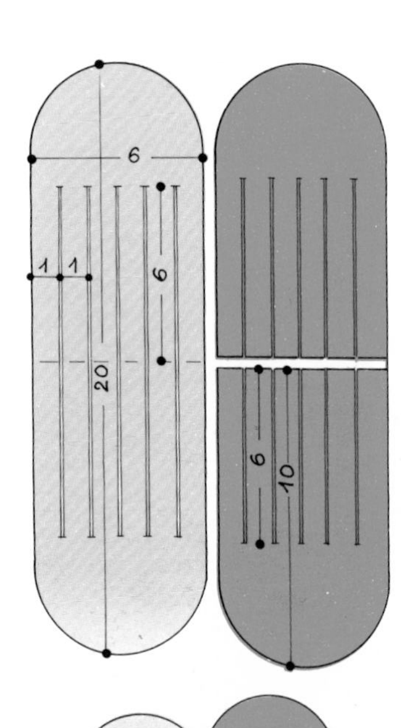

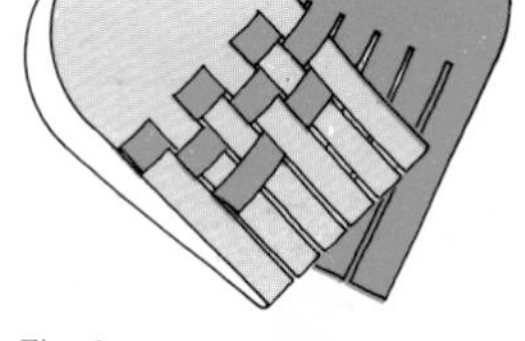

Fig. 1.

Les cœurs

Papier gommé de deux couleurs différentes.
Découper deux rectangles de 20 cm sur 6 (Fig. 1). Les plier sur la longueur. Prendre une première bande pliée, arrondir à l'opposé de la pliure. Découper à partir de la pliure sur 6 cm tous les centimètres. Prendre l'autre bande pliée et découper sur 6 cm tous les centimètres à partir, non plus de la pliure, mais des extrémités. Tresser les deux bandes, en commençant par un côté de la pliure et en collant chaque fois la bande tressée. Il suffit de mouiller le papier gommé après chaque tressage. Puis tresser l'autre côté de la pliure, en collant toujours chaque bande. Fermer le panier et coller les bords entre eux. Couper une bande de 1,5 cm sur 10 cm pour l'anse du panier et la coller à l'intérieur.

Ces cœurs constituent une décoration de Noël typiquement danoise, en papier, en faïence, ou en porcelaine, aux couleurs du drapeau danois.

Version plus simple. Deux bandes de papier gommé de deux couleurs de 15 cm sur 5 cm. Plier chaque bande en deux. À 2,5 cm des extrémités, tracer un trait sur l'envers et dessiner un arc de cercle de 2,5 cm de rayon. Découper en suivant la courbe. Couper sur 5 cm à partir du milieu de la pliure. Glisser les deux bandes l'une dans l'autre en les intercalant, ce qui n'est pas difficile mais demande un peu d'attention. Découper une anse de 12 cm sur 1,5 cm et la coller au panier (Fig. 2).

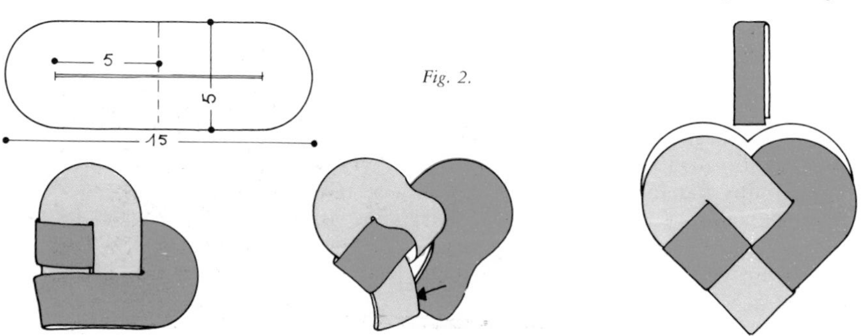

Fig. 2.

Anges et oiseaux

Anges : Papier gommé doré ou carton souple doré.
Tracer suivant le plan. Découper suivant les traits pleins, et marquer un pli le long de la ligne de pointillés. Coller ou agrafer la naissance des ailes puis les ouvrir. Passer à l'aide d'une aiguille enfilée un brin de laine rouge ou un fil doré pour accrocher sur le sapin.

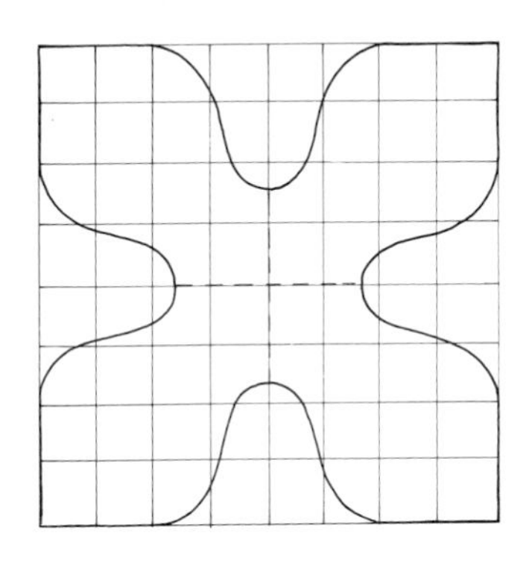

Un oiseau dans un nid de pétales

Papier double face de deux couleurs, pour les pétales, et un morceau de papier gommé d'une autre couleur pour l'oiseau.

Couper deux carrés de 8 cm de côté, tracer les pétales, et découper. Réunir les deux carrés de pétales par un point de colle à chaque extrémité. Découper deux fois l'oiseau dans le papier gommé et coller les deux faces l'une sur l'autre à l'exception des languettes, découper l'aile (deux fois) et en coller une de chaque côté de l'oiseau.

Coller l'oiseau à l'intérieur des pétales par les petites languettes. Suspendre en passant un fil, à l'aide d'une aiguille ou en le collant au sommet de la construction.

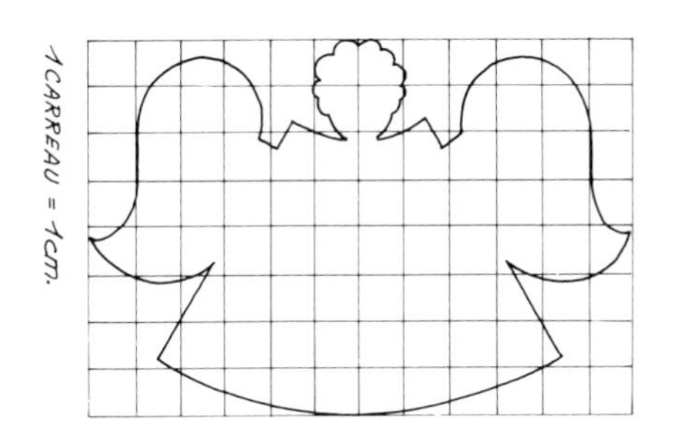

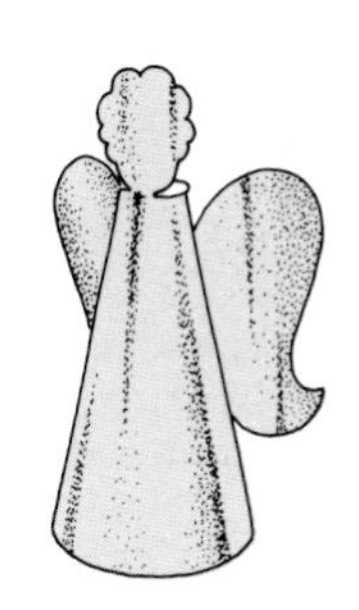

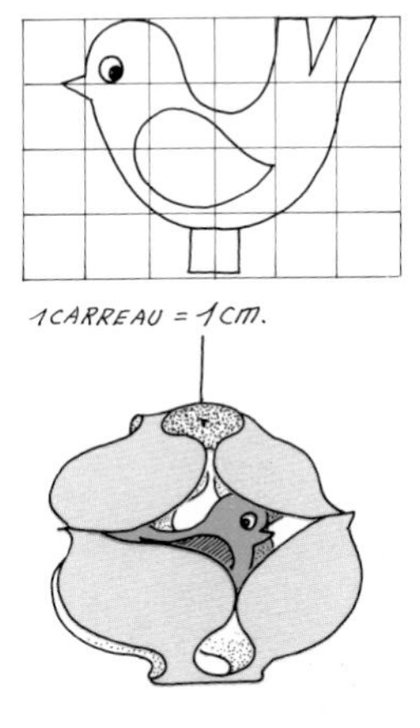

Les cornets décorés

Encore empruntés aux décorations danoises, ces cornets sont formés d'un quart de cercle enroulé sur lui-même, et décoré de dentelle de papier, de bolduc, de décalcomanies.

Les petites maisons

Bristol et papier gommé pour les décorations.
Gommettes, personnages ou animaux.

Sur le bristol, dessiner le contour de la maison, découper, et fermer en collant les dépassants. Découper dans le papier gommé les toits, portes, fenêtres, un arbre, et les coller sur la maison, ajouter selon l'inspiration des gommettes étoiles, animaux ou personnages.

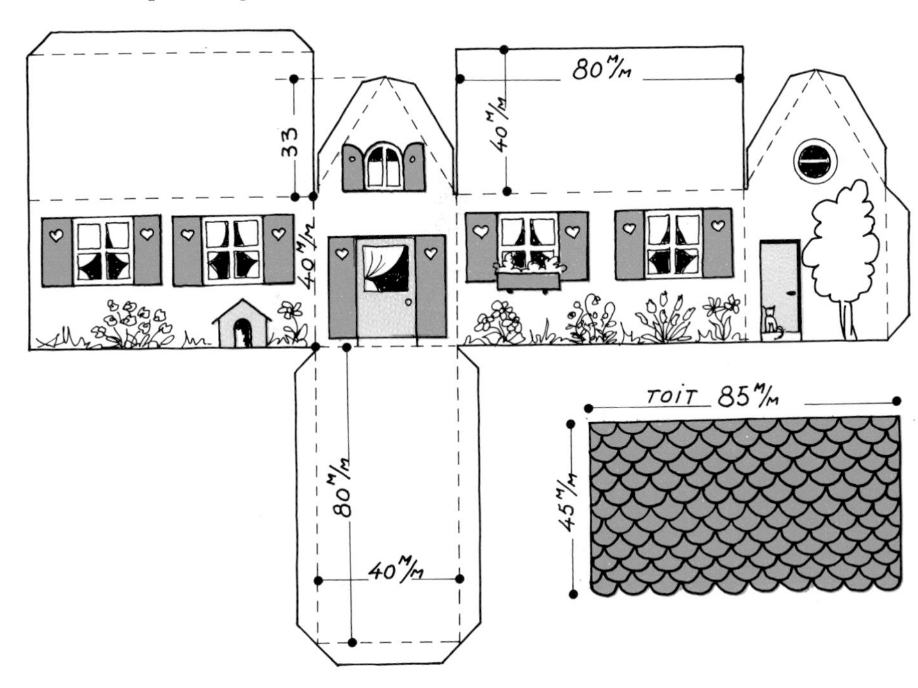

Les noix... que peut-on faire avec des noix ?

Parmi les premières décorations des arbres de Noël, il y avait les noix, passées à la peinture d'or, objets d'émerveillement et de convoitise, comme en témoigne ce petit conte de Schmidt : *« La veille de Noël, plusieurs enfants contemplaient l'arbre qu'on a coutume d'élever en ce jour ; les branches de cet arbre étaient ornées de bougies allumées, ainsi que de plusieurs objets de diverses couleurs. Des noix dorées attiraient particulièrement les regards du petit Pierre et il témoigna le désir de les avoir.*

— Ces noix-là sont pour l'ornement de l'arbre, lui dit sa mère ; ainsi nous voulons les y laisser suspendues. Tiens, en voilà d'autres.

Mais Pierre s'écria en pleurant :

— Je n'aime pas ces noix brunes, je veux des noix d'or. Celles-là doivent avoir des amandes bien meilleures.

La mère savait qu'on ne peut mieux punir les enfants capricieux qu'en les abandonnant à leur volonté insensée. En conséquence elle donna à Pierre les noix dorées et distribua les noix brunes à ses autres enfants.

La joie de Pierre ne fut pas de longue durée ; les noix dorées étaient toutes vides, et son désappointement excita la risée de ses frères et sœurs. Son père lui dit :

— Ces noix n'étaient destinées qu'à charmer les yeux. Après en avoir ôté l'amande, j'en avais récolté les coquilles et je les avais recouvertes d'un peu d'or faux. C'est ainsi que beaucoup de choses de ce monde ne brillent que d'un éclat extérieur, sans avoir aucune valeur réelle. Aussi, mes enfants :

« Ne vous attachez pas à la vaine apparence
Souvent un faux clinquant trompe notre espérance »...

Comme quoi les noix servent à tout, y compris aux leçons de morale !

Mais en ce qui nous concerne, transformons plutôt les noix en bateau, en panier à suspendre aux branches du sapin.

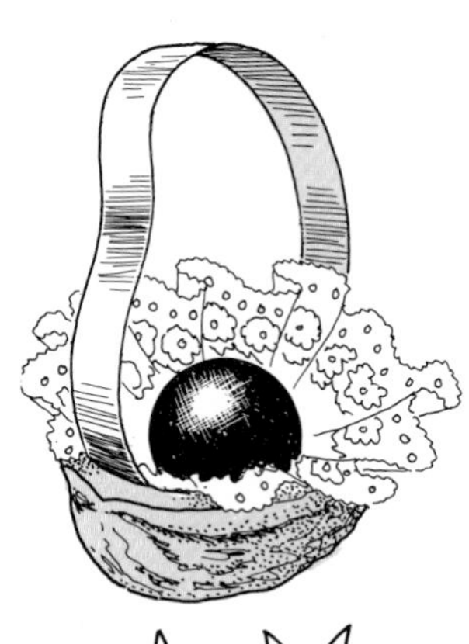

Les noix-bateaux

Choisir comme pour toutes les réalisations avec les noix, des fruits pas trop secs et de bonne taille.

Une noix pour deux bateaux, pâte à modeler, une allumette par bateau, du papier doré ou du papier gommé de couleur pour la voile. Peinture dorée ou rouge, vernis éventuellement.

Ouvrir la noix en introduisant une pointe de couteau entre les deux parties de la coquille, dans la partie opposée à la pointe. Vider les coquilles de la chair du fruit, délicatement. Passer la coquille au papier de verre. Découper la voile, effiler l'allumette et la colorer au choix, passer à la peinture la coque, la remplir de pâte à modeler, enfiler la voile sur l'allumette et enfoncer l'allumette dans la pâte à modeler. Attacher un fil au sommet de l'allumette pour accrocher au sapin.

Les noix-paniers

Choisir des noix et les préparer comme pour les bateaux. Passer la coque à la peinture. Enduire de colle universelle l'intérieur de la coque. Couper un bolduc ou un ruban et le coller à l'intérieur, il servira à faire l'anse et à suspendre. Puis découper une ou deux bandes de dentelles de papier, les plisser et coller leur base à l'intérieur de la coque, le reste formant collerette autour de la coquille ; garnir le panier d'une perle, ou d'un bonbon pastille, ou représentant un petit fruit : fraise, ou autre.

Les noix-surprises

Ouvrir une noix, la vider, la poncer et la peindre. Coller un ruban ou un bolduc autour de la noix reconstituée, en laissant une partie libre. Ouvrir à nouveau la noix, décorer l'intérieur de chaque coque en glissant un morceau de dentelle de papier par exemple, et ajouter un cadeau de lilliputien : par exemple, personnages de chemin de fer miniature ou minuscules poupons de caoutchouc.

Les anges

Perles de bois, couleur naturelle de 2 cm de diamètre, coton hydrophile, papier doré pour les ailes, chutes de tissu pour la robe, cordonnet d'attache.

Couper un rectangle de tissu de 7 cm sur 12, faire l'ourlet sur une longueur, y ajouter dentelle ou croquet. Fermer le rectangle sur la largeur. Relier sur 1,5 cm l'autre longueur et froncer avec le cordonnet assez long qui servira aussi d'attache. Passer le cordonnet à travers le trou de la perle.

Coller sur la perle du coton pour faire les cheveux de l'ange, découper deux ailes en papier doré et les coller au dos de la robe. Coller une paillette en forme d'étoile sur le front de l'ange.

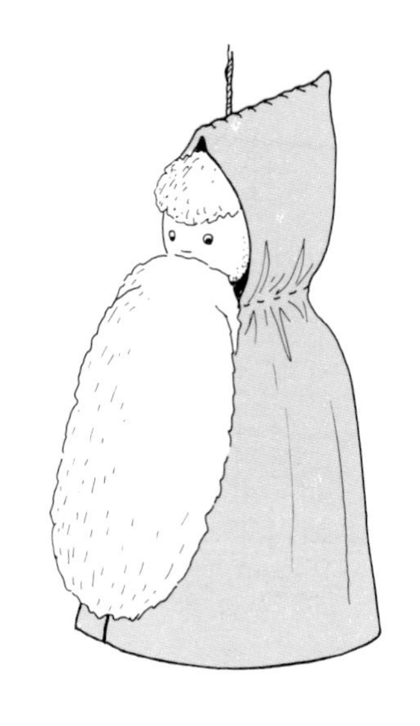

Les pères Noël

Chutes de feutrine rouge ou tissu rouge de bonne tenue, perles de bois naturel de 2 cm de diamètre, coton hydrophile, cordonnet.

Couper un rectangle de 9 cm sur 12, dans la feutrine rouge. Le plier en deux pour obtenir un rectangle de 6 cm sur 9, et coudre le haut du capuchon (c'est-à-dire les 6 cm). Coller la perle de bois à l'intérieur du capuchon. Puis avec un fil solide froncer la cape. Coller un peu de coton hydrophile au bas de la perle pour faire la barbe blanche. Passer un cordonnet au sommet du capuchon pour suspendre.

Avec de la paille

Les décorations de paille sont typiquement suédoises : sur les cartes de vœux, en couronne sur la table de Noël, en étoiles aux fenêtres ou sur l'arbre, elles sont partout. Mais pourquoi la paille ? Cette coutume remonte à l'époque pré-chrétienne, où la paille symbolisait la fécondité. Quand, au cœur de l'hiver, la nature entière semblait morte, les Suédois des temps païens pensaient s'assurer une bonne récolte pour l'année à venir en gardant dans les maisons des gerbes de paille. Une autre coutume voulait que, pour chasser les mauvais esprits qui rôdaient en cette période de l'année, on répande sur le sol de la cuisine de la paille fraîche qui avait été engrangée à cet effet. Et la nuit du solstice d'hiver, toute la famille dormait sur cette paille, laissant les lits aux morts qui, croyait-on, revenaient cette nuit-là sur terre. Le christianisme, comme bien souvent, a gardé cette coutume en se l'appropriant : la paille demeura en usage, mais comme rappel de celle de la Crèche... Et si la famille continuait de dormir sur un lit de paille la veille de Noël, c'était parce que l'enfant Jésus lui-même avait passé ses premiers jours sur la paille. Cette coutume disparut petit à petit, mais on continue d'apporter dans la maison de la paille fraîche, pour célébrer Noël. Et c'est cette tradition que perpétuent aujourd'hui les décorations de paille.

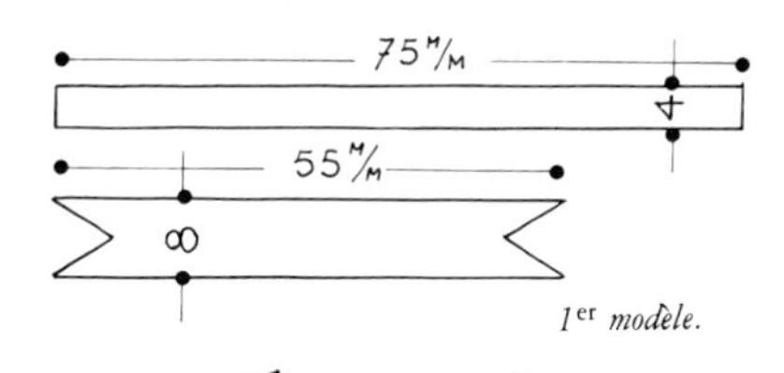

1er modèle.

Le travail de la paille

La paille, qui n'est pas facile à trouver dans les villes, peut alors s'acheter dans les magasins spécialisés dans les travaux manuels, ou activités d'ateliers. Avant de commencer à la travailler, la faire tremper pendant une heure dans de l'eau pour qu'elle devienne souple. Ensuite, ouvrir les brins de paille avec un couteau et les aplatir au fer. La couleur de la paille change, sous l'effet de la chaleur. Elle peut devenir brune si le fer est très chaud et lourd. Utiliser pour le repassage un support qui ne craint pas les taches.

Les étoiles de paille

1er modèle. Couper quatre brins de paille sur 5,5 cm de long et 8 mm de large et quatre sur 7,5 cm de long et 4 mm de large. Couper les extrémités de brins plus larges comme sur le schéma, et superposer les brins en les fixant avec un point de colle. Puis placer les brins plus longs sur cette première étoile, en les intercalant, et les fixer à la colle ou en passant un fil.

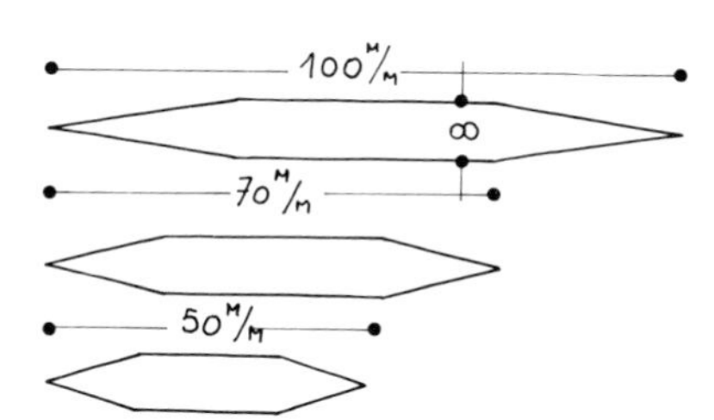

2e modèle.

2e modèle. Couper quatre brins de paille sur 10,7 cm et 5 cm de long. Placer les quatre brins les plus longs en croix et les maintenir par un point de colle ou en passant un fil. Couper au rasoir les extrémités en pointe. Procéder de même pour les deux autres séries de brins de paille, en les plaçant toujours en quinconce par rapport à la réalisation précédente.

A partir de ce schéma de réalisation, toutes les variantes sont possibles. Ajouter à l'arrière de l'étoile des brins plus fins et plus longs, couper les extrémités des brins de paille en pointe ou en creux, assembler des étoiles entre elles, etc.

Les décorations en tissu et broderies

La matière la plus facile à travailler pour les décorations de tissu est la feutrine. Il suffit de découper avec soin, de coller ou de coudre, et les couleurs franches de cette matière sont toujours du meilleur effet.

Ce type de décoration est fréquent aux États-Unis, et assez usité en Angleterre. En Suède et au Danemark, il s'agit plus souvent de canevas en forme de cercle, de losanges, brodés de couleurs vives et de fils d'or.

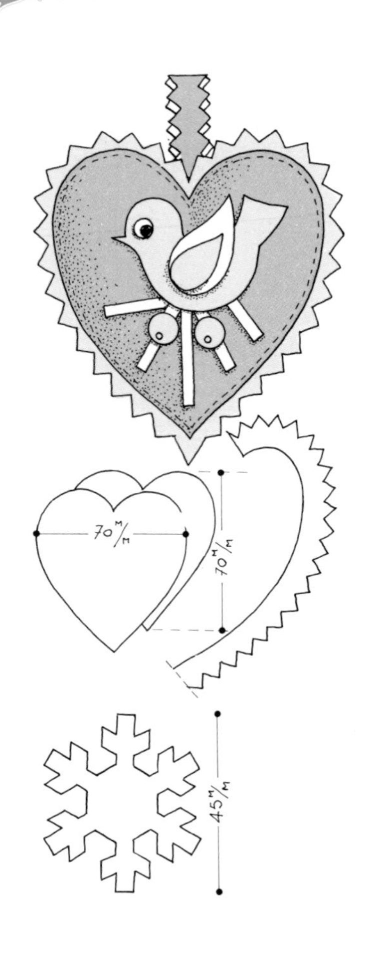

Les objets de feutrine : le cœur

Feutrine rouge, chutes de feutrine blanche et de différentes couleurs.

Coller le cœur en double dans la feutrine rouge. Couper dans la feutrine blanche une bande de 30 cm sur 1,5 cm. Découper aux ciseaux à cranter sur une longueur.

Intercaler cette bande blanche entre les deux épaisseurs de cœur. Coller. Avec une feutrine d'une autre couleur, découper un motif au choix, étoile, oiseau, ou fleur et la coller sur une des faces du cœur. Coller à l'arrière une bande reliée sur elle-même, qui servira d'attache.

On peut reprendre cette idée en donnant une forme de base différente : cercle, pour faire une sorte de médaillon, carré ou losange.

La botte du père Noël

En Angleterre ou aux États-Unis, pas de souliers dans la cheminée, mais de grandes bottes de tissu rouge accrochées au pied du lit, et en modèle réduit, des petites bottes rouges qui attendent aux branches du sapin.

Le principe de réalisation est le même que pour les cœurs : deux épaisseurs de feutrine rouge, cousues ou collées sur le bord, et des applications de feutrine d'autres couleurs pour former le revers de la botte, ou une couronne de petits cœurs ou de feuilles de houx ou d'étoiles.

Les canevas brodés

Dessiner sur le canevas un carré de 6 cm de côté, dessiner les diagonales, et broder chaque partie obtenue au point lancé de couleurs différentes. Broder un second carré, couper à 1 cm des bords, rabattre, et assembler les deux carrés au fil d'or et au point de surjet serré.

Plusieurs propositions de broderies :

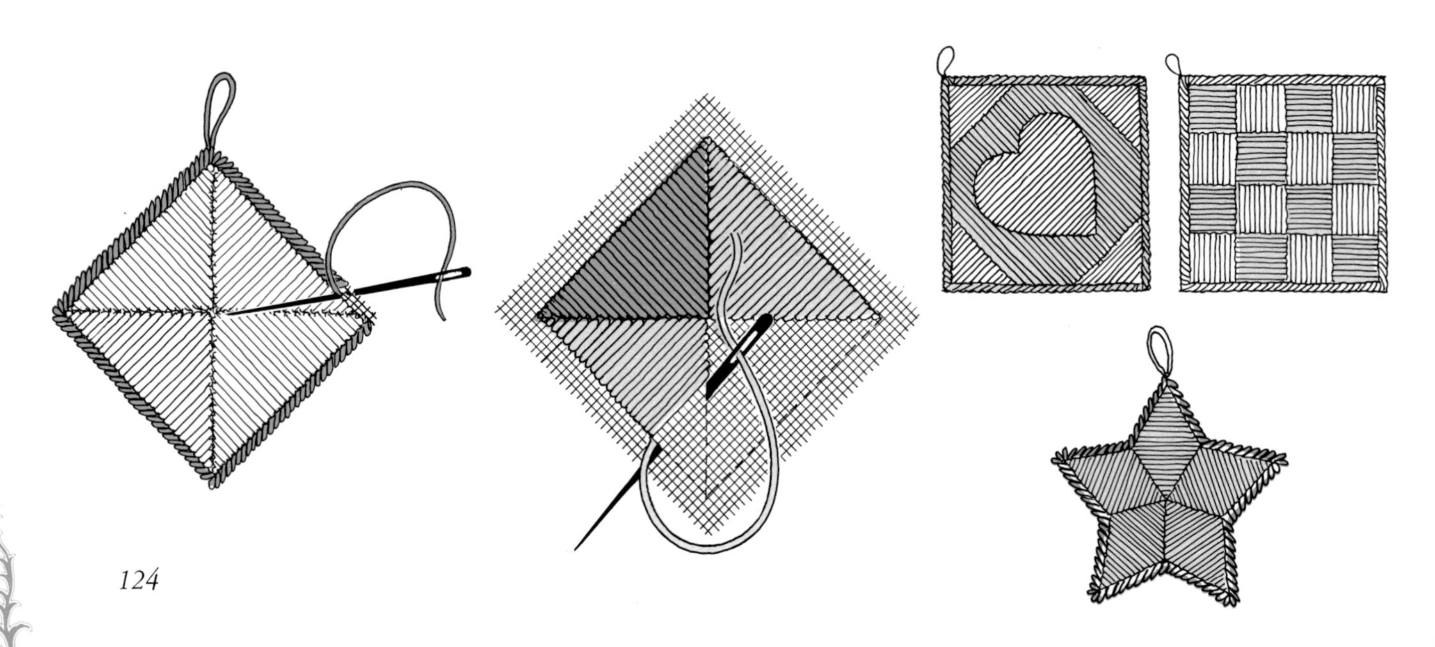

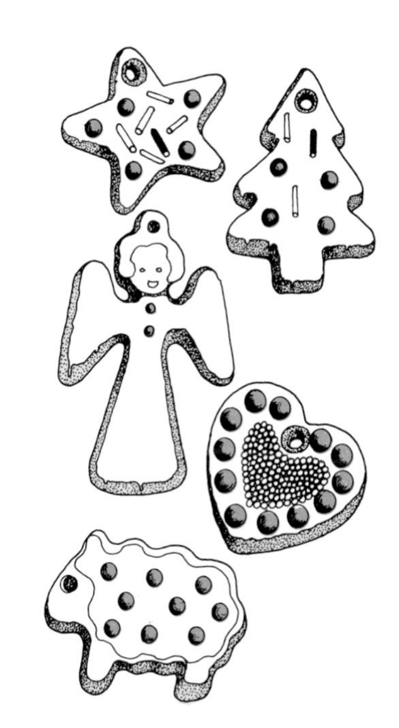

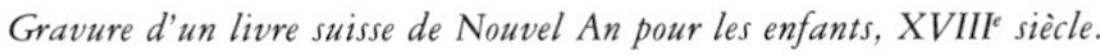

Gravure d'un livre suisse de Nouvel An pour les enfants, XVIIIe siècle.

La décoration en gâteaux : Les sujets en pâte sablée

En Allemagne et au Danemark, une des décorations traditionnelles consiste à suspendre, par des rubans rouges, des petits gâteaux de pâte sablée en forme d'anges, d'étoiles ou d'animaux, ou des pains d'épice agrémentés de dessins au sucre ou de chromos aux branches du sapin. Au fil des jours, certains disparaissent, grignotés par des souris anonymes...

Anges, étoiles ou sapins en pâte sablée.
Pour 8 à 10 sujets :

200 g de beurre
400 g de sucre en poudre
2 œufs
2 cuillerées à soupe de crème fraîche
1 cuillerée à café de sel
2 cuillerées à café de vanille
600 g de farine
2 paquets de levure chimique.

Mélanger dans l'ordre : le beurre mou, le sucre, les œufs, la crème fraîche, le sel, la vanille, presque toute la farine et la levure. En faire deux boules, et mettre au frais toute une nuit.

Le lendemain, chauffer le four à l'avance, thermostat 7/8. Étaler la pâte sur une surface farinée, jusqu'à ce qu'elle atteigne une épaisseur de 0,5 cm. Découper les gâteaux avec les formes, dessinées dans du carton fort, comme modèle, ou avec des formes achetées toutes faites. Faire un trou au sommet de chaque gâteau pour pouvoir y passer un ruban. Mettre les gâteaux au four sur une plaque non beurrée, et attendre qu'ils aient pris une belle couleur dorée. Laisser refroidir.

Glaçage des sujets

2 blancs d'œufs
200 g de sucre glace
colorants alimentaires
perles en sucre vermicelles de chocolat au choix.

Battre les blancs en neige et ajouter le sucre glace. Faire plusieurs bols avec cette préparation, et ajouter dans chacun le colorant alimentaire goutte à goutte pour obtenir la couleur désirée. Peindre les gâteaux au pinceau. Parsemer de décorations et laisser sécher.

Le pain d'épices

500 g de farine
300 g d'eau
250 g de miel
250 g de sucre
50 g de rhum
12 g de bicarbonate de soude
5 g d'anis vert en poudre
2 g de cannelle
1 g de sel

Connu depuis la plus haute Antiquité, son invention a dû suivre de près celle du pain. De l'Orient où il était en faveur, il passa en Europe. Il figurait chez les Grecs au dessert, et les Romains en faisaient des offrandes aux dieux. Dans les pays germaniques, il est inséparable des fêtes de Noël. En France, au Moyen Age, il était servi aux dîners de la cour, et le plus renommé était celui de Reims. Sous Louis XIV, entraient dans sa composition de la farine de seigle, du miel, de la mélasse, de l'anis, du girofle et de la cannelle.

Les recettes de pain d'épices sont nombreuses. En voici une pour obtenir un pain d'épices assez ferme. (Pour obtenir un pain d'épices moins ferme, il suffit de diminuer la quantité de farine et d'augmenter celle de l'eau.)

Faire dissoudre dans l'eau bouillante le sucre, le miel, le bicarbonate de soude et le sel, ajouter le rhum, l'anis et la cannelle. Délayer la farine avec ce mélange, de façon à obtenir une pâte homogène sans grumeaux. Beurrer copieusement le moule ou les petits moules, verser la pâte : mettre d'abord à four très chaud, puis continuer la cuisson à feu modéré. Une heure de cuisson suffit pour un grand moule, trente à quarante minutes pour des moules plus petits. Les variantes sont nombreuses : on peut introduire dans la composition du pain d'épices des amandes,

des pistaches, grillées ou non, de la coriandre, de la badiane, des fruits confits, de l'écorce confite d'orange ou de citron, de l'angélique confite, des raisins secs...

Une fois sortis des moules, poser les pains d'épices sur des napperons de papier découpé, et coller au miel des chromos représentant anges, pères Noël, ou saint Nicolas. Coller à l'arrière un morceau de bolduc pour suspendre.

Petits gâteaux à la cannelle

Pour une trentaine de gâteaux :

1 kg de sucre
3 dl d'eau
1/2 dl de miel d'acacia
2 cuillerées à soupe rases de cannelle
1 cuillerée et demie à dessert de girofle en poudre
2 cuillerées à dessert de gingembre en poudre
500 g de beurre
2 cuillerées à dessert de bicarbonate
2 cuillerées à dessert de cognac
2,5 kg de farine.

Dans une casserole, mélanger sucre, eau, miel, épices : cannelle, girofle, gingembre ; faire chauffer doucement, ajouter le beurre, battre le mélange qui doit être homogène, retirer du feu, et continuer à agiter jusqu'à ce que le mélange soit froid, pour éviter la formation de peaux.

Faire fondre le bicarbonate dans un peu d'eau, ajouter le cognac et la farine. Mélanger avec l'autre préparation et laisser reposer une nuit. Étaler ensuite la pâte au rouleau sur 1 cm d'épaisseur. Découper avec des emporte-pièces de formes différentes, oiseau, personnage, cœur, etc., et préparer sur chaque gâteau un trou pour passer un ruban qui servira à accrocher sur l'arbre. Faire cuire à four chaud (8 au thermostat). Retirer lorsque les gâteaux sont dorés.

On peut décorer au sucre glace les gâteaux obtenus, mais les couleurs de la pâte et du ruban rouge sont d'un effet très joli.

Quelques idées d'ensemble

Un sapin anglais

Boules et guirlandes peut-être, mais surtout, suspendues à l'arbre, des pièces d'argent : elles apporteront la prospérité pour toute l'année. Des sachets de pièces en chocolat enveloppées de papier d'argent feront très bien l'affaire. Les jouets sont groupés au pied de l'arbre, ou dans des bottes rouges de Père Noël. Friandises et « crackers » se mêlent aux jouets. Les crackers sont des papillottes qui enferment des petits jouets, des accessoires de cotillon et surtout des pétards qui éclatent quand on ouvre la papillotte. Et surtout, sur la table, sur l'arbre, sur les cadeaux, on pose des nœuds de rubans.

La dernière des traditions est de faire offrir par le Père Noël à chacun des enfants un oiseau, un rouge-gorge pour être plus exact : en 1860, les facteurs portent un costume à col rouge, assorti aux boîtes à lettres ; ils ont donc pris ce surnom de rouge-gorge, associé à celui de messager des vœux, messager du bonheur.

Les crackers se trouvent dans les librairies anglaises ou les boutiques de farces et attrapes.

Voici un modèle de ruban, que l'on fixe sur l'arbre avec un trombone ouvert :

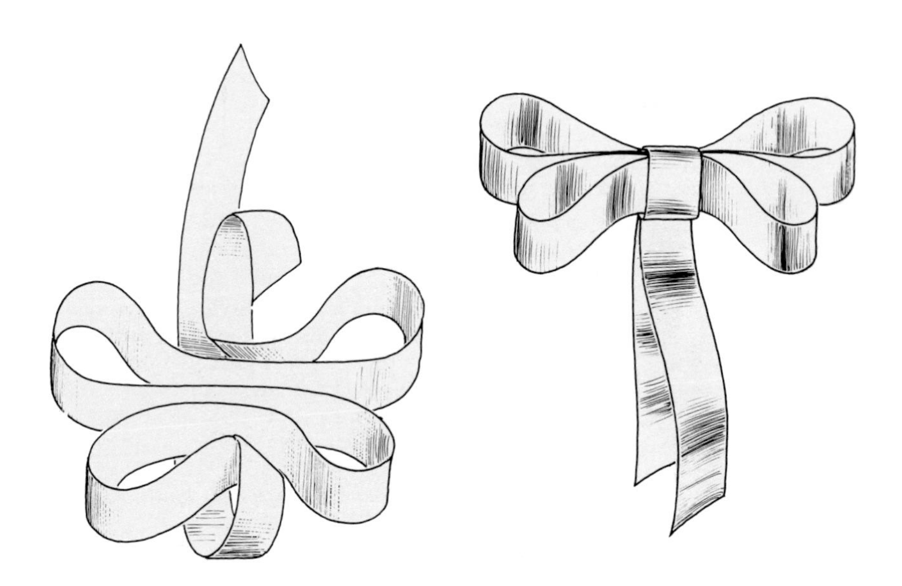

Les nœuds de ruban. Compter 75 cm à 1 m de ruban par nœud. Faire une marque au milieu du ruban. A gauche compter deux fois 12,5 cm et marquer par des épingles, à droite deux fois 10 cm, marquer également par des épingles. Plier en accordéon en suivant les épingles. Avec le plus grand pan entourer le milieu du nœud. Serrer et maintenir par un point au fil rouge.

Un sapin à l'ancienne

Accrocher au sapin bonbons en papillottes, jouets sortis du coffre de la chambre des enfants, guirlandes et roses de papier, petits drapeaux, pommes de pin, noix et bougies. Pour les noix, les peindre en argent ou en doré, et visser un petit crochet fermé sur la partie opposée à la pointe, passer le ruban dans le crochet.

Des boules de Noël en robes de fête. Boules à rubans de bolduc
Friser à l'aide d'une lame de couteau le bolduc, en faire des guirlandes et les nouer aux attaches des boules et des bougies.

Boules dans une corolle de dentelle. Avec des napperons de papier dentelle ronds. Glisser l'attache de la boule au centre du napperon, et froncer, avec un fil de fer fin.

Précautions pour les boules et guirlandes

Pour bien accrocher les boules au sapin : retirer la pince métallique du col de verre, l'ouvrir plus largement et la remettre en place. Ajouter à l'anneau déjà existant une dizaine de centimètres de fil de fer fin, dont on enroule les extrémités libres autour des branches de sapin.

On conservera les boules et les guirlandes dans l'obscurité, et l'on protégera les guirlandes avec du papier de soie noir.

L'homme sapin.

L'emballage des cadeaux

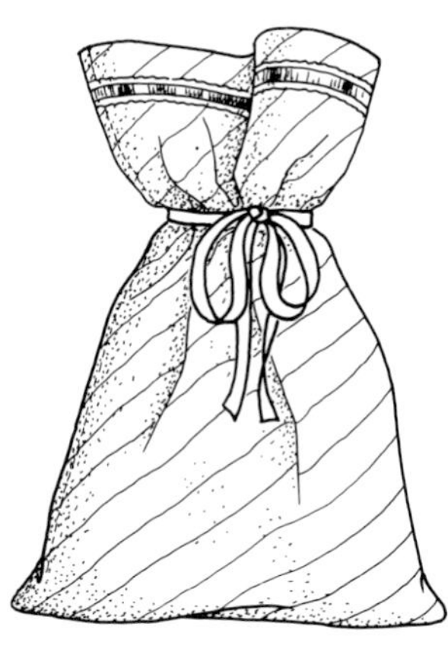

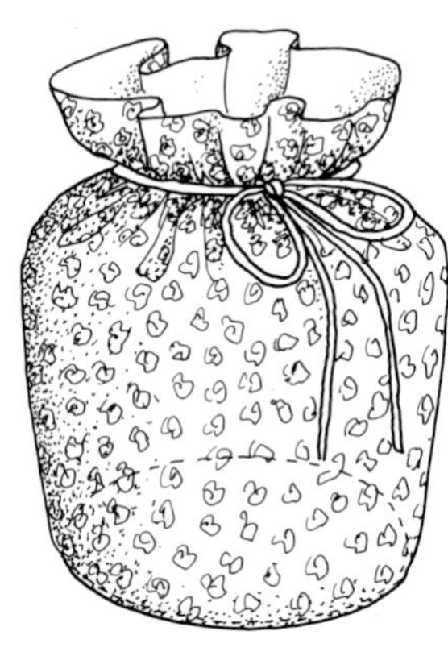

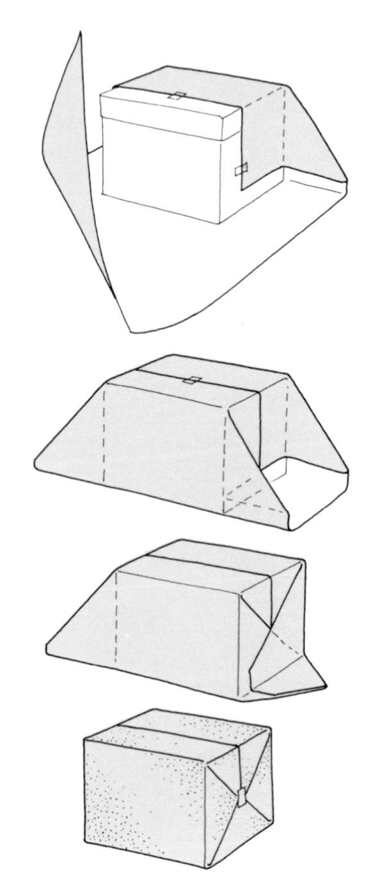

Un « cadeau », selon la définition du *Petit Robert,* était au XVIIe siècle « une enjolivure, un divertissement offert à une dame » avant de devenir un objet que l'on offre à quelqu'un.

Le paquet est devenu l'enjolivure, reprenant le sens initial du cadeau, et les papiers rivalisent de séduction : or, argent, dessins évocateurs, les bolducs s'épanouissent en nœuds, en fleurs, et le lendemain les corbeilles débordent de papiers froissés ! Quel gâchis, quel dommage !

Pourquoi ne pas réaliser comme emballage de cadeaux un sachet, ou une boîte tapissée de tissu, ou une aumônière de tissu fleuri qui trouvera son usage par la suite.

Les sachets de papier

Matériel : papier fort, colle, et une forme qui sert de patron à la taille du cadeau envisagé : livre, morceau de bois, boîte à chaussure, ou carton de lait...

Couper le papier de façon à pouvoir entourer la forme modèle ; puis avec les doigts, bien marquer les plis de côtés. Coller les deux côtés du papier, sur la longueur du sachet. Faire les plis de la base du sachet et les coller. Sortir la forme du sachet, marquer fermement les plis du sachet en commençant par le haut puis rabattre la base du sachet vers le haut.

Quelques suggestions de papier : papier kraft sur lequel on pose des pochoirs : étoiles de tailles différentes, sapins, père Noël, puis on vaporise de la peinture en bombe.

Sachets de papier blanc sur lesquels on colle des chromos ou des décalcomanies.

Les sacs de tissu

Matériel : coupons de tissu, ciseaux à cranter, rubans.

Couper des rectangles de tissu correspondant à la taille des objets à offrir, les plier et coudre la base et un côté. Couper le haut du sac aux ciseaux à cranter, ou faire un ourlet, fixer le ruban d'attache sur un côté.

Pour les sacs cylindriques : couper une base ronde à la dimension souhaitée, et un rectangle dont un côté correspond à la circonférence du cercle de base (la longueur de la circonférence est égale au produit du diamètre par 3,1416 !), l'autre côté sera fonction de l'objet. Fermer le rectangle, puis fixer le cylindre sur le cercle de base. Retourner et fixer le ruban d'attache sur le côté.

Les boîtes cadeaux

Matériel : boîtes de diverses tailles : boîtes à chaussures, boîtes à gants, etc. Tissus ou papier reliure, ou papier décor. Colle pour tissu, cutter ou lame de rasoir.

L'opération n'est pas difficile en elle-même mais demande temps et minutie. Bien prendre les mesures de la boîte, les reporter sur le tissu ou le papier et ajouter comme sur le schéma 1 ou 2 cm de plus pour les rabats. Appliquer la colle sur les surfaces à couvrir de la boîte, en commençant par le fond. Appliquer la colle uniformément, sans excès, pour que le tissu ne soit pas taché (choisir un tissu qui ne soit pas trop fin). Coller le tissu sur le fond de la boîte, puis sur les côtés un à un. Terminer en rabattant à l'intérieur. Couper le tissu qui sera rabattu aux ciseaux à cranter, pour une plus jolie finition.

Pour les débutants dans l'art du paquet
Le paquet carré ou rectangulaire

Découper un papier dont la longueur est égale à la somme de la longueur des quatre faces, plus 6 cm, et la largeur à la somme de la longueur du paquet et de 2 fois celle de l'épaisseur du paquet.

Placer le paquet au centre du papier. Marquer par un pli le bas du paquet et rabattre le papier sur le haut du paquet, en marquant nettement les pliures, fixer avec du papier autocollant. Rabattre la seconde moitié du papier de la même façon, fixer au papier autocollant. Bien marquer les pliures. Plier le papier sur les côtés du paquet, en triangle. Rabattre les triangles obtenus et les fixer au papier autocollant.

Un paquet en forme de cornet-surprise

Pour les objets de forme irrégulière.

Prendre un carré de papier canson ou de carton souple, le rouler sur lui-même à partir d'un angle, et coller le cornet au papier autocollant. Arrondir le sommet du cornet en coupant l'angle qui reste. Remplir le cornet et le recouvrir de papier en procédant de la même façon, mais ne pas couper le papier qui dépasse ; le replier et le coller pour fermer le paquet. Achever la fermeture avec une grosse pastille de papier gommé portant par exemple le nom du destinataire.

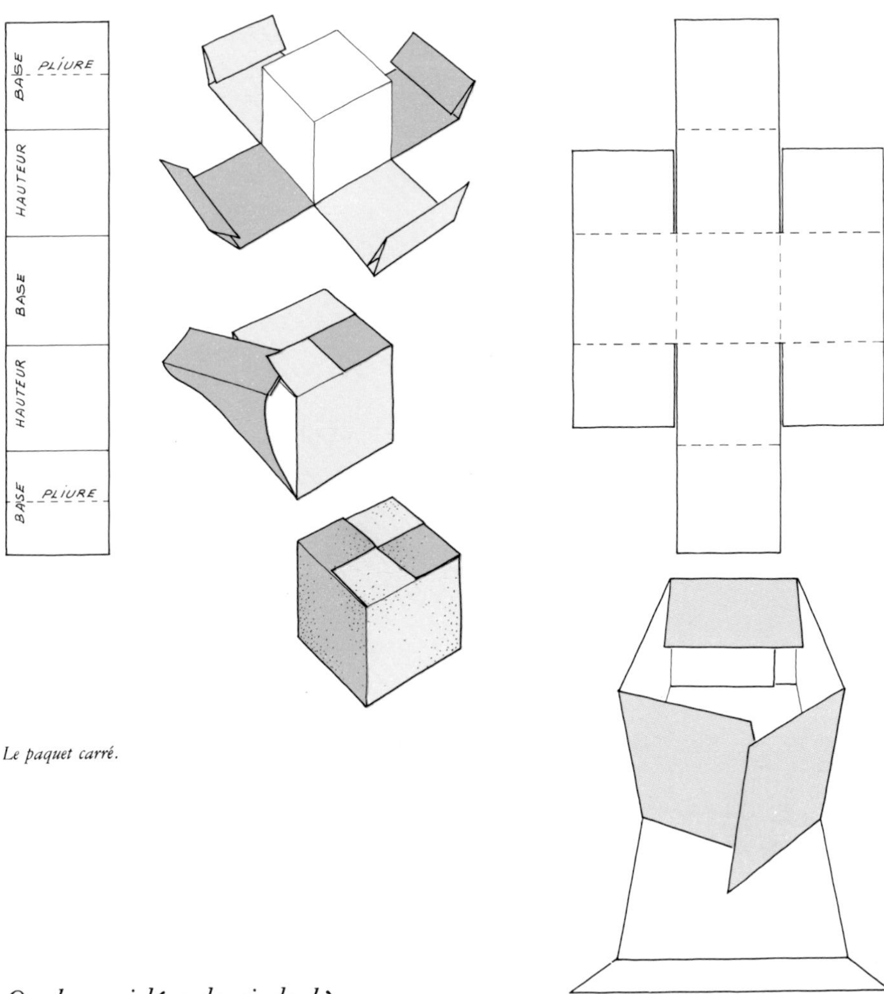

Le paquet carré.

Quelques idées de-ci de-là

Les paquets-cadeaux

L'emballage est lui-même un cadeau : foulard utilisé comme papier d'emballage, petit panier d'osier qui contient la surprise, torchon de cuisine qui masque le cadeau utile ou tout à fait sophistiqué, rubans à l'ancienne ou galons qui deviendront parure...

Les paquets-surprise

La tradition du genre étant bien sûr le tout petit paquet offert dans une immense boîte, mais les variations sont infinies : paquet carré pour objet rond, plateau par exemple, ce qui simplifie le pliage du papier de toute autre façon. Paquet papillotte pour les cadeaux de linge : enrouler le pullover, ou le foulard dans une chemise de carton souple, puis dans un papier-cadeau en laissant dépasser à chaque extrémité assez de papier pour faire une papillotte, nouer avec un joli ruban et découper les extrémités aux ciseaux à cranter.

Les paquets-décor

Choisir une unité de couleur, rouge ou or, emballer les cadeaux, et décorer d'un objet de la même couleur, feuilles de houx ou fruits passés à la bombe de peinture or par exemple, ou bolduc de la même couleur que l'on fait friser en les faisant glisser sur une lame de couteau ou de ciseaux ; en faire une fleur et la coller sur le sommet du paquet.

Les paquets-fleurs
Choisir des feuilles de papier de soie ou de papier crépon de couleurs différentes, les découper aux ciseaux à cranter, les superposer, placer l'objet à couvrir au milieu, et fermer feuille par feuille, de façon à ce que les couleurs apparaissent, et forment une corolle.

Les paquets-pliages
En reprenant les techniques de l'origami, réaliser des paquets de couleur, en papier à dessin assez rigide ou en bristol.

Le pliage en carré : fabriquer la boîte centrale dans du carton mince, replier vers l'intérieur et sans colle. Pour fermer la boîte, couper deux rectangles de couleurs différentes dans un carton ou bristol ; la largeur du rectangle est égale à l'un des côtés de la boîte de base, l'autre côté du rectangle est égal à la somme du côté de la boîte de base, plus quatre fois la hauteur de la boîte ; placer les deux rectangles en croix, poser la boîte sur les deux rectangles et fermer en quinconce.

La table

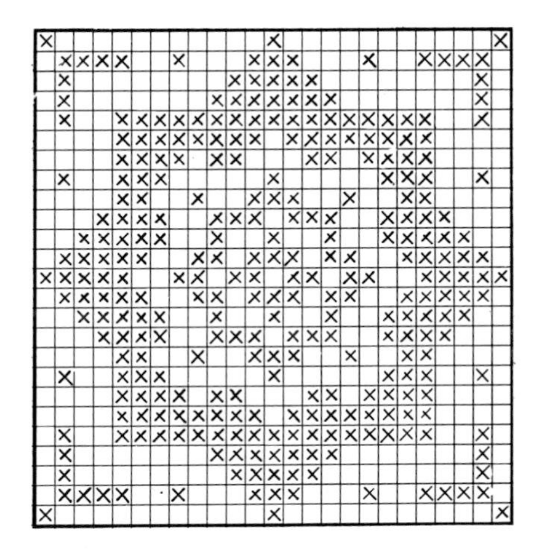

Dans *Explication des usages et coutumes des Marseillais,* Mgr Marchetti décrit l'ordonnancement de la table en 1683 : *« Pour nous, nous en mettons trois (nappes), parce qu'ayant été consacrés par le baptême à la Trinité, non contents de faire toutes choses en son nom et en son honneur, nous tâchons autant que nous pouvons, d'en conserver toujours quelques vestiges et quelques traces en nos actions. Le soir de Noël nous mettons sur ces nappes treize pains, dont l'un, qu'on appelle le pain de Notre-Seigneur, est beaucoup plus gros que tous les autres, qui nous représentent les douze apôtres. Le pain qui représente Notre-Seigneur et qui est extraordinairement gros est coupé en trois parts, pour représenter sa personne, et ses deux natures, la divine et l'humaine, il est distribué et donné aux pauvres, en mémoire de sa mission en ce monde. »*

Force nous est de constater que la table de Noël a cessé d'être la représentation du mystère de la Trinité. Néanmoins cette table est unique, en ce qu'elle réunit des êtres proches, et annonce, pour les enfants, la messe de minuit ou le mystère du Père Noël... À défaut de superposer trois nappes blanches de plus en plus petites sur la table, pourquoi ne pas réaliser, si cela est possible, la nappe de Noël, qui deviendra, avec les années, aussi symbolique que les guirlandes, les boules de verre et le sapin.

La nappe brodée

Première proposition. Certes, il faut commencer à la broder au cours de l'été ; mais voici quelques motifs à associer ou à exécuter séparément.

Deuxième proposition. Acheter un métrage de piqué de coton façonné, à dessin de fleurs ou d'étoiles, et broder sur les motifs façonnés, en prenant les couleurs de Noël : rouge et vert par exemple.

Troisième proposition : la peinture sur tissu. Matériel : une nappe blanche, une grande feuille de bristol, un cutter ou des ciseaux très effilés pour découper les pochoirs, de la peinture pour tissu, autant de brosses que de couleurs choisies, du papier de soie.

Laver le tissu pour enlever l'apprêt. Reporter le motif choisi sur la feuille de bristol. Découper l'intérieur des motifs. Tendre le tissu sur une surface plane. Préparer la peinture selon le mode d'emploi. Délimiter sur la nappe l'emplacement du motif. Poser la feuille de bristol évidée, la fixer en place et bien la maintenir. Étaler avec une brosse la couleur souhaitée. Soulever rapidement le pochoir quand la peinture est mise. Passer à l'impression suivante, mais bien sécher le pochoir pour éviter des traînées de couleur.

Lorsque toutes les impressions sont réalisées, fixer la peinture en posant sur le motif une feuille de papier de soie et repasser au fer tiède. La nappe pourra alors être lavée sans problème.

Quatrième proposition. Sur une nappe blanche, piquer à la machine des rubans lavables rouges et verts, pour marquer le tour de la table, ou au contraire le tour de la nappe. Les rubans peuvent aussi être fixés de part en part pour ne rester qu'un soir.

Cinquième proposition. Sur une nappe en papier, coller des étoiles ou des sapins ou des feuilles de houx en reprenant les motifs de broderies par exemple, les découper dans du papier gommé et les coller.

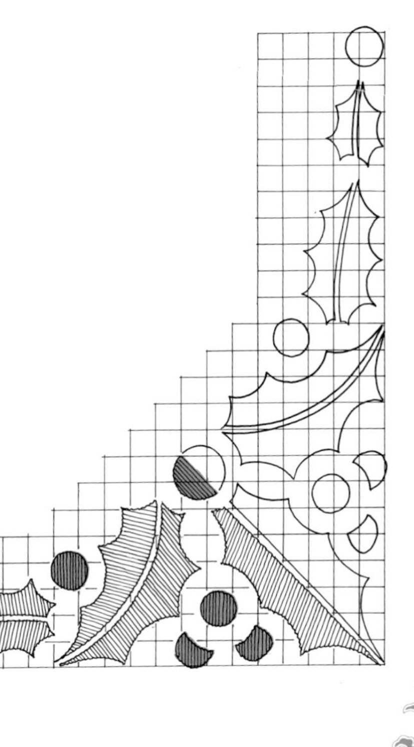

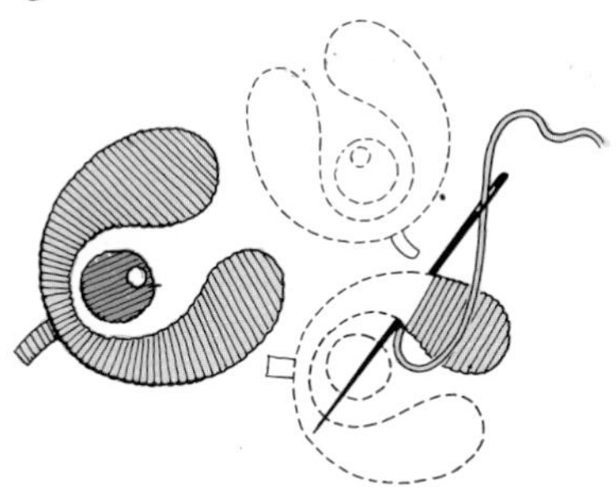

Les sets de table découpés

En papier de couleur ou en papier doré, les sets découpés donneront à une nappe unie un air de fête.

L'étoile des neiges. Plier une feuille de papier métallisé ou de couleur en 4. Reproduire le motif et découper.

Le set rond. Plier une feuille de papier métallisé ou de couleur en 8. Reproduire les contours à découper, les découper avec des ciseaux très aigus, et ouvrir.

Le set carré. Plier un carré de papier en 8, reproduire le schéma, découper.

Tous ces sets peuvent être collés sur une nappe de papier.

Le centre de table

Bougies, boules de Noël, branches de sapin, ou bouquets de houx, tout dépendra de la taille de la table. Un des principes de base est de garder une unité de décoration, entre sapin, pièce et nappe.
Corbeille illuminée : Une corbeille d'osier assez plate, remplie de mousse à fleurs ou de pâte à modeler ; y piquer des bougies en bouquets, des branches de sapin ou de houx, quelques rubans ou des friselis de bolduc, des personnages de décoration de bûche de Noël par exemple (voir la rubrique *bougies* p. 000).
Surtout de table aux bougies. Prendre un dessous de table de raphia tressé ou de bois. Y piquer des clous sur lesquels les bougies seront enfoncées. Disposer les bougies en forme de couronne. Placer à la base des bougies des boules de Noël, et entourer de branchettes de sapin.

On peut réaliser un surtout assez proche, mais sans bougies : faire un bouquet de branches de sapin, l'aplatir un peu, et piquer au milieu du bouquet des ornements d'arbre de Noël, bouquet de boules, guirlandes, etc.

Avec une branche de bois mort, ramassée dans la forêt... La peindre en vert foncé ou en doré, et fixer avec un fil de fer fin à chaque irrégularité de la branche, ou à chaque début d'un rameau, des pommes de pin passées à la bombe de peinture dorée, ou quelques feuilles de houx, ou des roses en pain azyme ou en papier, ou des nœuds de bolduc frisé au couteau.

La vaisselle

« Alors Grand-Mère sortait le service des jours de fête, les grandes, les petites, les creuses. Les assiettes de porcelaine blanche cerclée d'or se dressaient en pyramides, les verres de cristal gravé protégés à l'arrière, à l'écart des mouvements d'enthousiasme trop grands. » A défaut de porcelaine blanche, voici quelques suggestions pour métamorphoser des assiettes de verre trempé incolores (Duralex) en assiettes de fête.

La peinture à l'émail à froid. Les assiettes plumetis

Assiettes de verre trempé incolores, peinture à l'émail à froid (Pébéo en vente chez les marchands de couleur) blanche, et un colorant à mélanger si l'on veut obtenir une autre couleur. Laver soigneusement les objets de verre (assiette, verre, etc.) et les essuyer. Pour faire les points de plumetis, tremper un coton tige dans la peinture à l'émail et appliquer sur le verre. Pour dessiner le tour de l'assiette, utiliser un pinceau fin. Si vous avez la main très sûre, vous pouvez vous risquer à écrire sur le tour de l'assiette : Joyeux Noël...

S'il y a quelques débordements, attendre que l'émail soit sec et gratter.

Les assiettes au pochoir

Assiettes en verre incolore, papier gommé, bombe de peinture dorée ou de la couleur souhaitée.
Le papier gommé découpé servira de pochoir. Tout le travail se fait sur l'envers de l'assiette, impérativement. Choisir un motif, le reporter autant de fois que nécessaire sur le papier gommé, et les coller sur le tour de l'assiette. Masquer également de papier gommé le fond de l'assiette pour ne colorer que le tour. Poser l'assiette à plat, sur l'envers, sur un papier journal pour protéger la table. Pulvériser la peinture en une seule couche bien uniforme et pas trop épaisse. Laisser sécher une nuit et décoller les motifs de papier gommé.
L'assiette peut être ensuite lavée à la main, avec un produit de vaisselle doux et une éponge simple.

Les marque-place

Père Noël, sujets de ribambelle, voici toute une série de découpages à confier aux enfants pendant que la dinde est au four, et que les grands s'activent à la cuisine.

Le sapin

Papier canson, paillettes, peintures, gommettes, au choix. Reporter deux fois le schéma du sapin sur le papier, découper les contours, puis ouvrir un sapin à sa partie supérieure en suivant la ligne du milieu, et l'autre sur la même ligne à sa partie inférieure. Emboîter les deux arbres perpendiculairement. Le sapin doit tenir debout ; décorer à volonté.

Les marque-place cadeaux

Une idée toute bête : *les fleurs ;* n'importe lesquelles, par exemple les jacinthes qui sont inséparables des tables de Noël suédoises, comme signe du printemps à venir.

Prévoir 1 mois et demi à l'avance, acheter des oignons et les mettre dans un pot vernissé ou brut. Remplir avec un mélange de 50 % de terre de jardin, 25 % de terreau et 25 % de sable. Planter les bulbes en les laissant dépasser de la terre d'un centimètre environ, puis placer les pots dans un endroit frais et pas trop éclairé, pour que les racines s'enfoncent bien dans la terre. Arroser régulièrement. Les pousses ne tarderont pas à apparaître. Quand elles auront 7 à 8 cm, placer les pots dans une pièce bien chauffée, mais dans un coin peu éclairé. Quand les fleurs sont épanouies, continuer à arroser et mettre dans un endroit frais pendant la nuit. Le soir de Noël, entourer la tige de la jacinthe d'un ruban, et piquer sur le ruban une étiquette décorée portant le nom.

Les boules de Noël. Choisir pour chaque personne une boule de couleur, marquer avec des lettres autocollantes le nom, nouer une faveur à l'attache de la boule, et placer dans l'assiette.

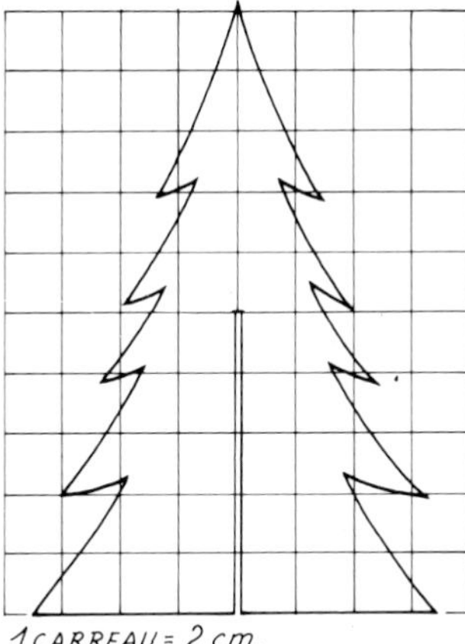

1 CARREAU = 2 cm.

Les « pomanders » ou oranges piquées de clous de girofle

Placées dans les armoires elles parfumeront le linge par la suite.

Piquer des oranges de clous de girofle, sur toute la surface si vous avez le temps ou en formant des dessins géométriques, entourer de rubans de satin ou de bolduc, et placer dans l'assiette.

Le bouquet gourmand

Pâte d'amandes de couleur, dragées, pastilles dorées. Faire un socle avec la pâte d'amandes, piquer les dragées dans la pâte en leur donnant la forme de fleurs, ajouter les pastilles dorées au centre, et terminer par un nœud de ruban ou de tulle.

Les marque-place à croquer

Acheter ou faire (voir recette dans la décoration du sapin) des pains d'épices ou des gâteaux sablés en forme de personnages, coller une image de Noël et placer devant chaque assiette.

Une fois assis devant toutes ces merveilles, il ne reste plus qu'à savourer ensemble le repas de fête.

La pièce

Bouquets de gui, branches de houx, guirlandes et bougies, la pièce témoigne elle aussi de l'approche de la fête. Et nous ne faisons jamais que renouer avec des rites très anciens : À Rome, les jeunes mariés étaient honorés avec des couronnes de houx, et c'est également avec du houx que l'on décorait les maisons à l'époque des Saturnales de décembre. Pour les premiers chrétiens du nord de l'Europe, le houx était le symbole du buisson ardent de Moïse. Les piquants de la plante et ses baies rouges ressemblaient à des gouttes de sang, et rappelaient aux fidèles que l'Enfant Divin serait appelé plus tard à porter une couronne d'épines. Puis le houx est devenu également le symbole de Noël pour des raisons analogues au sapin ; au cœur de l'hiver ses feuilles brillent d'un vert dense et ses baies éclatent de couleur.

En Angleterre, au Moyen Age, le houx passait pour protéger des maléfices : la nuit de Noël, les femmes non mariées attachaient à leur lit une branche de houx, de peur d'être changées en sorcières par l'Esprit du Mal au cours de l'année à venir. Dans le comté de Rutland, aujourd'hui encore, le houx est un porte-bonheur ; mais attention, s'il est introduit dans la maison avant le 23 décembre, il peut porter malheur...

En Allemagne, on rapportait précieusement à la maison les branches de houx qui avaient servi de décoration à l'église, et on les conservait en leur prêtant le pouvoir d'écarter la foudre. Comme quoi religion et superstitions peuvent parfois faire bon ménage...

Quant au gui, c'était également une plante sacrée bien avant le christianisme. Les druides, et eux seuls, pouvaient le cueillir, et ils l'appelaient, d'après Pline, « d'un nom qui signifie celui qui guérit tout » : la maladie, la stérilité. On lui attribuait même le pouvoir d'immuniser contre le poison, et de protéger contre la sorcellerie. « En fait, conclut F. Weiser dans *Fêtes et coutumes chrétiennes,* le gui était considéré comme une chose si sacrée que même des ennemis auxquels il arrivait de se rencontrer sous le gui dans la forêt, déposaient leurs armes, échangeaient un salut amical, et observaient une trêve jusqu'au lendemain. » De là la coutume de suspendre au-dessus des portes des branches de gui, en signe de bienveillance et de paix envers les hôtes. Un baiser sous le gui était un gage d'amour et une promesse de mariage, avant de devenir pour nous un signe d'amitié.

Suspendons au-dessus de nos portes ces bouquets verts, signes de paix, et peut-être bien porte-bonheur... qui charment les yeux, et nous relient souterrainement à nos lointains aïeux...

La décoration des fenêtres. L'entourage de fenêtre avec des frises de papier

Première possibilité : découper les bords festonnés des napperons de papier et les coller au scotch double-face autour de l'encadrement des fenêtres.
Deuxième possibilité : faire soi-même la frise de papier, préparer des bandes de papier, de préférence intissé, de 8 à 10 cm de large. Les plier en accordéon tous les 3 ou 4 cm, dessiner un motif et découper : en voici 3, mais il est possible de reprendre des motifs de ribambelle, il suffit d'ajouter une partie supérieure avant de découper.

La décoration des vitres

A la gouache ou au blanc d'Espagne. Verser deux à trois cuillerées à soupe de blanc d'Espagne dans un bol et ajouter de l'eau petit à petit pour obtenir une sorte de crème liquide. Puis avec un pinceau se laisser guider par l'inspiration : festons,

Fenêtre décorée.

étoiles, sapins, flocons ou inscriptions : joyeux Noël, bien sûr. Le blanc d'Espagne s'enlève d'un coup de chiffon, la gouache blanche diluée à l'eau s'emploie de la même façon, mais s'enlève à l'éponge humide.
Avec des papiers autocollants : les gommettes de couleur. Les humecter et les coller sur la vitre en formant des motifs, ou en les dispersant comme des confetti.
Le papier gommé. Reprendre les motifs utilisés pour la décoration du sapin, étoiles, feuilles de houx, feuilles de gui, les dessiner sur le papier, les découper, les coller sur la vitre, et compléter le gui et le houx, par des boules de cotillon blanches ou rouges.
Avec des bougies. Si la fenêtre a un appui intérieur, disposer une rangée de bougies à allumer le soir.

Pour les portes, penser aux couronnes de l'Avent à accrocher (voir page 104).

Les cartes de Noël

Pas de maison anglaise à l'approche de Noël qui n'expose, au-dessus de la cheminée, autour d'un grand miroir, entre des branches de houx et des guirlandes dorées, les cartes de Noël qui affluent à partir du début du mois de décembre. Et pourtant cette coutume n'a guère plus de cent ans. Il était de tradition dans les collèges anglais, au milieu du siècle dernier, de faire réaliser aux élèves un « rolet » de Noël. Il s'agissait de très longues feuilles de papier, sur lesquelles les enfants présentaient leurs vœux à leurs parents. Ils coloriaient les angles et les côtés des feuilles, et traçaient d'une belle écriture gothique quelques lignes adressées à chaque membre de la famille, ce qui permettait aux éducateurs de suivre les progrès en écriture...

Sir Henry Cole, initiateur du service postal moderne, et qui supervisa la construction du *Albert Hall* à Londres, s'empara de l'idée. Il pensait que la carte de Noël ajouterait un éclat supplémentaire aux fêtes. Il chargea J.-C. Morsley de dessiner une carte sous forme de triptyque, dans un style médiéval. Les trois illustrations représentaient de joyeuses réunions, où adultes et enfants prenaient du bon temps, attablés devant des montagnes de victuailles. Ce fut un succès. En 1880, de grosses firmes reprirent la carte et l'éditèrent à des milliers d'exemplaires. A la fin du siècle, les imprimeurs anglais pouvaient fournir 163 000 variétés de cartes de Noël...

Comment passer un ou deux après-midi de vacances à faire ses cartes de Noël

Matériel : cartes-lettres en bristol ou papier canson à découper au format des cartes, simple ou double.

Colle, ciseaux, papier gommé de différentes couleurs, feuilles ou fleurs séchées, graines, paillettes, gommettes, tissus, feutrine, brins de paille, napperons de pâtissier, chromos, images... Tous les « trésors » accumulés au cours de l'année dans un tiroir ou un grand carton à chaussures. Toutes les techniques sont possibles : impression à la pomme de terre, pochoirs, collages ; le seul impératif est de ne pas oublier, dans les délices de l'improvisation et l'essor de l'imagination, le thème initial : Noël !

Impressions à la pomme de terre

Matériel : plusieurs grosses pommes de terre, emporte-pièce de pâtisserie, encre ou peinture.

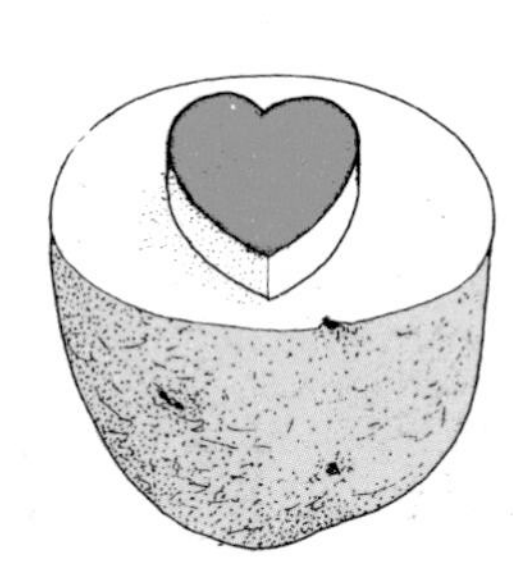

Travailler sur une table couverte de toile cirée. Couper les pommes de terre en deux de façon à obtenir la plus large surface. Dessiner le motif choisi, lettres pour écrire Noël, ou sapin, un motif assez simple, et avec un couteau pointu, déterminer le contour sur une profondeur de 1 cm. Découper la surface de la pomme de terre sur 1 cm de façon à laisser en relief le motif préparé. Avec les emporte-pièce de pâtisserie, c'est encore plus simple. Enfoncer l'emporte-pièce dans la pomme de terre coupée, bien appuyer et dégager le motif comme précédemment. Il existe des motifs « étoiles » ou « cœur » de petite taille que l'on peut parfaitement utiliser pour des motifs de Noël.

Appliquer la pomme de terre sur l'encre ou la peinture préparées (les boîtes d'encre pour tampons encreurs font très bien l'affaire), après avoir absorbé l'eau de la pomme de terre avec un torchon ou un papier type sopalin. Imprimer le papier, de préférence à grain visible, canson, par exemple ; l'effet est plus joli.

Les collages : fleurs et feuilles séchées

Rappel : comment cueillir et faire sécher les fleurs, herbes... Cueillir par un matin ou un après-midi de temps sec. Attendre qu'il n'y ait plus de rosée dans les prés, les plantes seraient trop humides et perdraient de leur couleur au séchage. Cueillir uniquement des fleurs ou des feuilles entières et en parfait état. Ramasser les plantes dans une corbeille sans les écraser. Les presser ensuite entre deux feuilles de papier buvard, avec le plus grand soin, à l'aide d'une pincette. Étaler et bien aplatir les feuilles et les fleurs sans qu'elles se touchent. Pour des fleurs épaisses, changer de buvard dès que la première humidité est absorbée. Pour les herbes et les feuilles, les presser entre des catalogues épais ou des annuaires. Ces conseils ne concernant pas Noël, mais l'année à venir !

Matériel : feuilles ou fleurs séchées.

Colle blanche, ou mieux colle en bombe, carton blanc, ou papier canson, et support de carte : papier canson de couleur, ou napperon de papier.

Découper le papier canson blanc au format souhaité, découper le papier canson de couleur en prévoyant 1 cm de plus de chaque côté. Prévoir la disposition de la feuille ou de la fleur, et inscrire avant de la coller le texte souhaité. Puis coller la feuille ou la fleur : avec de la colle blanche, appliquer la colle sur le papier en dessinant la forme, poser dessus la feuille ou la fleur, absorber l'excédent de colle avec un papier tissu. Avec de la colle en bombe, tenir la feuille par la tige avec une pincette et vaporiser la colle sur l'envers, appliquer la feuille et absorber de la même façon l'excédent de colle. Puis coller cette première carte sur le papier canson couleur, ou sur le napperon de papier.

Graines et tiges. Procéder de la même façon que pour les feuilles : dessiner au préalable le motif choisi et coller les graines une à une.

Tissus ou papiers. Matériel : papier gommé de couleur, gommettes, buvards de couleurs. Choisir des motifs simples : sapins, branches de houx, étoiles, découper et coller.

La technique du pochoir. Elle consiste à cacher par un calque ou un papier un motif choisi. Poser la forme sur la carte-lettre, et vaporiser la carte de peinture en bombe, dorée ou neige par exemple. Si vous n'avez pas de peinture en bombe, prenez une petite grille plate, et passez une petite brosse trempée dans la peinture sur grille. Laisser sécher, retirer la forme, laisser telle quelle ou peindre.

La carte en relief

La carte est double et quand elle s'ouvre, un père Noël ou un sapin surgit : plier la carte-lettre en deux, ainsi que le papier gommé qui servira à faire le sujet, et dessiner le sujet de part et d'autre de la ligne de pliure. Découper les contours et fixer les branches les plus larges du sapin à leur extrémité par deux points de colle sur la carte-lettre.

Carte de Noël américaine.

KL Decembre
xiii f Saint eloy
g N. Saint flaui
A N. S. claudien
x b N. S. ambroise
c N. Saincte barbe
xviii d Id. Saint nicolas
vii e Id. Saincte faire
f Id. Nostre dame
xv g Id. S. cyprien
iiii A Id. Se eulalie
b Id. Saint fuscien
xii c Id. Saincte luce
i d Id. S. nichaise
e Kl. S. valerien
ix f Kl. S. maximin

4

LE REPAS DE NOËL

*D*EHORS, *le vent de la nuit soufflait en éparpillant la musique des cloches, et, à mesure, des lumières apparaissaient dans l'ombre aux flancs du mont Ventoux, en haut duquel s'élevaient les vieilles tours de Trinquelage. C'étaient des familles de métayers qui venaient entendre la messe de minuit au château. Ils grimpaient la côte en chantant par groupe de cinq ou six, le père en avant, la lanterne à la main, les femmes enveloppées dans leurs grandes mantes brunes où les enfants se serraient et s'abritaient. Malgré l'heure et le froid, tout ce brave peuple marchait allégrement, soutenu par l'idée qu'au sortir de la messe il y aurait, comme tous les ans, table mise pour eux en bas dans les cuisines. De temps en temps, sur la rude montée, le carrosse d'un seigneur, précédé de porteurs de torches, faisait miroiter ses glaces au clair de lune, ou bien une mule trottait en agitant ses sonnailles, et à la lueur des falots enveloppés de brume les métayers reconnaissaient leur bailli et le saluaient au passage :*

« Bonsoir, bonsoir, maître Arnoton !
— Bonsoir, bonsoir, mes enfants ! »

La nuit était claire, les étoiles avivées de froid ; la bise piquait, et un fin grésil, glissant sur les vêtements sans les mouiller, gardait fidèlement la tradition des Noëls blancs de neige. Une fois arrivés au château, une vapeur tiède, qui sentait bon les chairs rôties et les herbes fortes des sauces compliquées, faisait dire aux métayers, comme au châtelain, comme au bailli, comme à tout le monde :

« Quel bon réveillon nous allons faire après la messe ! »

Eh oui, il s'agit bien sûr des « Trois Messes Basses », mais rarement un texte aura fait apparaître, avec tant de justesse et d'enjouement, les trois éléments de nos Noëls septentrionaux : l'hiver, la messe, et le réveillon.

La nuit et le froid ont envahi les campagnes, les bêtes ont regagné l'étable, la famille se regroupe autour du feu, et la veillée commence. Veillée d'attente de la naissance de l'Enfant-Roi. La vie s'apprête à renaître, à la fois avec le soleil qui bientôt rayonnera et réchauffera la terre, et avec cet enfant venu pour sauver le monde et qui en mourra.

Alliance entre la vie et la mort, cette nuit de Noël est aussi celle des retrouvailles, des retours au pays, des réconciliations... Réconciliations autour de la table, où pour célébrer la fête on ne tuera pas le veau gras, mais le cochon... Il ne faut pas oublier que ce festin qui prenait place après une période de jeûne avait une importance accrue (voir p. 29) ne fût-ce que par la quantité : Marguerite de Flandre, en 1384 à Corbeil, consomma pour le réveillon — (on peut tout de même supposer qu'elle n'était point seule !) 138 douzaines de pains, les chiens en eurent trois douzaines —, deux bœufs et un quart, trois faisans, deux douzaines d'alouettes, huit pintes de sang, des tripes échaudées et du sang pour les boudins, une douzaine d'andouilles, une

◀ *Décembre : sacrifice du porc. Heures de la Duchesse de Bourgogne, musée Condé, Chantilly.*

douzaine de pâtés, des fèves, du lait, des œufs, du beurre, du vin, et l'énumération ne s'arrête pas là... Trois siècles plus tard, pour en être presque aussi copieux, le réveillon devient plus raffiné, comme chez Mme de Sévigné, à l'Hôtel Carnavalet, en 1677 :

« Selon le cérémonial accoutumé, Coulanges mit le feu à la bûche, dans la grande cheminée. Sur la table, reposait un agneau entier ; des jets d'eau parfumaient la salle d'essences de diverses fleurs. Les convives eurent à déguster huit services : des soupes, des menus et des gros gibiers, des poissons, des rôts, des buissons d'écrevisses flanqués de tortues dans leur écaille, des cardons et des céleris, enfin le huitième service était composé de noix confites, d'amandes fraîches, de confitures « seiches » et liquides, de massepains, de biscuits, de dragées et de pastilles.

« Des vins de Bourgogne et des Côtes du Rhône arrosèrent le festin ; le muscat du Languedoc fut réservé au dessert. »

Tortues, écrevisses... Mais des animaux plus extraordinaires encore avaient fait leur apparition sur les tables de réveillon : des cygnes, ou des paons, que l'on préparait de façon à conserver leur apparence initiale : au lieu de plumer l'oiseau, on l'écorche proprement, de manière à enlever les plumes avec la peau. On coupe les pattes, que l'on rajoutera après la cuisson, au moment de dresser le plat. Puis on farcit le paon d'épices et d'herbes aromatiques. La tête, elle, reste plumée. On l'enveloppe d'un linge avant d'embrocher l'animal, afin qu'elle ne se détériore pas. Durant toute la cuisson, on arrose le linge pour conserver l'aigrette en parfait état. Enfin, quand le paon est jugé à point, on le débroche ; on lui rajuste les pattes, on ôte le linge et on arrange l'aigrette. On recouvre la bête cuite de sa peau et de ses plumes, on étale la queue. Le summum du raffinement consiste à emplir le bec du paon de laine imprégnée de camphre et d'y mettre le feu : l'oiseau arrive ainsi sur la table en crachant des flammes !

Dans les campagnes, la veillée et le réveillon, pour n'en être pas moins recueillis ou joyeux, ne déployaient pas de tels fastes. Une très ancienne tradition, d'ordre pratique, faisait une obligation de veiller à ce que la maison fût nettoyée de fond en comble. De même que l'homme se trouvait en paix avec lui-même en ce soir sacré, la maison devait refléter cette harmonie intérieure. Les ustensiles empruntés étaient rendus à leurs propriétaires, les objets usuels bien remis en place, et aucun ouvrage ne devait rester inachevé. Une fois la maison prête, on portait aux animaux une double ration de fourrage, pour qu'ils partagent eux aussi la joie de la fête. Cette coutume aurait été instaurée par saint François d'Assise, qui exhortait les fermiers à donner plus de foin à leurs bœufs et à leurs ânes à Noël, « par respect pour le Fils de Dieu qui, en une semblable nuit, fut déposé par la Vierge Marie dans l'étable entre ces deux animaux ». Mais plus prosaïquement, on se conciliait la faveur des animaux, qui, selon des croyances assez communément répandues, étaient doués pendant cette nuit de Noël de pouvoirs surnaturels : ils avaient l'usage de la parole, et le pouvoir d'annoncer les morts à venir. Toujours cette présence de la naissance et de la mort. Puis la veillée commençait. La bûche était allumée en grande cérémonie, la ou les bougies étaient placées sur la table, et l'attente de la messe se passait en prières, en chants, ou en divertissements, selon les régions. Un repas était servi, plus ou moins maigre, selon le degré de dévotion. Entre la Bretagne et la Provence, les écarts sont énormes !

En Bretagne, on ne passait à table qu'à la nuit tombée et après avoir compté, si le ciel le permettait, neuf étoiles, en souvenir des neuf mois d'attente de la Vierge. Chaque membre de la famille avait droit à un petit pain rond, sans beurre, et à un verre d'eau. La soirée se passait en prières. En Provence, le « gros souper », bien nommé, comportait une dizaine de plats, qui, pour être maigres, n'en étaient pas moins appétissants...

C'est au retour de la messe qu'avait lieu le repas de fête, où les morts n'étaient pas oubliés. En Bretagne, pendant la messe, les portes de la maison étaient ouvertes, la table mise, les plats disposés sur la table, pour que les morts puissent participer au repas. En Corse, après le repas, cette fois, la table n'est pas débarrassée, les victuailles restent en place et les portes ouvertes pour les mêmes raisons. Le lendemain matin, tout a disparu...

De ces repas de fête, avant l'oie ou la dinde, le cochon a été le roi, roi sacrifié... Il n'est pas une région de France où le porc, sous une forme ou une autre, n'ait figuré sur les tables de Noël, même en Armagnac, où la daube de bœuf, constituant le plat traditionnel de ce jour de fête, était accompagnée de saucisses de porc cuites sur le gril. De région en région aussi, un gâteau traditionnel pour la fête de Noël, au nom spécifique : coigneux, kéniolles, nieules, craquelins, cuignots, aguignettes. Quelle variété avant l'inévitable bûche aux marrons ou au chocolat, réduction d'appartement de ces bois majestueux qui flambaient dans l'âtre, de la Noël à l'Épiphanie...

Les temps changent, il y a loin de ce cochon traditionnel à l'abondance de victuailles, ou d'animaux de tous poils et de toutes plumes qui nous sont proposés en période de fêtes. Bien sûr, il y a de moins en moins d'étables et de porcheries, mais peut-être aussi l'envie de maintenir la tradition tout en la déjouant, fêter Noël mais se l'approprier, ajouter une note de fantaisie et d'originalité, comme le suggérait déjà le journal *La Dernière Mode,* le 20 décembre 1874 :

Moulongtani pour un réveillon

Toujours notre double préoccupation : répandre en Europe et au loin le goût unique qui préside à la table parisienne et française ; acclimater chez nous les produits et les préparations de tout lieu du monde. Aujourd'hui il s'agissait aussi d'ajouter à l'antique solennité familière du réveillon quelque chose comme d'étranger et de moderne. Voici :

Faire revenir un oignon dans le beurre avec du cari et du safran jaune de l'île Bourbon, et y mettre un poulet découpé, après l'avoir fait revenir simplement. Verser sur le tout le lait fourni par l'amande d'une noix de coco râpée, pilée au mortier et mouillée d'eau chaude.

Laissez mijoter et servez avec « Riz à la créole », cari, safran de l'ile Bourbon, tout cela et d'autres épices se rencontrent Boulevard Haussmann, 5, chez une vieille connaissance déjà pour nos lectrices, le Propagateur, à l'obligeance de qui nous devons toutes nos RECETTES EXOTIQUES. Mieux encore, ce collaborateur s'offre, dans la soirée qui précède le repas sacramentel, à tenir à leur disposition le mets rare, qu'on placera bien entre le « Râble d'agneau de Nîmes » et les « Bartorelles » dans le menu admirable de Brébant, comme plat d'entrée ou de relevé.

La recette a été fournie à cette maison et elle y sera exécutée par

OLYMPE, négresse.

Cette recette exotique n'étant qu'un complément au menu suivant ! :

Menu d'un Réveillon

—

Huîtres d'Ostende et de Marennes

—

Consommé aux œufs de vanneaux
Boudin à la Richelieu

—

Filets de soles au beurre de Montpellier
Râble d'agneau de Nîmes aux pointes d'asperges

—

Barborelles truffées
Terrine de grives au genièvre

—

Petits pois nouveaux à la Française

Buisson d'écrevisses au vin de Ribeauvillé

—

Louvres en caisse au chocolat

—

Ceylan glacé

—

VINS

Château-contet à la glace. Zuccho bien rafraîchi
Punch romain
Bordeaux. Léoville. Chambertin.
Champagne Saint-Marceau frappé
Porto paille

D'extravagances en rituels solidement ancrés, le réveillon de Noël a pris des formes diverses, mais à travers les modes ou les variations de goût, réapparaissent toujours les mêmes animaux voués au sacrifice de la fête : cochon, au moins sous la forme de boudin, dindes et oies, ..Animaux (dinde mise à part, elle interviendra plus tard sur cette scène) dont la participation forcée à la fête est bien antérieure au christianisme.

Petit lexique des denrées de fête

D'APRÈS le *Larousse Gastronomique,* le réveillon se devait de comporter des mets précis :

« Dans le menu du réveillon et dans celui même du jour de fête — fête essentiellement familiale — devaient obligatoirement figurer des mets pour ainsi dire rituels :

« Pour si riche en plats que soit un menu de réveillon, même s'il comporte du foie gras, des truffes, des gibiers divers, des poissons et des crustacés rares et chers, il comportera aussi, pour obéir à la tradition, du boudin noir ou blanc, et souvent les deux, et une oie ou une dinde aux marrons. »

Mais avant de passer en revue bon nombre de ces propositions, nous consacrerons la place d'honneur à cet animal délaissé maintenant, le cochon, le « noble », comme on l'appelait dans la Beauce et le Perche, qui avait lui-même pris le relais du sanglier, avant d'être à son tour détrôné sur les tables de fête par l'oie ou la dinde.

Le porc, le sanglier

Déjà en Gaule, la spécialité qui faisait l'admiration des Romains était la charcuterie. Les troupeaux de porcs, les sangliers abondaient, et ils constituaient le plat de choix des dîners d'apparat, où l'épaule du porc ou du sanglier était offerte au plus brave. Cette décision pouvait être mise en doute, ce qui entraînait rixes et batailles rangées quand l'un des guerriers estimait que sa valeur n'avait pas été reconnue !

Plus tard, au Moyen Age, en France et en Angleterre, le plus célèbre des plats de Noël était la hure de sanglier, ornée de romarin et portant dans la gueule un fruit rond comme le soleil : pomme ou orange. Le sanglier était l'« ennemi des cultures, mais peut-être aussi, selon une légende, celui qui avait donné à l'homme l'idée même du labour. Et si au Collège St John d'Oxford, un des chants de Noël a pour texte :

He living e spoiled
Where good man toyled
Which makes kinde Ceres sorrye

(Pour vivre il allait piller/là où l'homme avait peiné/ Ce qui Cérès désolait), ce serait ce même animal destructeur qui aurait, en fouillant sans relâche la terre de ses défenses, mis en évidence la fertilité accrue d'un sol retourné...

A la fois honoré et méprisé, le cochon offre aussi cette particularité fondamentale d'être un animal dont rien ne se perd : tête, oreilles, pieds, sang, en passant par les soies... Il est à lui seul source de richesses, sans oublier que par son odorat il nous permet de découvrir une des merveilles de la création : la truffe. Son destin est de participer maintenant à nos fêtes sous forme de boudins, ou de pains d'épice.

L'oie

Aussi loin que l'on remonte dans l'histoire de l'humanité, on retrouve l'oie. Sur les bas-reliefs égyptiens de la cinquième dynastie, comme sur les fresques gallo-romaines, elle est à l'honneur. Sans oublier celles du Capitole, qui avaient rendu un fier service à Rome. L'élevage de l'oie a été pratiqué en France depuis toujours, et les produits de cet élevage étaient très appréciés chez les peuples voisins. Les Celtes exportaient vers Rome des oies et des foies gras qui faisaient les délices des gastronomes transalpins. Les oies étaient même engraissées avec des figues pour que leur chair s'en parfume. Au Moyen Age, à Paris, les rôtisseurs d'oie, les « oyers », régnaient en maîtres dans une rue qui portait leur nom, et dans les repas de fête, le pot-à-l'oye précéda sur les tables la traditionnelle poule au pot. En Allemagne et en Angleterre la tradition de l'oie demeure vivante, mais pour la Saint-Martin et la Saint-Michel. Un conte de Schmidt décrit les mésaventures survenues à propos d'une oie de la Saint-Martin, un peu avant Noël :

« C'était la Saint-Martin : une bonne mère de famille avait promis à ses enfants une oie rôtie pour leur repas du soir. A peine la lampe était-elle allumée que déjà le petit cercle joyeux s'était installé autour de la table, attendant avec impatience ce souper exceptionnel.

« La servante eut beau leur dire que l'oie était loin d'être cuite, et qu'on ne pouvait au plus tôt la servir que dans une demi-heure, les enfants prirent de l'humeur et se mirent à pleurer.

« Pour avoir la paix, cette fille voulut leur faire peur : « Prenez garde, leur dit-elle, il y a dans la rue un homme terrible appelé « Croquemitaine », qui guette les enfants désobéissants pour les punir. Si vous ne vous taisez pas, il emportera l'oie. »

« Les petits diables firent peu d'attention à ces menaces, et continuèrent à tourmenter leur bonne pour qu'elle leur servît l'oie. Alors celle-ci ouvrit la fenêtre, et tendant dehors le rôti avec la lèchefrite, elle feignit d'appeler Croquemitaine. La prenant au mot, un homme qui passait s'empara du régal en criant merci d'une voix rauque, et se mit à courir à toutes jambes, emportant à la fois le contenant et le contenu.

« Les enfants alors redoublèrent leur vacarme et la mère accourut à leurs cris. Quand elle eut appris ce dont il s'agissait, elle dit : « Vous, enfants, vous êtes justement punis de votre avide gourmandise, et vous n'aurez maintenant qu'une soupe au lieu de rôti. — Et vous, ajouta-t-elle en s'adressant à la bonne, je vous avais toujours défendu de faire des contes aux enfants ; ce qui arrive est aussi votre faute, et je déduirai sur vos gages le prix de l'oie et de la lèchefrite. »

L'oie mène à tout, même à la morale !

Comment choisir l'oie

L'oie, si elle est bien choisie, a une chair tendre et délicate : la bête doit être jeune, pas plus de sept ou huit mois, avec la peau et la graisse d'un blanc jaune et une chair rosée. Une bête d'un an et plus se reconnaît à ses pattes plus fortes, son bec plus rouge et la rigidité plus grande de la partie supérieure du bec. Les meilleures pèsent de 5 à 6 kg ; de toute façon, au-delà de ce poids, il devient difficile de les faire entrer dans le four familial !

Comment la préparer

En Angleterre, l'oie est farcie à la sauge, en Irlande, de pommes de terre, au Danemark elle est accompagnée de pruneaux et de pommes, tandis qu'à Bordeaux on l'entoure de cèpes.

Chaque région l'associe aux produits du terroir, en Normandie au cidre, en Alsace à la choucroute, en Auvergne aux châtaignes. Devant une telle multiplicité de préparations, la tentation est grande de donner la recette de l'oie servie chez le prince de Talleyrand :

« Foncez une casserole de bandes de lard et de tranches de jambon. Veuillez ajouter quelques oignons piqués de clous de girofle, une gousse d'ail, un peu de thym et de laurier. Sur ce matelas parfumé, posez une oie grassouillette bien jeune, bien tendre, soigneusement farcie de son foie et de crêtes de coq ; arrosez généreusement de Sauternes, semez une pincée légère de muscade, et laissez tomber quelques gouttes d'orange amère. Couvrez enfin de papier beurré et, feu dessus, feu dessous, faites partir. »

Magasin de volailles à Paris en 1925.

La dinde

Apparue assez récemment sur nos tables — XVIe ou XVIIe siècles, selon les hypothèses —, la dinde en est devenue une des reines incontestées. Serait-ce à cause de sa taille, de sa saveur, de son plumage ? Les modes et les goûts varient, quelquefois sans raison apparente. La dinde aurait pris place dans le menu royal de Noël en Angleterre, parce que Jacques Ier, qui n'aimait pas le porc, l'imposa pour satisfaire ses prédilections gustatives. Cependant, il faut attendre l'époque victorienne pour voir la dinde évincer l'oie, ou dans le Nord, le rôti de bœuf, dans le menu de Noël. C'est Alexandre Dumas qui, dans le *Grand Dictionnaire de cuisine,* a tenté de répondre à toutes les questions concernant la dinde, sur un ton humoristiquement docte :

« En ornithologie on dit un dindon et une dinde pour désigner le mâle et la femelle des ces animaux. En cuisine on dit généralement une dinde du mâle et de la femelle.

« La femelle est toujours plus petite et plus délicate que le mâle. Les dindons étaient connus des Grecs, qui les appelaient des Méléagrides, parce que ce fut Méléagre, roi de Macédoine, qui les apporta en Grèce l'an du monde 3559. Quelques savants ont contesté ce fait, et ont dit que c'était des pintades ; mais Pline (Livre 37, chap. II) décrit le dindon à ne pouvoir s'y méprendre. Sophocle, dans une de ses tragédies perdues, introduisait un choeur de dindons qui pleuraient sur la mort de Méléagre.

« Les Romains professaient une estime particulière pour les dindons : ils les élevaient dans leurs

métairies. Comment disparurent-ils ? Quelle épidémie les enleva ? C'est ce que l'histoire ne nous apprend point. Seulement ils devinrent si rares qu'on finit par les mettre en cage, comme on y met aujourd'hui les perroquets.

« En 1432 », continue-t-il imperturbable, « les vaisseaux de Jacques Cœur rapportèrent les premiers dindons de l'Inde. Nous ne devons donc point ce précieux oiseau aux jésuites, comme la croyance en est vulgairement répandue, puisque l'ordre des jésuites ne fut fondé par Ignace de Loyola qu'en 1534 et ne fut approuvé par le pape Paul III qu'en 1540.

« Cette croyance que les sectateurs de Loyola ont importé le dindon d'Amérique, fait que quelques mauvais plaisants ont pris l'habitude d'appeler les dindons des jésuites. Les dindons ont exactement le même droit de se fâcher de ce changement de nom, que l'auraient les jésuites si on les appelait des dindons. »

Comment choisir une dinde

Une bonne dinde doit toujours être bien fournie en graisse, qui doit être blanche comme la chair. Cette volaille est au mieux de sa forme à six ou sept mois, elle n'est plus comestible après dix-huit mois. Il faut préférer la dinde au dindon, qui est reconnaissable à son ergot.

Une dinde vivante pèse environ 4 kg.

Comment la préparer

Un classique : **la dinde farcie aux marrons :**
Pour une dinde pesant 3 kg, mettre 1 kg de marrons rôtis ou cuits à l'eau salée. Préparer une farce avec le foie de la volaille, 125 g de lard, gros comme un œuf de mie de pain rassis, persil, le tout haché finement ; poivrer et saler, si nécessaire. Passer cette farce sur le feu pendant dix minutes, puis ajouter les marrons et en remplir la bête. Coudre la peau, barder et faire rôtir en comptant vingt minutes par livre. Le feu ne doit pas être trop vif, ce qui ferait boursoufler et noircir la peau. On peut, par précaution, entourer la bête d'un papier beurré, qu'on retire une demi-heure avant la fin de la cuisson. (*Larousse Ménager,* 1926)

Et nous laisserons le dernier mot de cette rubrique à Alexandre Dumas, dans le *Grand Dictionnaire de cuisine,* qui proposait cette recette de la dinde aux truffes :

« Ayez une jeune et belle poule d'Inde, bien grasse et bien blanche ; épluchez-la, flambez-la, videz-la par la poche, prenez garde d'en crever l'amer et d'en offenser les intestins, si ce malheur vous arrivait, passez-lui de l'eau dans le corps ; ayez quatre livres de truffes, épluchez-les avec soin, supprimez celles qui seraient musquées, et hachez une poignée de plus défectueuses (pour la forme) ; pilez une livre de lard gras ; mettez-le dans une casserole avec vos truffes hachées et celles qui sont entières : assaisonnez-les de sel, gros poivre, fines épices et une feuille de laurier ; passez le tout sur un feu doux, laissez-le mijoter pendant trois quarts d'heure et puis retirez vos truffes du feu ; remuez-les bien, et remplissez-en le corps de votre dinde jusqu'au jabot ; cousez-en les peaux, afin d'y faire tenir les truffes, bridez-la et laissez-la se parfumer pendant trois ou quatre jours si la saison vous le permet ; au bout de ce temps, mettez-la à la broche, enveloppez-la de fort papier, faites-la cuire environ deux heures, et puis déballez-la pour lui faire prendre une belle couleur. Servez-la avec une sauce faite sur son jus de cuisson, où vous ajouterez un léger hachis des mêmes truffes. »

Le foie gras

« L'oie n'est rien, mais l'art de l'homme en a fait un instrument qui donne un résultat merveilleux, une espèce de serre chaude vivante où croît le fruit suprême de la gastronomie », n'hésite pas à écrire Charles Gérard dans *l'Ancienne Alsace à table.* Certes, il s'agit d'un mets bien délicieux, fondant dans la bouche et révélant peu à peu sa finesse. Cette fois encore, ce « fruit suprême » a une histoire qui remonte bien loin dans le temps. Les Égyptiens gavaient leurs oies, et les Romains se délectaient de nos foies gras gaulois. Le foie gras s'obtient en gavant quotidiennement une oie ou un canard. Matin et soir, l'animal ingurgite de gré ou de force une dose de maïs. L'oie peut prendre de trois à cinq kilos en un mois, et son foie peut atteindre 700 à 800 grammes. Le foie du canard est plus petit et plus allongé, son lobe est recourbé en « bec de perroquet ». Il est plus nerveux, se réduit davantage à la cuisson, et sa graisse est plus fluide. Les foies, retirés du corps des volailles, sont débarrassés de leur fiel, puis mis à dégorger dans de l'eau fraîche un peu salée, et cuits légèrement.

Comment choisir

Si la France est un pays de vins et de fromages, elle l'est aussi de foies gras. Alsace, Périgord, Quercy, Landes, Gers, Albigeois, toutes ces régions en produisent de délicieux. Le choix est une question de goût, seul le palais décide entre le foie rose, peu cuit de Strasbourg, ou celui de Toulouse, plus cuit, un peu gris, ou celui des Landes, particulièrement onctueux.

Le foie gras frais : il vient juste d'être cuit et garde toute sa saveur. C'est le foie gras des amateurs. Il existe une variante du foie gras frais : le mi-cuit. Il ne s'agit pas d'un produit dont on doit achever la cuisson soi-même ; il désigne celui qui est déjà pasteurisé en boîtes ou en bocaux, dont le goût est toujours aussi savoureux. Il se conserve 2 à 6 mois au réfrigérateur entre 2° et 4°. On réserve les plus beaux foies pour le frais et le mi-cuit.

Le foie gras en conserve : c'est du foie cuit et stérilisé à plus de 100° en boîtes ou en bocaux. Il a moins de saveur que les deux premiers mais peut se conserver une dizaine d'années et bonifie en vieillissant. Ne jamais le mettre au réfrigérateur, mais l'entreposer dans un placard à une température de 10 à 15°, jamais à la lumière s'il s'agit d'un bocal. Il convient d'être attentif lors de l'achat de foie gras en conserve, et de s'en remettre aux producteurs dignes de confiance, car bien souvent ce produit en conserve risque d'être décevant, granuleux, avec un goût de pâté.

Le foie gras cru : au moment des fêtes, on en trouve dans de nombreuses boutiques. Les meilleurs sont plutôt petits, 600 g pour l'oie, 450 g pour le canard. La qualité d'un foie gras se reconnaît à sa couleur d'un blanc ivoire tirant sur le rose, et à sa fermeté au toucher. Les foies doivent être lisses et sans taches. Si le doigt pénètre facilement, on peut déduire qu'il est graisseux et qu'il fondra à la cuisson.

Pour la cuisson du foie gras cru, les recettes varient, au bain-marie ou en cocotte, mais voici celle de l'*Art culinaire français :*

Parer le foie gras, c'est-à-dire enlever le fiel et les parties l'avoisinant ainsi que les vaisseaux sanguins. L'assaisonner de sel, poivre blanc et épices, l'arroser d'un peu de cognac. Le laisser macérer dans cet assaisonnement pendant quelques heures.

L'éponger et le mettre à cuire dans de la graisse d'oie, à chaleur douce, de quarante-cinq minutes à une heure, selon la grosseur de la pièce.

Mettre le foie gras dans une terrine ovale. Verser dessus, lorsqu'il est presque froid, la graisse de cuisson. Lorsque cette graisse est bien figée, la recouvrir d'une couche légère de saindoux. Faire bien refroidir. Fermer la terrine, coller une bande de papier sur la fente du couvercle. Conserver dans un endroit frais et sec.

Comment servir le foie gras

S'il s'agit d'un foie frais ou mi-cuit, le laisser trois heures au réfrigérateur enveloppé d'un papier d'aluminium, puis un quart d'heure à la température ambiante. Pour le foie gras en conserve, le retirer de sa boîte la veille, et le mettre aussi au réfrigérateur enveloppé de papier d'aluminium. Pour le couper, plonger d'abord la lame du couteau dans de l'eau bouillante, les tranches seront tout à fait lisses.

Il faut compter entre 50 et 100 g par personne. On le sert de préférence avec du bon pain de campagne grillé chaud.

Récolte des truffes dans le Périgord.

La truffe

« La truffe, dit Brillat-Savarin, est le diamant de la cuisine. » Hélas, elle est en passe d'en atteindre le prix ! Trêve d'exagération, la truffe est néanmoins devenue un champignon de grand luxe. Alors qu'il y a un siècle, la production française de truffes était de 2 000 tonnes par an, elle s'est réduite de nos jours à environ 80 tonnes. D'où la vérification du vieux précepte : ce qui est rare est cher !

La truffe est un champignon souterrain, qui se développe en parasite sur les racines d'un arbre, un chêne le plus souvent, mais parfois aussi le noisetier ou le châtaignier. L'odorat humain, à part quelques exceptions légendaires, n'est pas suffisamment développé pour détecter la présence de la truffe sous sa couche de terre. Le cochon, le plus souvent une truie, ou le chien, viennent au secours de l'homme, avec pour toute récompense une poignée de maïs, alors qu'ils se délecteraient du précieux tubercule.

Une bonne truffe est parfaitement noire à l'extérieur. Certains fraudeurs vont jusqu'à colorer les truffes blanches, non mûres, avec une solution de tanin ; puis avec un sel de fer, ou plus simplement au brou de noix. Pour découvrir la supercherie, frottez la truffe sur du papier blanc : la truffe maquillée laisse une trace adhérente, tandis que la véritable truffe noire laisse une poussière qu'un souffle enlève. L'intérieur d'une bonne truffe est gris-noir, parcouru par un réseau de veines blanchâtres encadrées de fins filets marron clair. La truffe ne doit pas être molle, mais résistante à la pression. Enfin il faut savoir que la truffe se récolte de décembre à fin mars, et que l'achat hors saison est plus que déconseillé.

Vous avez acheté une, ou des truffes fraîches : avant d'être consommée, la truffe doit être lavée et brossée pour la débarrasser de la terre qui l'entoure. Préférez les truffes brossées aux truffes enrobées de terre, qui pèsent évidemment plus lourd... Les truffes fraîches se conservent peu : huit jours pour celles enveloppées de terre, quatre à cinq pour les autres. Il faut les mettre dans un récipient hermétique et les laisser dans le bac à légumes du réfrigérateur.

Les truffes en conserve : elles ont subi plusieurs cuissons successives à très haute température pour la stérilisation, et de ce fait perdent nécessairement du goût. Le mieux est d'acheter des produits garantis « 1re ébullition », ou maintenant congelés.

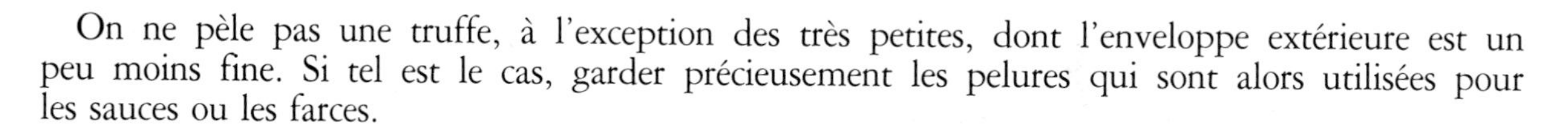

On ne pèle pas une truffe, à l'exception des très petites, dont l'enveloppe extérieure est un peu moins fine. Si tel est le cas, garder précieusement les pelures qui sont alors utilisées pour les sauces ou les farces.

Comment la déguster

Voici le conseil « impératif » de Colette, dans *Prisons et Paradis* :

« On la paie son poids d'or, le plus souvent pour en faire piètre usage. On l'englue de foie gras, on l'inhume dans une volaille surchargée de graisse ; on la submerge, hachée, de sauce brune, on la marie à des légumes masqués de mayonnaise... Foin des lamelles, des hachis, des rognures, des pelures de truffes ! Ne saurait-on l'aimer pour elle-même ? Si vous l'aimez, payez sa rançon royalement — ou écartez-vous d'elle. Mais l'ayant achetée, mangez-la seule, embaumée, grenue, mangez-la comme un légume qu'elle est, chaude, servie à fastueuses portions... Sa souveraine saveur dédaigne les complications et les complicités. Baignée de bon vin blanc très sec — gardez le champagne pour les banquets, la truffe se passe bien de lui — salée sans excès, poivrée avec tact, elle cuira dans la cocotte noire couverte. Pendant vingt-cinq minutes, elle dansera dans l'ébullition constante, entraînant dans les remous et l'écume — tels des tritons joueurs autour d'une noire Amphitrite — une vingtaine de lardons, mi-gras, mi-maigres, qui étoffent la cuisson. Point d'autres épices !... Vos truffes viendront à la table dans leur court-bouillon.

« Ne mangez pas la truffe sans boire. A défaut d'un grand ancêtre bourguignon au sang généreux, ayez quelque Mercurey ferme et velouté tout ensemble. »

Caviar, saumon fumé

Caviar : Chacun sait qu'il est fait avec des œufs d'esturgeon, ou de sterlet, légèrement salés ou marinés. Rabelais le cite déjà dans *Pantagruel* sous le nom de caviat. Il parle aussi de la boutargue, qui est une sorte de caviar préparé avec des œufs de mulet. En 1741, le caviar, alors appelé kavia, figure dans le *Dictionnaire du Commerce* de Savary : « On commence à le connaître en France où il n'est pas méprisé sur les meilleures tables » et Louis XV l'apprécie alors tout particulièrement.

Le caviar se présente sous deux aspects : frais ou pressé. Frais, il est peu salé. Plus il est gros, plus il est cher. A vous de choisir entre les trois variétés de caviar : le béluga, le plus gros, gris, l'oscieta, un peu moins gros, d'une couleur brun doré ou marron foncé, et le sévruga, le plus petit, gris lui aussi.

Le caviar pressé est plus salé, d'une coloration noire ou gris-brun très foncé, son odeur est forte, sa saveur moins fine que celle du caviar frais. Mais outre qu'il se conserve plus facilement, il coûte deux fois moins cher.

Comment servir le caviar : Présenter la boîte ou le pot de verre sur un lit de glace pilée et ne l'ouvrir qu'au moment de servir car le caviar s'oxyde au contact de l'air. Pour cette raison aussi, manger tout en une seule fois. Prévoir 30 à 50 g par personne, un peu moins s'il s'agit de caviar pressé ; servir avec des blinis, ou avec du pain croustillant légèrement beurré. Pour les blinis, les tartiner de crème fraîche. L'accompagnement le plus traditionnel du caviar est la vodka glacée.

Saumon fumé : Après avoir été un plat d'apparat, le saumon a fait une nouvelle apparition sur nos tables sous forme de conserve : le saumon fumé. Il peut être norvégien, danois, quelquefois canadien, ou écossais. Celui-ci, particulièrement réputé, se trouve assez rarement. Le saumon fumé norvégien est considéré comme le meilleur.

Le saumon est salé au sel sec, puis séché et fumé avec diverses essences de bois pendant deux ou trois jours quand il est préparé de façon artisanale. La fabrication industrielle est beaucoup plus rapide : trempé dans un bain de saumure, le saumon est séché et fumé dans des fours électriques, et mis sous emballage plastique. Il va de soi que la préparation artisanale confère un autre goût et une autre qualité au saumon.

C'est juste après le fumage que le saumon est le plus délectable. Tranché, le saumon fumé se conserve trois jours environ au réfrigérateur. Au-delà, il commence à huiler, et rancit.

Comment le servir : C'est encore une affaire de goût : certains préfèrent les tranches très fines, presque translucides, j'avoue préférer une épaisseur plus importante, qui lui permet de développer davantage sa saveur.

Une bonne tranche de pain croustillant, beurré ou non, grillé si le cœur vous en dit, accompagnera au mieux le saumon moelleux.

Boudin blanc, boudin noir

Signe avant-coureur de Noël, le boudin blanc fait son apparition dans les charcuteries dès le mois de novembre. Il a supplanté pour les menus de fête le boudin noir auquel il a emprunté forme et taille, mais ils sont l'un et l'autre de composition bien différente.

Le boudin noir est une préparation campagnarde traditionnelle. Le sang du porc au moment de l'abattage est réservé, additionné d'un peu de vinaigre et agité pour empêcher une coagulation immédiate. Les boyaux ont été nettoyés, lavés et raclés. La composition du boudin est de un à deux tiers de sang de porc, et d'un tiers de graisse, crème fraîche, oignons hachés et rissolés et d'épices, comme le thym, le laurier, les clous de girofle. On fait chauffer le tout pour que le mélange se fasse, puis on en remplit les boyaux, pour obtenir le boudin proprement dit que l'on fait cuire à l'eau presque bouillante pendant 15 à 20 minutes.

Chaque famille a sa recette, et les composantes du troisième tiers varient suivant les régions : oignons crus à Lyon, œufs et eau-de-vie à Nancy, gorge de porc dans le Périgord. Dans le Limousin, on ajoute au sang du porc des pommes ou des châtaignes, dans le Berry des épinards et de la semoule, dans le Poitou, des raisins secs, et dans les Flandres... de la cassonnade.

Quant au **boudin blanc,** il serait l'œuvre d'un « charcutier » du Moyen Age, qui aurait eu l'idée d'ajouter une farce de sa composition à la sempiternelle bouillie de lait. La recette a fait fortune. Composé à l'origine de chair de poulet, de crème, d'œufs, d'oignon et de laurier, le boudin blanc va jusqu'à se farcir d'émincés de truffes, et dans la région du Mans, retrouver la composante originelle, le porc, mais sous sa forme maigre !

L'huître

« A mon avis, les meilleures de toutes, nourrissons de l'Océan médocain, ont porté le nom de Bordeaux, grâce à leurs admirateurs, sur la table des Césars... Elles ont la chair grasse et blanche, un jus doux et délicat, où une légère saveur de sel se mêle à celle de l'eau marine... Derrière elles, mais très loin, viennent celles de Marseille. Il y a aussi des amateurs pour les huîtres de la mer armoricaine, pour celles que ramasse l'habitant de la côte des Pictons (Vendée). » Voici donc, chantées au IVe siècle par Ausone, les huîtres des tables de fête.

Au commencement était l'huître plate, la seule qui mérite le nom d'huître. Et puis arriva, par accident, celle qu'on appela portugaise, l'huître creuse. Un navire français fit naufrage, en 1868, au large des côtes d'Aquitaine. Il transportait une cargaison d'huîtres originaires de l'embouchure du Tage, et les plus résistantes firent souche...

Les huîtres creuses

Les Portugaises : ont été les plus courantes et généralement les moins chères. Elles ont été décimées par une épidémie et un hiver très rude il y a une douzaine d'années. Des huîtres japonaises originaires du Pacifique ont pris le relais.
Les Claires, de la même espèce que les précédentes, constituent la majeure partie de la production française, surtout dans la région de Marennes-Oléron.

Après deux mois de séjour en claires (parcs) à 20 huîtres au m^2, elles deviennent **fines de claires.**
Les Spéciales sont élevées comme les fines de claires mais posées sur les claires en moins grande quantité — 1 m^2 pour 5 huîtres —, ce qui leur permet d'engraisser davantage. Ce sont les huîtres les plus grasses.

Les huîtres plates

Les Belons : huîtres plates spécifiquement bretonnes, sont prêtes au bout de trois ans. Elles séjournent dans des parcs au sol sans cesse nettoyé et renouvelé par du gravillon.
La Bouzigue : huître d'origine bretonne transplantée en pays méditerranéen.
Les Marennes : huîtres également d'origine bretonne, mais replantées en Charente-Maritime. Elles prennent le goût du terroir charentais et engraissent davantage. Au fur et à mesure de leur croissance, les huîtres disposent de plus en plus de place : 1 m^2 pour 1 000, puis pour 200, puis pour 100.

La taille de l'huître

Les huîtres sont numérotées de 0 à 6, le chiffre le plus élevé désignant l'huître la plus petite. Plus l'huître est grosse, plus elle est chère.

La conservation des huîtres

Elles se conservent 8 à 10 jours après l'achat. Les laisser dans leur bourriche, ou les emballer, côté bombé dessous, dans des algues, ou un linge humide. On dépose la bourriche dans l'endroit le plus frais de la maison, ou sur un balcon ne voyant pas le soleil, à condition que la température extérieure se situe entre 0 et 12°.

L'idéal est de n'ouvrir les huîtres qu'au dernier moment, juste avant leur consommation. Veiller à ce qu'elles n'attendent jamais au-delà de deux heures. Une huître dont le nerf est coupé est en perte de vitalité.

Comment reconnaître une huître douteuse

L'huître doit toujours être consommée vivante. Vivante, elle se rétracte au contact de la pointe d'un couteau ou d'une goutte de citron. Il peut arriver qu'une huître engourdie par l'exposition au froid ne réagisse que lentement, mais dans le doute, s'abstenir.

L'apport de l'huître

L'huître est un aliment très sain, complet et léger, rappelant le lait par sa composition : 80 % d'eau, 9 % de matières albuminoïdes, 1,5 % de matières grasses, 3 % de sels minéraux. Riche en phosphore, iode, fluor, fer, elle est aussi l'un des rares aliments d'origine animale riche en vitamine C : 10 mg pour 100 g de chair, soit plus que la pomme ou le raisin... De quoi être gourmand, avec bonne conscience !

Le déjeuneur d'huîtres *(détail), J. F. de Troy, musée Condé, Chantilly.*

Le champagne

Le bouchon saute, les coupes se tendent et s'entrechoquent, les éclats de rire fusent, et la fête est là. Quel plaisir pour les yeux de voir couler ce vin clair, léger comme ses bulles, et dont la mousse extravagante fait pousser des cris d'effroi... Les enfants veulent y tremper les lèvres : ce n'est pas du vin, c'est du champagne ! « Le seul vin, disait Mme de Pompadour, qui laisse la femme belle après boire. »

A peine Dom Pérignon avait-il réussi ce coup d'éclat, la « champagnisation » des vins de Champagne, que la renommée du nouveau vin mousseux se répandit rapidement. Les Roués de la Régence en raffolèrent, Saint-Évremond l'introduisit en Angleterre, et la seule boisson servie à Versailles, lors du sacre de Louis XVI, en 1774, fut le champagne.

Petit historique

Bien avant la découverte de Dom Pérignon, les vins de Champagne étaient internationalement renommés. Papes, empereurs, rois, en réclamaient à leurs tables. Puis, vers 1670, les viticulteurs commencèrent à produire, avec leurs raisins rouges, un « gris », vin presque blanc. Ils avaient constaté que ce nouveau vin, mis en bouteilles, fermentait une seconde fois lorsque le temps se réchauffait. Ils appelaient ce vin deux fois fermenté « saute-bouchon ». A la même époque, un moine, Dom Pérignon, devint maître des caves de l'abbaye d'Hautvillers, au nord d'Épernay. Les expériences qu'il fit à partir de ce nouveau vin établirent les principes, suivis encore de nos jours, de préparation du champagne : dosage de la quantité de gaz carbonique, mariage de jus provenant de vignobles différents, alliance de vins nouveaux avec de vieilles réserves.

Malheureusement, 10 à 80 % des bouteilles se brisaient au moment de la fermentation. La seconde étape importante de l'histoire du champagne fut la découverte, par le fils d'un pharmacien de Châlons, au début du XIXe siècle, du procédé de contrôle du volume exact d'acide carbonique donné par le sucre naturel. La réduction François, du nom de cet observateur inventif, permettait de mesurer la vinosité du champagne, de produire des vins à saveur variée, et aussi de limiter les bris de bouteilles. De 80 % ils passèrent à moins de 5 %. L'exploitation était donc facilitée, la diffusion assurée.

Avant qu'une bouteille ne puisse trôner sur votre table, il aura fallu qu'elle réponde à des normes très précises déterminées par la loi, puis qu'elle ait subi une série d'opérations soumises à contrôle, et enfin que trois à cinq années se soient écoulées...

La loi française règle de façon très stricte la préparation du champagne : elle a déterminé les limites géographiques dans lesquelles le vin produit peut porter le nom de champagne, en fonction de la composition du sol et de l'exposition. Trois plants seulement participent à la préparation du champagne : Pinot noir, Pinot meunier, Chardonnay, et trois zones distinctes, exclusivement, peuvent amener à maturation ces types de raisins. La vigne impose aux vignerons un effort soutenu toute l'année, et les opérations effectuées sont contrôlées par le gouvernement. Par exemple, seules quatre méthodes de taille sont autorisées pour assurer une production modérée et la qualité supérieure du raisin.

Se succèdent les opérations propres à la préparation du champagne : assemblage des différents crus selon l'étiquetage. Chaque marque possède son mélange secret. L'opération du pressoir s'effectue très vite pour éviter les colorations. Puis mise au tonneau, et première fermentation mousseuse du vin avant l'hiver. Elle sera arrêtée par le froid. Pendant l'hiver, le chef de cave effectue le « coupage » des crus pour obtenir une saveur et une couleur particulières, et pour maintenir d'une année à l'autre un goût uniforme. Il peut pour cela utiliser certains millésimes, gardés en réserve. Au printemps, c'est la mise en bouteilles, après l'adjonction d'une liqueur et d'un levain. Les bouteilles, placées sur des lattes, dans des caves à température de 8 à 11°, restent sous surveillance constante. Alors s'effectue la « prise de mousse », seconde fermentation où le sucre contenu dans le vin se transforme en gaz carbonique. Les bouteilles sont graduellement placées sur des pupitres et subissent une autre série d'opérations : remuage, pour amener les dépôts, les impuretés contre le bouchon ; dégorgeage, expulsion du dépôt. Si le chef de cave estime que le vin est bon, on met à la bouteille un autre bouchon provisoire et on remplace la quantité de vin évaporé par une quantité de liqueur : peu de liqueur, le champagne est brut, un peu plus de liqueur, le champagne est appelé « sec », davantage de liqueur, il sera demi-sec. On passe la bouteille à l'égaliseur, et on met le bouchon. Celui-ci doit être neuf, pour ne pas altérer le goût du vin. Suprême raffinement : seul le liège, pris à des chênes du Portugal et d'Espagne, âgés de 50 ans, a la qualité requise pour le champagne !

Millésimés : On appelle « millésimé » un vin d'une année particulièrement bonne, de qualité si exceptionnelle qu'elle ne demande qu'une petite adjonction, sinon aucune, de vin de réserve.

Comment servir le champagne

La meilleure température pour le champagne est celle qu'il a connue pendant sa préparation : entre 8 et 11°. Donc, mettre la bouteille, au moins une heure avant de servir, dans un seau à champagne à demi empli d'eau, dans laquelle on place des glaçons toutes les dix minutes. Si la bouteille a été déposée dans le réfrigérateur, ne pas la laisser trop longtemps, et surtout pas dans le compartiment à glace, car le vin, trop brutalement refroidi, serait « cassé » et perdrait de sa saveur.

Le repas de Noël dans les régions de France

PEUT-ON encore parler de Noël régional ? Il semblerait bien que la dinde aux marrons et la bûche de Noël soient devenus les plats nationaux du réveillon français. Une enquête auprès des diverses maisons des Régions de France s'est révélée particulièrement décevante : pas ou peu de particularités régionales, à de rares exceptions près. Il y a loin de ce constat au relevé qu'avait établi Mgr Chabot, en 1906, dans son ouvrage *La Nuit de Noël dans tous les pays*, sur les traditions régionales du réveillon :

« Dans l'Orléanais, le porc, sous toutes les formes et parties, était servi sur la table : le sang sous forme de boudin, et sa chair hachée sous celle de crépinette, sortes de saucisses longues, servies d'ailleurs à chaque personne dès le retour de la messe de minuit.

« En Anjou, pour Noël, on tuait un des porcs mis à l'engrais. Dès le matin, le boucher et ses valets étaient venus le tuer à domicile. Le soir arrivé, une grande chaudière d'airain était posée sur le feu. Elle était remplie de petits morceaux de la chair du porc, pour faire des rilleaux. Le chef de famille se signait, jetait de l'eau bénite sur le feu, puis plaçait dans la chaudière trois mesures de sel. A l'aube, les rilleaux étaient cuits et mangés.

« Dans le Rouergue, on réveillonne avec des saucisses ou du porc salé. Le jour de Noël, étant celui des petits et des humbles, c'est le maître qui régale la famille et les domestiques, c'est à lui de tout disposer. En revanche, le jour des Rois sera sa fête à lui. A leur tour les domestiques paieront ou seront censés payer.

« Dans les Hautes-Alpes, on mange des soupes de pâté qu'on appelle sazanes ou creusets. Le chef de famille prend le premier un verre plein de vin et porte la santé à tous les siens ; le verre passe ensuite de main en main, la même santé se répète et, à la fin du repas, chacun à son tour y boit en l'honneur des absents.

« En Armagnac, on mange la daube qui a mijoté pendant la messe de minuit. Elle se compose d'un morceau de bœuf cuit dans une sauce noire, faite avec du vin rouge et des condiments. Comme on ne comprendrait pas un réveillon sans la daube, si une famille est trop pauvre pour se payer ce luxe gastronomique, des voisins charitables et plus fortunés se font un devoir de la lui procurer. On complète avec des saucisses cuites sur le gril. On termine par des châtaignes grillées.

« Dans le Gévaudan, le menu est le même depuis des siècles : oreilles de porc ; riz au lait, saucisses, fromage, vin du Vivarais.

« Dans le Pays de Caux, à la campagne, le repas est réduit à une fricassée d'oiseaux noirs avec une tasse de flippe, boisson chaude composée de cidre doux, d'eau-de-vie et de sucre réduits au feu.

« Dans le Languedoc et le Béarn, on mange traditionnellement l'oie rôtie, accompagnée d'une bonne soupe aux choux, dont la marmite avait été enterrée sous la cendre, avant le départ pour la messe de minuit, d'une saucisse fraîche et d'un pâté de foie gras. »

Et cette description n'est pas exhaustive... Que reste-t-il de tout cela ? Une tradition encore forte en Lorraine, en Alsace, en Provence, dans le Languedoc, des particularités dans certaines régions : Bordelais, Touraine, Bourgogne et en Corse.

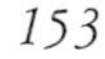

Les particularités

En Bourgogne

Dans les fermes, on continue à tuer deux porcs par an, l'un à Pâques et l'autre à Noël. A chacune de ces occasions, le sacrifice du porc est l'occasion d'un repas plus copieux et plus varié qu'à l'ordinaire. Et les viscères que l'on ne peut conserver longtemps sont mangés tout d'abord en de joyeuses réunions. On commence par la fressure, qui est l'ensemble formé par le cœur, le foie, la rate et les poumons.

Fressure de porc

Couper ces viandes en gros dés. Faire fondre dans une cocotte 250 g de lard frais détaillé en lardons. Faire revenir la fressure dans le lard. Saupoudrer de deux cuillerées à soupe de farine et laisser blondir. Lorsque la fressure a pris couleur, la couvrir tout juste d'un mélange formé de 2/3 de vin de Bourgogne rouge et de 1/3 d'eau. Ajouter une feuille de laurier, une brindille de thym, quatre échalotes et quatre gousses d'ail hachées. Laisser cuire une heure.

Pendant ce temps, faire revenir dans une cuillerée à soupe de saindoux un oignon émincé et six pommes de terre coupées en quartiers. Lorsque la fressure a mijoté une heure, ajouter les pommes de terre et l'oignon.

Terminer la cuisson pendant trois quarts d'heure.

Dans le Bordelais

Les huîtres se dégustent accompagnées d'une crépinette truffée. Les crépinettes sont de petite taille, de forme rectangulaire, de 3 à 4 cm de côté, sur 2 d'épaisseur. Le raffinement étant d'avaler une huître bien fraîche, et immédiatement sur ce goût, de croquer une crépinette chaude !

Crépinettes truffées

Pour la farce :

1 kg de chair à saucisse fine
125 g de truffes hachées
2 cuillerées à soupe de cuisson de truffes.

Mélanger la chair à saucisse et le jus des truffes, faire des petits tas, leur ajouter des émincés de truffes, et les envelopper de crépine de porc bien dégorgée à l'eau froide, en leur donnant une forme rectangulaire. Paner les crépinettes au beurre et les faire griller à feu doux.

La méthode ancienne de cuisson rappelle celle des truffes à la cendre : envelopper les crépinettes truffées dans deux feuilles de papier fort, beurré. Les ranger sur un âtre et les couvrir d'une forte couche de cendres rouges, renouveler les cendres plusieurs fois pendant le cours de la cuisson, qui est de vingt minutes environ. Au moment de servir, enlever le premier papier et laisser les crépinettes dans le second.

En Touraine

Le menu rejoint le menu type français, à l'exception des deux entrées : galantine de volaille, et pieds de porc truffés, avec crépinette. Ces entrées sont suivies impérativement de la présentation des deux boudins, blanc et noir, ce qui n'est pas sans rappeler la fête du cochon de jadis.

La galantine de volaille est d'élaboration longue et assez compliquée, mais pour ceux qui seraient tentés, voici celle d'Ali-Bab, dans l'*Art culinaire français :*

Galantine de volaille

Pour une vingtaine de personnes :

1 poularde bien en chair, ayant entre 1 et 2 ans, de 2,5 kg, bardes de lard.

Pour le fond de cuisson :

500 g de jarret de veau
500 g de gîte de bœuf
200 g de tranche, sans graisse
200 g de vin blanc
150 g de carottes
100 g de couenne fraîche
60 g d'oignons
40 g de madère
20 g de sel
3 l d'eau
3 blancs d'œufs
2 pieds de veau
2 clous de girofle
Carcasse et abattis de la poularde
bouquet garni.

Pour la garniture :

300 g de foie gras
250 g de langue à l'écarlate
250 g de jambon maigre
200 g de lard gras
150 g de madère
100 g de truffes
60 g de cognac
30 g de pistaches mondées
les filets mignons de la poularde
sel, épices.

Pour la farce :

500 g de sous-noix de veau sans déchets
300 g de porc frais gras et maigre
400 g de chair de poularde
10 g de sel
1 g de poivre
2 œufs frais
quatre épices.

Préparation de la poularde. La nettoyer, la flamber sans la noircir. Détacher l'abattis en laissant adhérer au corps la peau du cou. Faire une entaille le long du dos de la poularde jusqu'au niveau de l'insertion des cuisses, désosser la poularde entièrement. Enlever les nerfs des cuisses, séparer du bréchet les deux filets mignons sans les abîmer, prélever pour la farce 400 grammes de chair sur les parties les plus épaisses de la bête. Réserver.

Préparation du fond de cuisson : Mettre dans une marmite l'eau, le jarret et les pieds de veau, le gîte de bœuf, l'abattis et la carcasse de la poularde, la couenne blanchie. Faire bouillir, écumer. Ajouter alors les carottes, les oignons, le bouquet garni, les clous de girofle, le sel. Continuer la cuisson à tout petit feu pendant cinq heures. Passer, laisser refroidir, dégraisser.

Préparation de la garniture : Faire mariner pendant quelques heures dans le madère et le cognac la langue, le jambon maigre, le lard gras, les filets mignons, les truffes et le foie gras. Les sortir ensuite de la marinade et détailler la langue, le jambon, le lard et les filets mignons en lardons assez gros, les truffes et le foie gras en cubes. Les assaisonner de sel et d'épices.

Préparation de la farce : Piler au mortier d'abord la sous-noix de veau, puis le porc, ensuite la chair de volaille réservée. Les réunir, puis piler à nouveau en incorporant au mélange le sel, le poivre, plus ou moins de quatre épices, au goût, le reste de la marinade et les œufs, passer la farce au tamis, la goûter.

Préparation de la galantine : Étaler la poularde désossée sur un linge. Répartir uniformément la chair sur la totalité de la volaille ; assaisonner de sel, poivre, épices. Étendre dessus une couche de farce sur laquelle disposer une couche de lardons et des éléments marinés (garniture), répartir quelques pistaches, répéter l'opération jusqu'à épuisement du tout. Rouler la volaille farcie en ballottine un peu allongée, couverte par la peau, les cuisses bien rentrées. Envelopper d'abord de bardes de lard, puis d'une serviette en toile un peu forte, préalablement mouillée et égouttée. Serrer fortement, ficeler les deux extrémités solidement, ainsi que le corps de la ballottine en deux ou trois endroits. Mettre la galantine ainsi apprêtée dans le fond de cuisson préparé, auquel on ajoutera le vin blanc, et faire cuire doucement, à ébullition à peine visible, pendant deux heures à deux heures un quart.

Lorsqu'elle est cuite et légèrement refroidie, l'égoutter, la déballer et la remettre dans un autre linge bien propre mouillé et pressé. Serrer fortement, coudre le linge. Placer la galantine sur une planche allongée, la partie incisée en dessous, couvrir d'une autre planchette sur laquelle on mettra un poids pas trop lourd, laisser refroidir ainsi sous presse. Faire réduire le fond de cuisson, le laisser refroidir, le dégraisser.

Préparation de la gelée : Mettre dans une casserole la tranche de bœuf hachée fin, les blancs d'œufs ; verser dessus le fond refroidi et dégraissé, mélanger au fouet ou à la spatule, amener à ébullition à feu pas trop vif, toujours en fouettant doucement, continuer ensuite la cuisson à feu très réduit pendant un quart d'heure, enfin ajouter le madère, donner deux ou trois bouillons, passer à serviette, goûter.

Dressage : Sortir la galantine du linge, éponger la graisse qui est sur le dessus, napper la galantine de gelée rendue un peu coulante, de façon à la couvrir entièrement d'une couche de gelée épaisse d'un centimètre environ. La dresser sur un plat long, et entourer de gelée hachée.

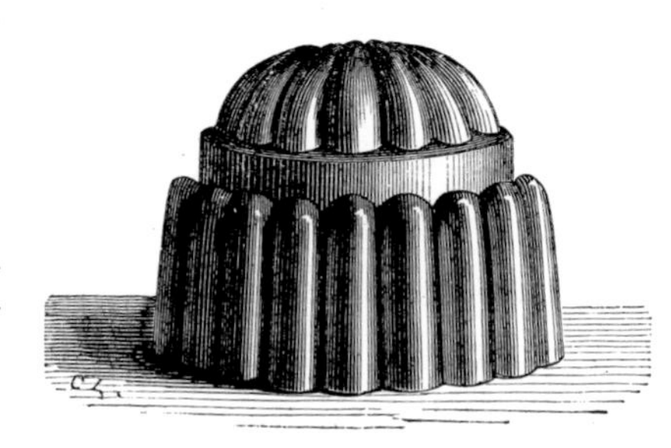

Moule pour galantine.

Les pieds de porc truffés

Cuire les pieds, après les avoir flambés et nettoyés, à l'eau salée, à raison de 8 g par litre, avec carottes, oignon piqué de clou de girofle et bouquet garni. Puis les désosser entièrement et laisser refroidir. Couper ensuite la chair en gros dés, la mélanger dans un fin hachis de porc à raison de 200 g par pied et additionné de 150 g de truffes hachées, crues autant que possible, par 500 g de farce. Diviser en parties d'un poids de 100 g, former en crépinette pointue d'un bout, ajouter trois lames de truffes sur chaque partie et envelopper de crépine bien souple. Arroser de beurre fondu et griller très doucement.

Le reste du repas se compose d'une dinde aux marrons et d'une bûche !

Corse

« La cuisine purement corse est d'un charme tout à la fois parfumé, substantiel, léger et harmonieux », écrit Curnonsky, un des princes de la gastronomie. « Malgré tous les apports de l'extérieur, Italie, Espagne, Provence, voire pays arabes, elle a su garder toute son originalité. » La preuve en est du repas de Noël :

D'abord, ficatelli, saucisses corses, pendues au plafond au-dessus de l'âtre, et qui se mangent telles quelles, ou cuites.

Puis chevreau ou cochon de lait cuit à la broche dans la cheminée, parfumé de branches de thym. Brochettes de merles parfumés aux myrtes sur un lit de plantes aromatiques « arba barona » et « muressa ».

Terrine de merles corses.

Amandulata, nougat noir croquant.

Beignets de toutes sortes, ou flans à la farine de châtaignes.

Pour le cochon de lait et les ficatelli, mieux vaut s'adresser à des boutiques spécialisées, mais voici la recette de la terrine de merles et de quelques beignets.

Terrines de merles

Employer des merles nourris de baies de myrte ou de genièvre et gavés d'arbouses. Les plumer et les désosser. Prendre du filet de porc, du foie de porc, de la panne et du lard.

Peser les merles et leur adjoindre, en parties égales, du foie, du filet, de la panne et du lard. Hacher le tout. Assaisonner avec : sel, poivre, épices, poudre de laurier, girofle. Laisser macérer 24 heures.

Garnir le fond de la terrine de tranches minces de panne et remplir de farce aux 3/4. Poser dessus un morceau de lard de la grosseur d'une pièce de 5 francs par terrine moyenne. Couvrir avec un couvercle qui doit être percé. Mettre à four chaud. S'assurer que la cuisson est à point quand une aiguille avec laquelle on aura percé la farce ressortira nette.

Mettre à refroidir pendant 24 heures. A ce moment, faire fondre de la panne fraîche et recouvrir largement avec cette panne fondue (1 cm). Plaquer avec un rond de papier blanc bien propre, recouvrir, et entourer soigneusement les bords de la terrine et du couvercle avec du papier gommé.

Les canistrelli

Canistrelli :

1 kg de farine
300 g de sucre
165 g de vin blanc
165 g d'eau de vie
3 dl d'huile
2 paquets de levure.

Les gâteaux les plus célèbres : ils sont de toutes les fêtes, en particulier, à Noël.

Mélanger le tout jusqu'à obtenir une pâte épaisse, genre pâte sablée. Abaisser la pâte sur une épaisseur de 1/2 cm. Saupoudrer de sucre, puis découper des losanges, des bâtonnets, ou des formes au choix, que l'on place sur une tôle huilée et farinée. Faire cuire à four chaud 20 minutes.

Les fritelles

C'est le nom générique des beignets corses qui sont d'une grande variété selon les régions, et même selon les villages.

Les beignets de farine de blé :

1 livre de farine de blé
2 jaunes d'œufs
1 bonne cuillerée à soupe de beurre
1/4 de litre d'eau (de source !)
2 cuillerées à soupe de levain légèrement salé.

Mélanger tous ces éléments, pour obtenir une pâte. On prélève de cette pâte une large cuillerée à soupe que l'on plonge dans un bain d'huile bouillante jusqu'à ce que le beignet soit solide et doré. Sortir à la passoire, égoutter et saupoudrer de sucre. La pâte peut être parfumée au rhum ou à l'eau de fleur d'oranger.

Les beignets de farine de châtaignes

Il s'agit simplement d'une pâte molle faite avec la farine et de l'eau tiède légèrement salée. On ajoute parfois du sucre et un ou deux jeunes d'œufs pour obtenir une nourriture plus consistante. La cuisson est la même que pour les beignets à la farine de blé.

Les beignets au brocciu

Le brocciu est un délicieux fromage de chèvre. Les beignets au brocciu se font à la farine de châtaignes ou à la farine de blé :

Délayer la levure dans l'eau tiède légèrement salée. Mettre la farine dans une terrine, creuser un puits. Verser le levain, les œufs l'un après l'autre, et le beurre fondu. Mélanger et laisser reposer 30 minutes.

Couper le fromage en cubes. Les plonger dans la pâte. L'astuce est dans le tour de main. Humecter les mains d'eau ou d'huile tièdes, saisir un cube enveloppé de pâte d'une main, serrer de façon à laisser sortir une boule entre le pouce et l'index. De l'autre main détacher vivement cette boule et la jeter dans un bain d'huile bouillante. Les beignets sont cuits dès qu'ils sont dorés, les égoutter, les saupoudrer de sucre, et consommer aussitôt afin de déguster le brocciu frais dans la croûte chaude du beignet.

500 g de farine de blé ou de châtaignes
500 g de brocciu
1 cuillerée à soupe de beurre
1/4 de litre d'eau
2 jaunes d'œufs
1 pincée de sel
2 cuillerées à soupe de levure de boulanger.

Languedoc

« LE LANGUEDOC, toujours selon Curnonsky, comme le Périgord, est un pays de confits, où l'on sait tirer un merveilleux parti de la volaille, poulets, oies, canards. Il a son alycuit, ragoût d'abattis de volaille, son poulet en vessie, ses pâtés de foie d'oie et de canard, ses terrines de fois gras truffés. » Ces volailles sont aussi l'enjeu d'une manifestation traditionnelle de la période de Noël : le loto, non pas le loto national, mais le loto languedocien, qui se passe dans un café où sont exposés les lots, et où un crieur annonce les numéros qui vont remplir un à un les cartons, les chanceux repartant avec trois lièvres, deux dindes et peut-être bien un mouton...

Toujours est-il que dans le menu de Noël se perpétue la tradition, déjà relevée par Mgr Chabot, des terrines de foies de dinde, de confits et de foie gras...

Menu languedocien

Foie gras d'oie ou de canard aux câpres
Terrine de foies de dinde ou de poulardes en « foies d'oie » frais
Confit
Millas
Estevenou, gâteau en forme de petit personnage.

La terrine de foies de dindes ou de poulardes en « foies d'oie » frais

300 à 350 g de foies
vin de grenache doux
cognac
sel, poivre
graisse d'oie.

Pour les foies de dinde, éviter ceux qui ont une couleur foncée, rougeâtre, et qui sont secs. Choisir les foies blonds, fermes mais onctueux sous le doigt, avec des lobes bien formés.

Mettre les foies entiers à macérer avec le vin, additionné de cognac. Les foies doivent être recouverts par le vin et la macération doit durer au moins 24 heures, au plus 48 heures au réfrigérateur. Lorsque cette macération est terminée, les arranger dans la terrine de terre (la terrine doit être munie d'un couvercle), saler et poivrer légèrement à mesure en disposant les lobes de façon à former un bloc sans gros intervalles, quelques grains de poivre vert autour, ne remplir la terrine que jusqu'à 1 cm du bord. Il est absolûment indispensable d'avoir de la place disponible sur les foies. Recouvrir juste de graisse d'oie fondue et mettre au four chaud dans un plat à rôtir contenant de l'eau bouillante (thermostat 5) pendant 45 minutes.

Au bout de ce temps, retirer du four, ajouter la graisse d'oie fondue très chaude pour remplir la terrine, recouvrir hermétiquement avec une feuille d'aluminium, poser le couvercle et remettre directement au four chaud éteint pour cinq minutes. Défourner, laisser refroidir lentement et reposer au réfrigérateur au moins 24 heures avant de déguster.

Le confit d'oie

1 oie
sel
graisse fine de porc
(éventuellement).

Vider et couper la bête, enlever toute la graisse que l'on trouve, séparer le foie et le préparer à part. La graisse séparée est fondue et conservée pour le lendemain.

Les morceaux d'oie sont salés, frottés avec du gros sel, et déposés dans le fond d'une terrine de grès munie d'une assiette à soupe renversée, ce qui permet l'écoulement et la séparation de la saumure qui se forme.

Couvrir la terrine d'un linge et mettre au frais 12 heures. Au bout de ce temps, faire refondre la graisse déjà préparée, s'il n'y en a pas assez ajouter de la graisse fine de porc. Lorsque la graisse est bien chaude, y mettre les morceaux d'oie bien essuyés avec un linge. Laisser cuire à pleine graisse pendant 1 heure ou plus selon la grosseur de la bête. Quand les morceaux sont cuits, retirer du feu. Ranger les morceaux en pot de grès, recouvrir avec de la graisse bouillante, laisser figer et mettre au frais.

La saucisse de Toulouse maigre coupée au couteau peut se préparer de la même façon et fournir la base de quelques plats dont le cassoulet.

A chaque reprise de quartier du pot, fondre la graisse enlevée avec le morceau pour la remettre dans le pot, de façon à n'avoir jamais de viande exposée à l'air, et à conserver toujours une surface de graisse bien lisse.

Le millas

Proportion de 1 l d'eau par 250 g de semoule ou de farine de maïs.

C'est une sorte de gâteau à la semoule, originellement à la farine de maïs.

Dans la bassine qui a servi à fondre la graisse d'oie, ou dans une casserole quelconque, laisser ou mettre la valeur d'une cuillerée à soupe de graisse d'oie bien répartie sur toute la surface. Mettre à bouillir un litre d'eau. Quand l'eau bout, réduire le feu, saler légèrement, et incorporer en pluie, sans cesser de remuer la farine de maïs (le mieux étant de mélanger moitié farine de maïs jaune, moitié de maïs blanc) ou la semoule. Laisser cuire en brassant, jusqu'à ce que la masse prenne, et se décolle facilement des bords de la casserole, ce qui demande entre 1/4 et 1/2 heure. Couler chaud sur du marbre, ou des assiettes plates en épaisseur de 1 cm environ. Laisser refroidir. Le soir ou le lendemain couper en carrés de 5 cm de côté et faire frire. Saupoudrer de sucre.

Le millas se mange aussi chaud, dès la cuisson : dans une assiette à soupe, on fait un creux au milieu de la pâte, que l'on remplit de confiture, ou de gelée de coing ou de pomme.

Estevenou

500 g de farine
100 g de sucre
200 g de beurre
2 œufs
20 g de levure de boulanger
fruits confits, lait, eau de fleur d'oranger.

C'est un gâteau en forme de petit enfant.

Mélanger la farine, les œufs, le sucre et le sel. Délayer la levure dans un peu de lait tiédi, et la verser dans un puits fait dans la pâte. Ajouter peu à peu le beurre coupé en petits morceaux, un zeste de citron, la fleur d'oranger. Quand la pâte ne colle plus, la laisser reposer trois à quatre heures. Former des petits personnages, les décorer de fruits confits. Laisser encore lever la pâte une bonne heure. Dorer avec un jaune d'œuf et faire cuire à four chaud pendant trois quarts d'heure.

Lorraine

BIEN que, comme dans tout l'Est de la France, la Saint-Nicolas soit la véritable fête des enfants, Noël n'en est pas moins joyeusement célébré. Et le cochon, sacrifié entre la Saint-Nicolas et Noël, apparaît dans les menus de fêtes, sous forme de potée, de boudins. Autrefois, le jambon frais était même servi rôti pour la Fête des Rois, après avoir mariné deux jours dans du vin de Moselle, épicé d'ail, d'échalotes et de serpolet.

Mais une des caractéristiques de la Lorraine est la tradition des tourtes. Tourtes dont la croûte dorée et croustillante masque tout aussi bien viandes, poissons, légumes ou fruits. Et ce qui donne une saveur bien particulière à ces tourtes, c'est le mélange d'œufs battus et de crème qui accompagne toutes ces préparations. Quant aux desserts, outre les tourtes aux fruits et les kugelhof devenus babas, il y avait aussi les gaufres, faites dans la cheminée, avec des moules aux dessins variés, gaufres qui s'offraient à la veille de Noël ou au Jour de l'An.

Voici un menu particulièrement copieux :

Pâté lorrain
Tourte aux morilles
Carpe farcie ou brochet poché
Cochon de lait farci
Crêpes de pommes de terre
Baba au rhum ou tarte aux mirabelles.

Pâté lorrain ou tourte lorraine

Pour 6 à 8 personnes :

1 kg de collet de porc
750 g de pâte feuilletée
1 verre de cognac
beurre ou saindoux
sel, poivre, thym, laurier
1 œuf.

Pour la fin de cuisson :

3 œufs
100 g de crème fraîche
3 cuillerées à soupe de lait
sel, poivre, muscade.

Cette tourte peut se confectionner avec de la viande de porc seul, ou avec un mélange viande de porc, viande de veau, ou poulet et lapin mélangés à la viande de porc, ou aussi avec de la chair de brochet.

La pâte de soutien étant toujours de la pâte feuilletée, dont la recette aurait été inventée par Claude Gellée, dit plus tard le Lorrain, alors qu'il était apprenti pâtissier près de Toul.

Cette recette se réalise uniquement avec du porc, mais libre à vous de pratiquer un des mélanges cités précédemment.

Couper la viande en dés et la faire macérer dans le cognac, auquel on ajoute sel, poivre, thym, laurier. Laisser macérer toute une nuit. Le lendemain, faire dorer rapidement la viande à la poêle avec un peu de matière grasse. Abaisser la pâte feuilletée sur une épaisseur de 2 à 3 mm, garder un tiers de la pâte. Foncer une tourtière haute de 3 cm environ, et laisser dépasser tout autour un rebord de pâte de 2 cm. Garnir cette pâte avec la viande. Avec le dernier tiers de la pâte faire un couvercle qui sera placé au-dessus des viandes. Souder avec le rebord de pâte dépassant. Badigeonner au jaune d'œuf et faire un trou au centre du couvercle. Mettre à cuire à four assez chaud pendant une demi-heure, puis sortir du four, et verser par l'orifice le mélange traditionnel : œuf, crème et lait : 3 œufs, 100 g de crème fraîche, 3 cuillerées à soupe de lait, sel, poivre et muscade battus. Remettre au four pendant encore une vingtaine de minutes.

Carpe farcie

Pour 6 à 8 personnes :

1 carpe de 1,5 à 2 kg.

Pour la farce :

300 g de chair à saucisse
1 petit verre de cognac
3 à 4 échalotes hachées
1 tasse de persil haché
1 oignon haché
1 tranche de pain
1 verre de lait.

Pour la cuisson :

1/4 de litre de vin blanc
100 g de crème fraîche
3 carottes
2 oignons.

La Meuse, la Moselle, les étangs, les lacs, les rivières, fournissent de nombreux poissons, brochets, carpes, tanches et truites, qui, après avoir figuré en tourtes ou en pâtés sur les tables seigneuriales du Moyen Age, participent aussi du repas de Noël.

Faire ouvrir et vider la carpe en enlevant l'arête centrale pour obtenir une large poche. Tremper et essorer la mie de pain dans le lait. L'ajouter à la chair à saucisse, aux échalotes, oignon, sel, poivre, persil. Remplir la carpe de cette farce et la recoudre. Mettre au four avec le vin blanc, les carottes et les oignons coupés en rondelles. Couvrir d'une feuille d'aluminium et faire cuire à four moyen pendant une heure. Ajouter la crème en fin de cuisson.

Brochet poché

1 brochet de 2 kg
1 litre de vin blanc
3 échalotes
2 oignons
poivre, sel, persil, farine
500 g de crème
1/2 citron
20 g de beurre.

Nettoyer et préparer le brochet. Dans une cocotte, mettre le vin blanc, les échalotes et les oignons hachés, et une demi-cuillerée à soupe de sel, et bien sûr le brochet. Laisser pocher à partir d'un petit frémissement 30 minutes environ. Faire fondre dans une poêle le beurre, une poignée de persil haché, ajouter la farine, la crème, le sel et le poivre. Laisser cuire et légèrement réduire. Ajouter le jus de citron.

Cochon de lait farci

Pour une dizaine de personnes :

1 cochon de 7 kg.

Pour la farce :

1 kg d'échine de porc ou de collet
1 kg de viande maigre de veau
500 g de carré de porc
4 ou 5 échalotes
1 tasse de pistaches émondées
18 g de sel par kg
2 g de poivre par kg
un peu de quatre épices
thym émietté, laurier
1 petit verre de cognac.

Faire macérer tous les éléments de la farce, à l'exception des pistaches pendant plusieurs heures. Hacher le tout, et ajouter les pistaches. Désosser le cochon à l'aide d'un petit couteau pointu, le remplir de farce, recoudre, faire cuire 3 heures à four moyen (si vous avez un grand four). Servir avec des crêpes de pommes de terre.

Crêpes de pommes de terre

Pour 8 personnes :

2 kg de pommes de terre
2 oignons
2 blancs de poireaux
2 cuillerées à soupe de farine
2 jaunes d'œufs
sel, poivre, quatre épices.

Éplucher les pommes de terre, les essuyer, les râper, ajouter oignons et poireaux émincés. Mélanger, assaisonner, ajouter les jaunes d'œuf, saupoudrer de farine.

Faire chauffer un peu d'huile dans une poêle, déposer les pommes de terre cuillerée par cuillerée. Retourner quand elles sont dorées.

Provence

« Ce jour-là, sur la table, trois chandelles brillaient ; et si, parfois, la mèche tournait devers quelqu'un, c'était de mauvais augure. A chaque bout, dans une assiette, verdoyait du blé en herbe, qu'on avait mis germer dans l'eau le jour de la Sainte-Barbe. Sur la triple nappe blanche, tour à tour apparaissaient les plats sacramentels : les escargots, qu'avec un long clou chacun tirait de la coquille ; la morue frite et le muge aux olives, le cardon, le scolyme, le céleri à la poivrade, suivis d'un tas de friandises réservées pour ce jour-là comme : fouaces à l'huile, raisins secs, nougat d'amandes, pommes de paradis ; puis, au-dessus de tout, le grand pain calendal, que l'on n'entamait jamais qu'après en avoir donné, religieusement, au premier pauvre qui passait. » Telle était la veillée de Noël de Frédéric Mistral. Ce qui frappe surtout dans ce « gros souper » de Noël en Provence, c'est la multiplicité des plats, plats maigres, mais d'un raffinement de goût extrême. Étaient réservés pour cette veillée les meilleurs produits : les poissons, la salade ou les cardons du jardin et les meilleures bouteilles des vins de pays. Au dessert, on servait le « vin cuit », spécialité du hameau de Palette, près d'Aix. Le lendemain était le jour de la dinde, de la volaille, et de la viande, repas de tradition plus générale cette fois, aussi préférons-nous donner les recettes du « gros souper », dont les treize desserts sont devenus célèbres.

La tradition du « gros souper »

Marseille et plus généralement, Provence, Sud-Est.

Le gros souper se prenait à la veillée avant la messe.

C'était un repas maigre mais raffiné et... copieux. Maigre donc mais pas mortifiant.

Il est à base de poissons et de légumes de saison, sans oublier les 13 desserts (pachichoio) et le vin cuit.

Les poissons

Anguille, muge (ou mulet), daurade, saint-pierre, loup. S'il n'y a plus de poisson frais : morue.

L'anguille et le mulet venaient principalement de l'étang de Berre près de Martigues. En prévision de Noël, on les engraissait dans des emplacements entourés de claies. Pour les attraper, deux filets spéciaux dont les noms provençaux sont : « trabaco » et « paradiero ».

Anguille, mulet, morue sont généralement apprêtés en « reito ». (Reito ou reyte ou rayte est une façon de ragoût ramenée de Grèce par les Phocéens.)

On les cuit aussi à la broche si elles sont grosses, sauf la morue bien sûr. Daurade, saint-pierre, loup sont grillés ou cuits au four.

Morue en rayte ou capiotade

Attention : un jour avant, faire tremper la morue pour la dessaler. Changer l'eau souvent. Enlever la peau.
Cuisson : trente minutes environ.

Sauce. Mettre dans une casserole un oignon finement haché avec quelques cuillerées à soupe d'huile d'olive. Laisser légèrement roussir. Ajouter une grosse cuillerée à soupe de farine, faire donner deux tours sur le feu, puis mouiller avec 1/2 litre de vin rouge et 1/2 litre d'eau bouillante. Assaisonner de poivre et d'un peu de sel. Ajouter deux gousses d'ail, une feuille de laurier, le thym et le persil, une cuillerée de purée de tomates. Laisser bouillir. La sauce doit être assez épaisse.

La morue étant coupée en morceaux carrés, la rouler dans la farine et la faire frire à grande friture. C'est-à-dire qu'elle nage dans l'huile.

Mettre les morceaux dans la sauce avec deux cuillerées à soupe de câpres et laisser mijoter une dizaine de minutes. Servir.

Pour 8 personnes :

1 kg de morue
1 oignon
quelques cuillerées à soupe d'huile d'olive/huile de friture
une grosse cuillerée à soupe de farine
1/2 litre de vin rouge
1/2 litre d'eau
poivre et sel
2 gousses d'ail
1 feuille de laurier
thym et persil liés ensemble
1 cuillerée à soupe de purée de tomates, 2 de câpres.

Les légumes

Chou-fleur, cardon ou « cardoun » en provençal, céleri, artichaut, châtaigne.
Il y a quatre sortes de choux-fleurs, le chou-fleur de Malte, le chou-fleur d'hiver, le chou-fleur de carême et le chou-fleur de Noël, semé en avril, bon à la Noël.

Le « cardoun » (ou scolyme d'Espagne) est une variété de... chardon dont les racines sont comestibles. On l'appelait aussi « pei de Nouvé » (poisson de Noël) car il remplaçait le poisson chez les pauvres.

On prépare les grosses côtes du céleri comme le cardoun et le cœur en vinaigrette avec des anchois (anchoïade).

L'artichaut qui se trouve en cette saison dans le Var (Hyères) est dégusté cru à la vinaigrette ou cuit en omelette.

Les châtaignes sont cuites à l'eau ou grillées.

La plupart du temps, ces légumes sont cuits à l'eau, liés à une sauce blanche ou une béchamel et ensuite gratinés, c'est-à-dire passés au four avec du gruyère râpé.

Plus simplement encore, le chou-fleur est servi cru avec l'anchoïade ou cuit en salade à l'huile d'olive de l'année. On prépare aussi le cardoun avec une sauce tomate (ou pomme d'amour dit-on dans le Midi) et l'on passe ensuite au gratin comme des raviolis.

Anchoïade (Anchouiado)

Pour 4 personnes :

7 ou 8 anchois
4 cuillerées à soupe d'huile d'olive
1 pincée de poivre
2 ou 3 gousses d'ail
1 filet de vinaigre (facultatif)
1 baguette de pain
une cheminée ou, à défaut, un petit réchaud de table.

Préparation : 1/2 heure environ.

Laver les anchois et les faire tremper quelques minutes dans l'eau pour les dessaler. Séparer les filets en les débarrassant de leurs arêtes et les déposer dans une assiette avec l'huile d'olive, le poivre et les grousses d'ail coupées en petits dés. Vinaigre ou citron si l'on veut.

Couper le dessous de la baguette de pain (épaisseur de 2 centimètres environ). Diviser cette grande tartine en quatre. Étendre dessus quelques petits filets d'anchois et poser chaque morceau dans une assiette.

Couper d'autres morceaux de pain de forme carrée. Chaque convive, les trempant alternativement dans l'huile préparée et les reportant sur la tartine, écrase de ce fait les anchois sur le pain. Lorsque tout est épuisé, anchois et sauce, on mange le pain qui a servi à écraser les anchois et on fait griller la tartine au feu.

Les légumes crus avec l'anchoïade sont un régal supplémentaire.

Cardons gratinés au coulis de tomates

Pour 8 personnes :

3 cuillères à soupe d'huile d'olive
1 oignon
10 tomates
1 feuille de laurier
2 gousses d'ail
sel, poivre.
1 kg de cardons
1 citron
100 g de gruyère râpé.

Coulis. Cuisson : 3/4 d'heure à peu près.

Mettre dans une casserole 3 cuillères à soupe d'huile d'olive et 1 oignon soigneusement émincé. Bien faire revenir. Mettre alors une dizaine de tomates coupées en quatre et bien épépinées. Remuer avec une cuillère en bois pour les écraser. Ajouter une feuille de laurier, 2 gousses d'ail, du sel et du poivre. Couvrir la casserole et laisser cuire jusqu'à ce que l'eau des tomates soit réduite. Passer ensuite à la moulinette.

Cardons. Cuisson : 2 h 1/2.

Nettoyer les côtes de cardons en enlevant les parties piquantes et filandreuses. Les détailler en morceaux de 5 cm, les cuire à l'eau citronnée. Les égoutter ensuite.

Les mélanger avec le coulis de tomates et le gruyère râpé.

Faire gratiner.

Les 13 desserts ou pachichoio

Pourquoi treize ? Parce qu'il y avait douze apôtres et Jésus... Mais les desserts varient d'une région à l'autre, d'une famille à l'autre. Cependant, il y a trois traditions communes : les fruits, le nougat et la pompe. On fait aussi des tartes ou des tourtes.

Les fruits

Noix, amandes, noisettes, figues sèches : ce qu'on appelle les mendiants. Ce nom leur a été donné par similitude entre leur couleur et celle de l'habit des moines appartenant aux ordres mendiants. Noix ou noisettes : augustins ; figues : franciscains ; amandes : carmes, et raisins : dominicains.

Raisins, pommes, poires mais aussi des melons dans le Vaucluse et des châtaignes dans le Haut-Var. Mandarines, oranges, dattes qu'on appelait « les figues d'Afrique ».

La pompe

700 g de farine
150 g d'huile d'olive
150 g de sucre en poudre
50 g de levure de boulanger
eau de fleur d'oranger
fruits confits (facultatif).

« Ce gâteau ovale taillé à jour » (Frédéric Mistral) porte plusieurs noms : gibacié, fougasse ou fouasse. La pompe, c'est sur la côte.

C'est un gâteau qui tient du pain et de la brioche. Il peut être exquis comme il peut ne pas l'être du tout. Les choses simples ne sont pas toujours si simples à réussir. « C'est affaire de goût... » dit-on aussi. A chacun sa fougasse ou sa pompe, comme on voudra.

Voici une recette :

La veille, préparer un levain avec 200 g de farine et un verre d'eau légèrement salé. Rouler en boule. Mettre dans une terrine, couvrir et tenir au chaud.

Le lendemain, pétrir 500 g de farine, l'huile d'olive, le sucre en poudre et le levain. Ajouter l'eau de fleur d'oranger et les fruits confits. Saler légèrement.

Bien pétrir puis diviser en trois parts pour faire trois pompes. Aplatir la pâte à la main dans trois tourtières et faire sur le dessus de petites entailles. Couvrir et tenir au chaud jusqu'à ce que la pâte ait gonflé d'un tiers de son volume. Cuire alors à four très chaud une quinzaine de minutes.

Alsace

« Un soir de Noël, Kobus se trouvait à la brasserie du Grand-Cerf. Il y avait trois pieds de neige dehors. On ne songeait à rien quand un Bohémien entra, les pieds nus dans des souliers troués ; il grelottait et se mit à jouer d'un air mélancolique... Kobus comprit que les papiers du Bohémien n'étaient pas en règle. Il s'avança vers le Bohémien, lui mit un thaler dans la main, et le prenant bras dessus, bras dessous, lui dit : « Je te retiens pour cette nuit de Noël, arrive ! » Il le conduisit dans sa propre maison, où la table était dressée pour la fête du Christ-Kind, l'arbre de Noël, au milieu, sur la nappe blanche ; et, tout autour, le pâté, les « küchlen » saupoudrés de sucre blanc, le « kougelhof » aux raisins de caisse, rangés dans un ordre convenable. Trois bouteilles de vieux bordeaux chauffaient dans des serviettes, sur le fourneau de porcelaine à plaque de marbre... » (Erckmann-Chatrian)

Voilà donc l'ami Fritz accueillant à sa table, le soir de Noël, le « pauvre », celui qui n'a pas de maison, comme dans la tradition uniformément répandue en France au début du siècle, où une place était toujours laissée vacante à cet effet. Mais le menu alsacien est tout particulièrement luxuriant, à l'image des produits de cette terre riche en gibiers, en poissons, en viandes et en fruits. Pour Noël, l'oie, à la choucroute, les pâtés, langue à l'écarlate, et surtout de nombreux gâteaux, préparés pendant la période de l'Avent, dont le traditionnel « pain de Noël », ou birewecke (voir Noël des Enfants), les pains d'épice, les bretzels sucrés et les schwowebretele.

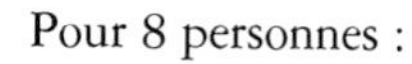

Oie de la Martinsgaus

Pour 8 personnes :

Choisir une oie qui n'ait pas encore pondu et assez grasse, d'environ 3 kg
500 g de chair à saucisse
200 g de mie de pain trempée dans du lait et égouttée
100 g d'oignons
50 g de fromage blanc
sel, poivre
1 petit verre d'eau-de-vie de genièvre ou de questsch, au choix.

Cuisson : 2 à 3 heures.

Vider l'oie et la flamber.

Allumer le four (thermostat au 8).

Oter les excédents de graisse, les couper en morceaux et les faire fondre doucement.

Émincer les oignons et les faire dorer dans la graisse. Ajouter le foie et le gésier hachés fin puis la mie de pain trempée, égouttée et écrasée, le fromage blanc, le sel, le poivre.

Bien mélanger. Éteindre.

Verser l'eau-de-vie hors du feu. Bien mélanger.

Farcir l'intérieur de la volaille de cette préparation. Coudre et brider soigneusement avant d'embrocher ou de mettre au four.

Faire dorer l'oie de tous côtés. Baisser la chaleur d'un cran (7). Couvrir d'un papier huilé.

Retourner souvent et arroser en prenant soin de verser tiers par tiers le contenu d'un grand verre d'eau dans le lèchefrite.

Les desserts

Kugelhoff

Pour 6 à 8 personnes :

50 g de raisins secs
1 petit verre de kirsch
500 g de farine
20 g de levure de boulanger
2 cuillerées à soupe de lait tiède
125 g de sucre en poudre
4 œufs
1 pincée de sel
200 g de beurre mou
2 cuillerées à soupe d'amandes effilées
sucre glace.

Ce gâteau, d'origine autrichienne, serait l'ancêtre du baba, ainsi nommé, dit-on, par Stanilas Leszczynski, ex-roi de Pologne, qui tint à Lunéville (Meurthe-et-Moselle) une cour brillante de 1735 à 1760. Convié à baptiser un kugelhoff aspergé de rhum, le monarque lui donna le nom de Baba (Ali), héros de son livre de chevet.

On dit encore que Marie-Antoinette, d'origine autrichienne elle aussi, raffolait de ce gâteau qu'elle trempait le matin dans son café au lait.

Attention : Prévoir un temps de levée de la pâte de 3 heures au moins avant la cuisson.

Cuisson : 1 heure environ.

Faire tremper les raisins secs dans un bol contenant le kirsch. Délayer soigneusement la levure dans le lait tiède.

Sur la planche à pâtisserie ou dans un saladier, verser la farine et y creuser un puits. Disposer alors dans ce puits les œufs préalablement battus, le sucre en poudre, le sel et la levure délayée.

Bien mélanger et travailler la pâte pendant un quart d'heure. (Glisser la main sous la pâte puis soulever en retournant pour faire retomber ensuite. Malaxer. Répéter cette opération sept fois.)

Le beurre mou ayant été morcelé, l'incorporer à la pâte et retravailler jusqu'à ce qu'elle ne colle plus aux doigts. Étaler la pâte et disposer les raisins. Rassembler la pâte en boule. La retravailler encore un peu. Cela compte beaucoup pour la légèreté du gâteau. Mettre alors la pâte dans un saladier tapissé d'un torchon fariné.

Couvrir et laisser lever 1 h 30 au moins dans un endroit tiède.

Au bout de ce temps, sortir la pâte. La repétrir pour qu'elle se dégonfle.

Bien beurrer le moule à kugelhoff et en tapisser l'intérieur d'amandes effilées. Y mettre ensuite la pâte en appuyant avec le plat de la main.

Laisser lever encore une bonne heure.

Préchauffer le four 10 minutes et mettre à cuire (thermostat à 6).

Ne démouler le gâteau que lorsqu'il est froid. Saupoudrer alors de sucre glace.

Schwowebretele

(ou biscuit de Noël aux amandes)

Pour 1 kg de biscuits :

400 g de farine
250 g de sucre en poudre
250 g de beurre mou
200 g de poudre d'amandes
100 g d'écorce d'oranges confites hachées ou 100 g de confiture d'oranges
1/2 zeste de citron
2 jaunes d'œufs
1 pincée de cannelle
1 autre jaune d'œuf pour le dorage.

Préparer la veille de la cuisson.

Cuisson : 15 minutes.

Verser la farine dans un saladier et y creuser un puits. Y mettre le beurre émietté et tous les ingrédients. Bien mélanger. Pétrir longuement. Laisser reposer 12 heures dans un endroit ni trop chaud ni trop froid.

Juste avant la cuisson (thermostat du four à 6), rouler la pâte à une épaisseur de 1/2 centimètre.

Avec un verre ou un emporte-pièce, découper des galettes. Les dorer à l'œuf avant de les mettre au four sur une plaque graissée et farinée.

Le repas de Noël autour de la France

Si en France, en tout cas dans la majorité des régions, le repas de Noël est ou a été associé à la messe de minuit, et plus généralement maintenant au passage du père Noël, ou à la remise de cadeaux, il n'en est pas de même chez nos voisins. Dans les pays catholiques, subsiste encore la coutume du repas maigre de la vigile, à l'exception de la Hongrie où, avant la messe de minuit, on prend un repas « gras », composé d'un cochon de lait rôti, suivi de gâteaux de pavot. Quant à la date de remise des cadeaux, elle varie du Nord au Sud : dans les pays septentrionaux, saint Nicolas arrive beaucoup plus tôt, dans la nuit du 5 au 6 décembre. Aux Pays-Bas, en Belgique, en Allemagne, en Autriche et dans une partie de la Suisse, la fête des enfants est donc dissociée et a lieu le 6 décembre.

En revanche, en Italie, ou en Espagne, elle est plus tardive : le 6 janvier. En Italie, la fée Befana dépose les cadeaux dans la cheminée, tandis qu'en Espagne ce sont les Rois mages qui, à la même date, apportent des présents aux enfants sages, comme ils l'avaient fait autrefois pour l'Enfant Roi. Mais quelles que soient ces variantes, il n'est pas un pays, en Occident, qui ne célèbre un repas copieux et traditionnel, le jour même de Noël.

Repas où se retrouvent de pays en pays les mêmes types de plat : oie, dinde, porc, mais aussi poisson. Poisson sous différentes formes : anguille en Italie, « besugo » (daurade) en Espagne, carpe frite en Autriche, ou farcie en Tchécoslovaquie et Pologne, morues séchées ou conservées au sel dans les pays scandinaves. La variété des repas dans les différents pays d'Europe vient surtout de la façon de préparer ces éléments identiques, et des desserts qui, eux, ont gardé une originalité beaucoup plus marquée.

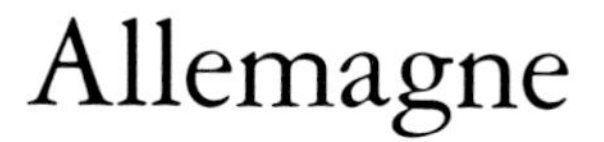

Allemagne

DANS la région du Schleswig-Holstein, la soirée du réveillon porte un nom pour le moins explicite : « Vollbauchsabend », la soirée des ventres bien remplis... Mais si ce repas se caractérise par une abondance de mets, il s'inscrit aussi comme point culminant d'un mois de préparatifs culinaires.

Pendant toute la période de l'Avent, la maison fleure bon la cannelle, le pain d'épice, le sucre brûlé. Les petits gâteaux traditionnels se rangent dans des boîtes de fer, petits biscuits à l'anis, pains d'épice parfumés (lebkuchen), bretzels, maisons de sorcière, et surtout le pain de Noël, ou stollen, qui depuis le XVIIIe siècle fait partie de tous les repas de Noël. Une variante du stollen est le Fruchte brot, ou pain aux fruits.

Au XIXe siècle, il était de tradition à la cour de Berlin que, chaque veille de Noël, le capitaine en second de la 1ère compagnie du Ier régiment de la garde à pied offre au souverain un gâteau de miel. Le prince impérial et ses frères recevaient des gâteaux semblables, mais plus petits, offerts par la même compagnie. Autrefois fabriqués à Zhorn, ces gâteaux le sont maintenant à Potsdam. Ce sont des gâteaux glacés, portant l'étoile de la garde et une inscription dédicatoire. L'empereur ne manquait jamais la cérémonie de remise de gâteau et retenait à dîner les officiers chargés de cette mission. C'est dire à quel point cette tradition des gâteaux de l'Avent était « officielle » !

Au XIXe siècle toujours, le plat favori de Noël dans les campagnes était une tête de porc à laquelle s'ajoutaient saucisses et choux-verts. Il semble que, comme bien souvent, le porc ait cédé, de nos jours, la place à l'oie, rôtie aux pommes-fruits et au chou rouge, ou, dans les régions où la chasse tient une place importante, au chevreuil, ou quelquefois au sanglier.

La veillée de Noël se passe dans le recueillement. Dans les provinces du Nord, on dispose sur la table décorée et illuminée d'une bougie traditionnelle, une série de plats froids, dont la salade de harengs, sans laquelle il ne saurait y avoir de repas de Noël. Dans les petites assiettes du service de fête sont proposés à chacun les gâteaux de l'Avent, agrémentés de pommes rouges, de mandarines, de noix, qui sont, comme le dit la sagesse populaire allemande, les fruits de Noël. Chacun se sert à son gré pendant que l'on récite des poèmes sous l'arbre de Noël, ou que les cantiques résonnent d'une harmonie familiale. Le festin sera pour le lendemain. Dans les provinces du Sud, la carpe figure au menu de cette veille de Noël, farcie ou cuite au bleu, comme en Autriche.

Gigue de chevreuil marinée au poivre blanc

Cuisson : 1 h 1/2 à 2 h

Pour 6 à 8 personnes :

120 g de confiture d'airelles
120 g de crème fraîche
50 g de beurre
50 g de farine
1 gigue (ou selle) de chevreuil de 3 kg
1 litre de vin blanc du Rhin
40 g de poivre blanc concassé (mignonnette)
3 carottes
2 oignons
40 g de saindoux
thym et laurier
baies de genièvre
3 rondelles de citron.

La marinade. Mettre à mariner la gigue de chevreuil désossée et ficelée avec le vin blanc, les carottes coupées en rondelles, les oignons, le thym, le laurier, les baies de genièvre et les rondelles de citron.

Laisser mariner pendant 2 jours au moins. On peut aller jusqu'à 6 jours.

Égoutter et sécher la gigue dans un torchon.

La sauce. Prendre la marinade et la passer au chinois. La faire réduire. Préparer un roux avec le beurre et la farine. Ajouter la marinade qui a réduit. Saler et ajouter la crème fraîche.

Le rôti. Rôtir la gigue au four dans un plat ou on aura fait fondre le saindoux. Bien saisir la viande (15 mn par livre).

Servir la sauce à part. Présenter la confiture d'airelles. Pour l'accompagnement, on a le choix entre une purée de céleri, une purée de marrons, des pommes-fruits cuites, du chou rouge ou encore des nouilles fraîches.

Oie au chou rouge et pommes-fruits

Cuisson : environ 3 h

Pour 6 à 8 personnes :

1 oie de 3 kg
2 kg de pommes-fruits
2 boules de chou rouge
1 litre de vin rouge
1/4 de litre de vin blanc
150 g de sucre semoule
250 g de poitrine fumée
50 g de saindoux
sel, poivre.

L'oie. Farcir l'oie d'une partie des pommes épluchées, découpées en quartier ainsi que de la poitrine fumée coupée en dés et préalablement blanchie. Saler, poivrer intérieur et extérieur. Bien recoudre l'oie.

Mettre au four dans un plat où on aura fait fondre le saindoux. Faire rôtir pendant 2 ou 3 heures en arrosant très souvent. Après cuisson, déglacer le plat avec le vin blanc. Laisser réduire un peu. Servir ce jus à part après avoir découpé l'oie qui sera présentée sur sa farce de pommes et de poitrine fumée.

Le chou rouge. Émincer le chou et le reste des pommes. Ajouter le vin rouge et le sucre. Faire cuire jusqu'à transparence du chou. Servir à part.

Lebkuchen ou petits pains d'épice de Noël

Ces pains d'épice sont coupés en languettes de 15 cm de long sur 5 cm de large. La préparation se fait en deux temps, à quatre jours d'intervalle.

Pour une bonne livre de pain d'épice :

500 g de farine
150 g de miel (de sapin)
100 g de sucre en poudre
2 œufs
150 g d'amandes en poudre
100 g d'oranges confites hachées
1 bonne pincée de cannelle
1 sachet de levure alsacienne

Glaçage *250 g de sucre glace*
1 petit verre de kirsch.

Premier jour. Mélanger le miel et le sucre dans une casserole sur un feu très doux. Retirer la casserole du feu et ajouter peu à peu la farine, les amandes et les fruits confits hachés. Bien mélanger et laisser macérer dans un endroit frais, en couvrant la terrine pendant 4 jours.

Deuxième opération. Délayer le sachet de levure dans une cuillerée d'eau tiède ou de lait, battre les deux œufs et mélanger le tout au reste de la préparation. Verser sur une planche à pâtisserie farinée et pétrir pendant 5 mn. Allumer le four, abaisser la pâte sur 1 cm d'épaisseur, la disposer sur la plaque du four, beurrée et légèrement farinée. Laisser cuire à feu doux pendant 20 à 25 mn.

Préparer le glaçage en délayant le sucre glace dans le kirsch. Sur le gâteau tout chaud, étaler le glaçage au couteau, en procédant en deux ou trois fois, couche par couche, et en commençant par le centre. Bien laisser sécher à l'air avant de couper en bâtonnets.

Stollen de Dresde

Cuisson : 1 h

Pour 6 personnes :

300 g de farine et 10 g de levure de boulanger
250 g de beurre
2 œufs
85 g de sucre semoule
50 g de sucre glace
1 dl de lait
100 g de raisins secs (Malaga, Smyrne, Corinthe)
50 g d'amandes effilées
1 écorce d'orange râpée
1 dl de rhum
1 pincée de sel.

Préparation. Faire macérer l'écorce d'orange et les raisins secs dans le rhum. Mettre la farine et la levure dans une terrine, faire un puits. Mélanger le sucre, le lait. Mettre la pincée de sel. Ajouter le beurre ramolli. Pétrir. Lorsque la pâte est bien lisse, incorporer les amandes effilées, l'écorce d'orange, les raisins et le rhum. Bien travailler la pâte. Donner la forme d'un pain.

Placer sur une plaque beurrée et badigeonner le pain d'un peu de beurre fondu. Cuire à four moyen 40 mn puis à four chaud 20 mn. Après cuisson, saupoudrer de sucre glace.

Gâteau de la Forêt-Noire

Préparation : 30 mn. Cuisson : 20 mn

Pour 6 personnes :

6 œufs
200 g de sucre semoule
1 cuillerée à café d'extrait de vanille
150 g de beurre
60 g de farine
75 g de cacao amer en poudre
1 pincée de sel
1 kg de cerises au sirop
2 verres à liqueur de kirsch
500 g de crème fraîche
50 g de sucre glace
200 g de chocolat fondant et 30 g de beurre.

Battre les œufs, le sucre et la vanille jusqu'à ce que le mélange devienne épais et crémeux. Il double de volume. Incorporer le beurre fondu, le sel, la farine et le cacao, mélangés ensemble par cuillerées. Répartir cette préparation dans trois moules beurrés et farinés de 15 cm de diamètre. Mettre dans le four et faire cuire pendant 15 mn à four moyen (thermostat 5/6).

Pendant ce temps, verser les cerises et leur sirop dans une casserole sur feu doux. Laisser frémir pendant 5 mn. Retirer du feu. Quand le sirop est tiède, incorporer un verre à liqueur de kirsch.

Mettre les cerises de côté et imbiber équitablement les gâteaux avec le sirop.

D'autre part, fouetter la crème fraîche après lui avoir incorporé trois cuillerées à soupe d'eau glacée. Incorporer ensuite le sucre glace et un verre à liqueur de kirsch.

Disposer un des biscuits sur un plat de service. Le tartiner avec un tiers de crème, puis éparpiller un tiers des cerises par dessus. Superposer le deuxième biscuit également recouvert de crème et de cerises, puis le troisième. Napper le pourtour de l'ensemble de crème.

Préparer alors les copeaux de chocolat : laisser fondre le chocolat avec le beurre puis étaler cette pâte sur une tôle ou sur un marbre. Laisser refroidir puis racler la surface avec une fine lame préalablement trempée dans l'eau chaude afin de former des petites coquilles.

Parsemer le gâteau de copeaux avant de le présenter.

Grande-Bretagne

« Merry Christmas »... les postiers sont submergés, dès le début de décembre, ils ploient sous leurs sacoches. Les cartes de Noël ornent les cheminées, décorent la porte d'entrée, des chœurs d'enfants s'élèvent dans les rues, les vitrines se cachent sous le houx et le gui, les rubans rouges, Noël est partout. Et pour nous un Noël anglais évoque irrésistiblement Dickens, la bûche qui flambe dans la cheminée et le pudding, le célèbre *Christmas pudding* dans sa robe de flammes...

La hure de sanglier, décorée de laurier et de romarin, a été le plat traditionnel de Noël. Au Moyen Age, dans les demeures seigneuriales, elle était portée triomphalement sur un plat d'or ou d'argent, accompagnée du chant des chevaliers et de la sonnerie des trompettes. Jacques Ier, nous l'avons dit, aurait, par goût personnel, fait remplacer le sanglier par la dinde, et c'est elle qui, de nos jours, assure le triomphe des repas de Noël. Somptueusement farcie, elle s'orne de saucisses, en guirlandes, qui rappellent discrètement que, quelques siècles auparavant, le porc ou le sanglier étaient à l'honneur...

Le repas du jour de Noël anglais se compose d'un potage, la fameuse soupe à la tortue le plus souvent, de la dinde, et du *Christmas pudding,* ou de *mince pies,* et se prolonge bien souvent, à l'heure du thé, avec un autre gâteau, le *Christmas cake.*

Le *Christmas pudding,* sans lequel Noël ne serait pas Noël, a son origine dans le culte d'une céréale. Il apparut d'abord sous le nom de *furmenty,* ou *frumenty.* C'était du blé mondé et bouilli dans du lait assaisonné d'épices. On le servait parfois comme un plat maigre la veille de Noël ou pour accompagner une viande. Peu à peu sa composition s'enrichit : on lui ajouta des œufs, de la muscade, des pruneaux séchés et, plus tard, des morceaux de viande. Il semble qu'il se soit confondu avec une autre composition, le *hackin,* une grosse saucisse bouillie, qui est encore populaire en Écosse, sous le nom de *haggis.* Mais à partir du XVIIIe siècle, le *plum-pudding* seul demeure et sa confection implique tout un rituel : il se prépare d'abord longtemps à l'avance, parfois plusieurs mois. Selon la tradition la pâte doit être brassée dans le sens inverse des aiguilles d'une montre, c'est-à-dire d'est en ouest, en l'honneur des Rois mages. Chacun des membres de la famille vient brasser à son tour, et pour les marins en mer, le premier brassage de la pâte revient à l'officier supérieur, suivi de chacun des membres de l'équipage. Et puis, petite surprise, rappel des loteries saturnales, ou annonce de notre fève des Rois, on glisse dans le pudding une pièce de quelques pences, qui assurera le bonheur pour l'année à celui qui l'aura trouvée...

Quant aux *mince pies,* ils remplacent dans certaines familles le traditionnel *pudding.* C'est une pâtisserie assez lourde, fourrée de fruits confits et de pâte d'amandes, qui contenait à l'origine de la viande. Sa forme et sa composition se sont modifiées avec le temps. C'était d'abord une tourte oblongue, dont la croûte supérieure formait un creux dans lequel on plaçait un « jésus » de sucre ou de pâte. Puis Cromwell interdit la fête de Noël comme trop païenne, et la coutume disparut. Après la restauration de la monarchie, les *pies* prirent une forme arrondie, et comme les fruits en conserve devenaient aisément accessibles, ils constituèrent l'essentiel des *pies.*

La soupe à la tortue

Ce potage, propre à la cuisine anglaise, se prépare avec la chair de tortue de mer, provenant d'Amérique du Sud, d'Australie, d'Afrique ou des Indes Occidentales.

L'animal est saigné, la chair extraite de la carapace, coupée en morceaux et cuite pendant 3 ou 4 heures à grande eau salée. Ensuite on prépare une sorte de pot-au-feu avec bœuf, jarret de veau, vieilles poules, pieds de veau et une partie de la chair trouvée à l'intérieur de la tortue. L'eau de cuisson de la tortue sert à mouiller ce pot-au-feu, auquel on ajoute les légumes habituels, et on fait cuire jusqu'à cuisson complète des viandes (2 à 3 heures). Passer le bouillon, ajouter les morceaux de tortue cuits à l'avance, faire cuire une demi-heure, puis ajouter en fin de cuisson une poignée d'herbes aromatiques (basilic, sauge, sariette, marjolaine) dans un petit verre de madère bouillant. Verser l'infusion dans le potage. Servir le potage tel quel ou le lier légèrement avec un peu de fécule délayée dans un demi-verre de bouillon.

Le potage se sert avec les morceaux de tortue.

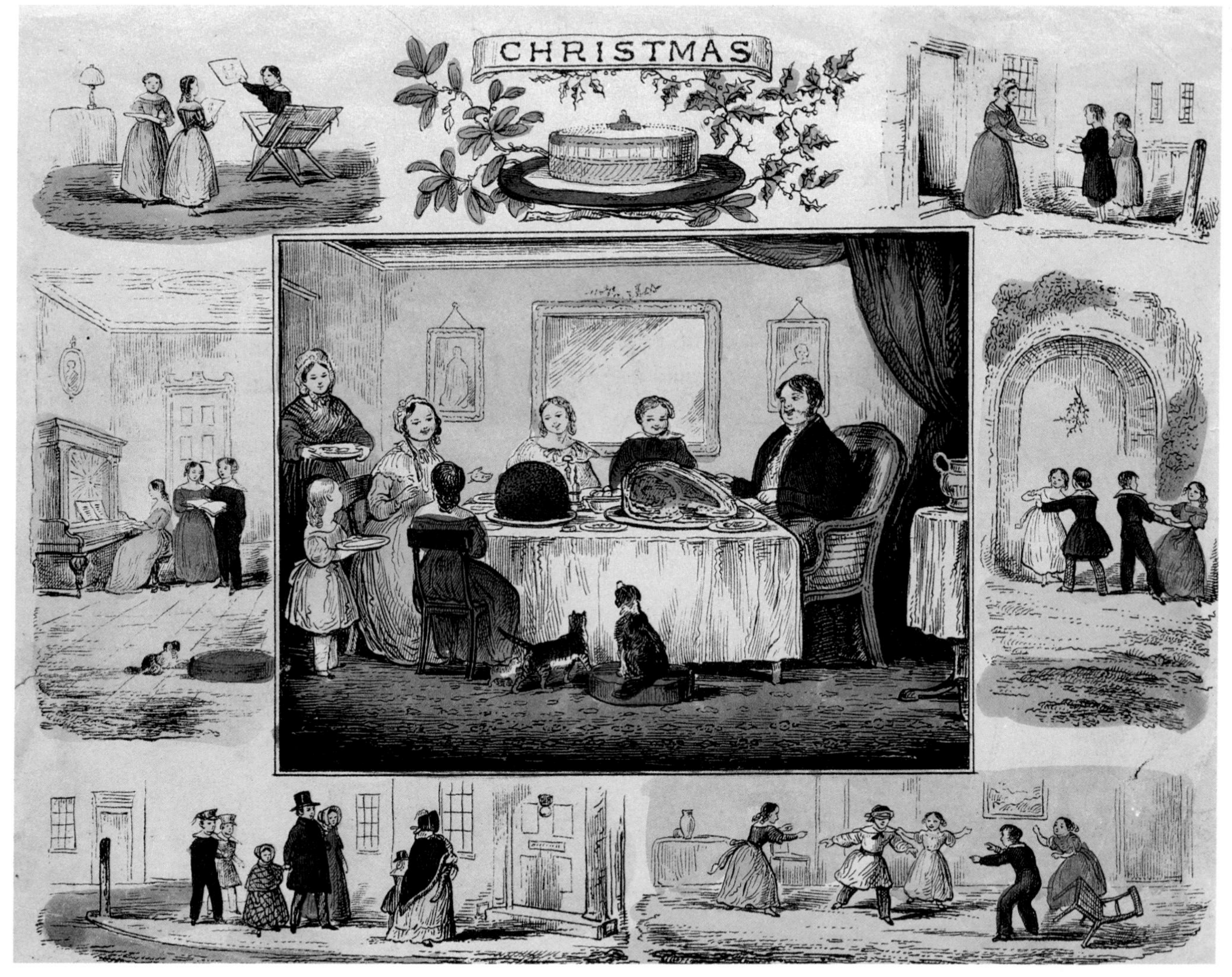

Carte de Noël anglaise, Victoria et Albert Museum, Londres.

Pour 6 à 8 personnes
une dinde de 3 kg, 50 g de beurre
8 saucisses et 8 tranches de bacon
sel, poivre.

Farce :
50 g de graisse de rognons de bœuf ou de porc
100 g de bacon, 250 g de chapelure
500 g de chair à saucisse ou de farce fine de veau
200 g de noisettes
6 cuillerées à café de persil haché
2 cuillerées à café de sauge ou de cerfeuil, 2 œufs
1 zeste de citron, sel, poivre.

Dinde rôtie (roast turkey)

Préparation : 1 h. Cuisson : 15 à 20 mn par livre

Faire pocher les noisettes 3 mn, enlever la peau. Les passer à la moulinette pour les hacher finement. Hacher le bacon, ajouter la graisse, la chapelure, le persil, la sauge ou le cerfeuil, le zeste râpé, la chair à saucisse ou la farce fine de veau, les œufs battus. Saler et poivrer. Bien mélanger. Remplir le ventre de la dinde. Recoudre.

Mettre la dinde au four, bien beurrer. Régler le thermostat du four sur 6. Bien arroser tout au long de la cuisson. Faire cuire les saucisses et le bacon au dernier moment. Prévoir une garniture de pommes de terre rôties et de petits pois. Servir à part une *crauberry sauce* ou sauce aux airelles qui se vend toute préparée.

Pour 15 tartelettes
Pour la pâte :
225 g de farine
1/2 cuillerée à café de levure en poudre
1/2 cuillerée à café de sel
1/2 cuillerée à café de vanille en poudre
225 g de beurre
225 g de sucre en poudre, 1 œuf.

Tartes aux fruits confits (mince pies)

Préparation : 2 h. Cuisson : 25 mn

Préparation de la farce. Hacher fin la graisse de rognons de bœuf et mélanger tous les composants ci-dessus y compris la pomme épluchée et découpée en petits morceaux. Couvrir et laisser au frais (pas dans le réfrigérateur) pour 24 h minimum. Cette préparation peut se conserver 1 mois sans s'altérer dans une jatte en terre recouverte d'un torchon ou dans un bocal vissé. Mélanger tous les 4 jours. Ajouter un peu de cognac si le liquide est absorbé.

Préparation de la pâte. Travailler le beurre ramolli avec le sucre. Ajouter la

Pour la farce :

90 g de graisse de rognons de bœuf
225 g de raisins de Malaga sans pépins
225 g de raisins de Smyrne
225 g de raisins de Corinthe
50 g d'écorces d'oranges confites
50 g de sucre en poudre
1 grosse pomme de reinette
1 demi-citron (jus et zeste)
1 demi-orange (jus et zeste)
1/2 cuillerée à café d'épices mélangées : cannelle, muscade, 4 épices
1 verre à liqueur de cognac.

vanille, le sel et l'œuf battu à la fourchette. Ajouter la farine et la levure. Travailler jusqu'à obtenir une pâte homogène. Laisser reposer un peu.

Préparation des tartelettes. Étaler la pâte aussi finement que possible. Garnir de cette pâte des moules à tartelettes beurrés en laissant légèrement dépasser la tarte autour. Remplir de farce. Découper des rondelles de pâte et les poser sur les tartelettes sans déborder. Replier le bord des rondelles et faire un petit trou au centre pour laisser échapper la vapeur. Disposer les tartelettes sur une tôle et faire cuire 10 mn (thermostat à 5). Baisser ensuite le thermostat à 4 et laisser cuire encore 15 mn. Démouler encore tiède et poudrer de sucre glace avant de servir.

Christmas pudding

Cuisson : 5 h

Pour 8 personnes et plus

150 g de farine
1 cuillerée à café de sel
200 g de graisse de rognons de bœuf
200 g de pain sec
600 g de raisons secs (Smyrne, Corinthe, Malaga)
150 g d'écorces confites de cédrat, d'orange et de citron
200 g de fruits confits hachés
100 g d'amandes effilées
150 g de sucre roux
1 cuillerée à soupe de mélasse
1 cuillerée à café de cannelle
1 cuillerée à café de gingembre en poudre
1/2 cuillerée à café de muscade râpée
5 œufs
1/2 verre de bière
2 dl de cognac ou de rhum.

Hacher la graisse de rognons de bœuf et la passer à la moulinette avec le pain. Épépiner les raisins et les hacher. Hacher également les écorces confites. Dans une terrine, mettre la farine, les épices, le sel, le sucre et les fruits confits. Mélanger l'ensemble en ajoutant la bière et l'alcool. Bien travailler la pâte. Couvrir. Laisser macérer au moins une semaine et même plus si possible. En Angleterre, on commence le *pudding* le premier jour de l'Avent. Mélanger chaque jour. Au bout de ce temps, incorporer les œufs battus et malaxer. Beurrer et fariner un bol à pudding ou une terrine et y verser la pâte en tassant bien. Envelopper le bol ou la terrine dans un torchon dont on aura préalablement beurré et fariné le centre, c'est-à-dire la partie qui touchera la surface du *pudding*. Ficeler les quatre coins du torchon sous le bol en serrant bien.

Porter une grande marmite d'eau à ébullition. Y plonger le *pudding* et faire cuire 4 à 5 h à l'eau frémissante.

Retirer le *pudding* de la marmite, laisser tiédir, déficeler et renverser sur un plat.

Napper de deux cuillerées à soupe de sucre roux, arroser de rhum ou de cognac chauffé. Flamber... sur la table même, c'est rituel.

Si ce *pudding* est préparé à l'avance, le garder au frais dans le bas du réfrigérateur. Le jour de l'emploi, remettre le *pudding* à cuire au bain-marie pendant 3 heures.

Oter serviette et papier, et démouler. Arroser copieusement de cognac préalablement chauffé et flamber.

Le *pudding* se sert avec un beurre ou une crème au cognac.

Brandy butter (beurre au cognac)

150 g de beurre
150 g de sucre glace
l'écorce râpée d'une orange
1 verre à porto de cognac
un peu de muscade.

Sortir le beurre à l'avance du réfrigérateur et le travailler à la cuillère de bois pour qu'il soit bien souple.

Ajouter le zeste d'orange, la muscade et peu à peu le cognac et le sucre glace en battant le mélange au fouet, pour le rendre plus mousseux. Mettre au réfrigérateur jusqu'au moment de servir.

Brandy whipped cream (crème fouettée au cognac)

1/2 litre de crème fraîche
1 verre à liqueur de cognac
3 cuillerées à soupe de sucre glace
1 cuillerée à café de zeste de citron
1 pincée de cannelle.

Mettre dans le réfrigérateur la crème, le récipient dans lequel elle sera battue, le cognac et un verre d'eau pour que tous ces éléments soient bien froids. Délayer la crème et le cognac, ajouter le sucre, et assez d'eau glacée pour obtenir une consistance de crème anglaise (fluide). Fouetter alors la crème jusqu'à épaississement. Mettre au frais jusqu'au moment de servir.

Préparation de la table pour un Noël suédois.

Suède

« La veille de ce grand jour, on s'assemblait autour d'un large chaudron dans lequel étaient bouillis des jambons, des poitrines de bœuf. Le repas consistait en pain frais imbibé de graisse. A deux heures l'étuve était chauffée pour un véritable bain finnois. Les domestiques se baignaient à la première chaleur, que l'on croyait la moins salutaire. Venaient ensuite le prévôt et sa famille... Une transpiration légère s'ensuivait, et l'on se rafraîchissait avec une bonne vieille bière de mars mêlée de miel et anisée, où trempaient des petits morceaux de pain de Noël. A cinq ou six heures du soir, on faisait un grand feu flamboyant, et on couvrait en même temps tout le plancher d'une épaisse couche de paille de seigle. Ensuite tout le monde s'habillait comme pour une noce. Le prévôt et sa femme étaient les hôtes, les enfants et les domestiques leurs convives. Sur les tables servies, on allumait une chandelle pour chaque personne. Le prévôt prononçait un petit discours en demandant au ciel des fêtes heureuses. La prévôte présentait le pain et le prévôt l'eau-de-vie. On faisait la prière commune et on se mettait à table. Le premier mets était un poisson poivré trempé dans de la lessive. Puis on versait la soupe de Noël : c'était du lait où on avait fait bouillir un dos de porc frais. Après le souper venait le gruau de Noël, en usage dans toute la chrétienté, parsemé d'anis, de sucre et de raisins. Au milieu était un petit trou rempli de beurre qui fondait. Tous mangeaient au plat, et il était permis à chacun de tremper la cuillère au centre. Le rôti était un carré de porc grillé et le repas finissait par une tarte. » (*Le Magasin pittoresque*, 1863.) Tel était le repas de réveillon au XVIIIe siècle dans un presbytère suédois.

Aujourd'hui, d'après Lorna Downman, dans *la Suède au fil de l'an*, la fête semble plus joyeuse : *« Toute la famille, se tenant par la main et frappant les pieds en cadence, se met à faire une farandole autour de la table. La chaîne se noue et se dénoue, tandis que l'on chante, d'un souffle un peu haletant, les vieux Noëls suédois. A la cuisine le repas de Noël nous attend.*

L'un allume la grande " étoile de Bethléem " suspendue à la fenêtre, l'autre les bougies, sans oublier la plus grande de toutes, celle de la couronne qui trône au milieu de la table. Un troisième éteint l'électricité. Durant un instant un silence recueilli plane sur la pièce. La flamme vacillante des bougies fait danser des ombres sur la nappe rouge, un léger parfum de jacinthe et de cire se mêle aux pénétrants effluves épicés des mets : c'est Noël.

« Assiette en main, chacun vient se servir à la vaste " smörgarbord ". On commence par des harengs marinés ou quelque autre poisson en sauce piquante : puis prenant son temps, on déguste les hors-d'œuvre variés, les pâtés et les salades à la suédoise. Enfin on arrive au lutfisk, accompagné de pommes de terre bouillies, et, pour couronner le tout, voici le riz au lait. »

Repas de Noël en Suède. Illustration de Carl Larsson.

Jambon de Noël

Bouilli puis gratiné, le jambon se retrouve sur toutes les tables suédoises de Noël. On le sert généralement le 24 décembre et il reste sur la table tout le temps des fêtes.
Cuisson : 6 à 8 h

Pour 20 à 25 personnes

1 jambon 1/2 sel de 7 kg environ
1 bouquet garni
1 oignon piqué de trois clous de girofle
10 grains de poivre.

chapelure
moutarde douce
sucre semoule
10 clous de girofle
2 jaunes d'œufs.

Faire dessaler le jambon dans de l'eau froide (1 heure par kg). Le mettre dans un faitout rempli d'eau froide et porter à ébullition. Écumer et baisser le feu. Ajouter le bouquet garni, le poivre et l'oignon piqué aux clous de girofle. Faire cuire 6 à 8 heures dans l'eau frémissante. Quand la viande se décolle de l'os, c'est cuit. Laisser refroidir. Pendant ce temps, mélanger un pot de moutarde douce, une cuillerée à café de sucre et deux jaunes d'œufs. Retirer la peau du jambon et tartiner de la préparation à la moutarde. Piquer le jambon de 10 clous de girofle, saupoudrer de chapelure et faire gratiner.

Servir froid.

On ne jette pas le bouillon dans lequel a cuit le jambon. Les Suédois ont coutume d'y tremper une tranche de pain de seigne aux raisins.

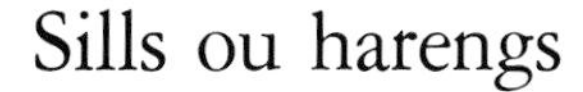

Sills ou harengs

Les Suédois savent varier à l'infini la préparation du hareng. On le présente en entier, en filet ou en tranches. On le fait mariner, frire ou confire. On l'accompagne de marinade, de sauces parfumées et on le présente toujours avec des pommes de terre cuites à l'eau avec du fenouil.

Harengs de Matje

Harengs de Matje en boîte
crème fraîche, ciboulette hachée.

Allonger les harengs dans un plat creux et les recouvrir de la crème fraîche légèrement battue avec la ciboulette.

Harengs marinés

2 harengs salés,
moutarde, crème.
1 dl et demi de vinaigre d'alcool
1 dl et demi d'eau
2 oignons, 1/2 dl de sucre
1 cuillerée à café de poivre concassé
1 échalote en rondelles.

Faire dessaler les harengs dans l'eau froide 8 à 10 heures. Changer l'eau souvent. Faire cuire la marinade environ 1/4 d'heure à ébullition. Couper les harengs en morceaux et les placer 24 heures avec la marinade chaude dans un bocal.

Servir avec la crème et la moutarde.

Harengs à la moutarde

Pour 4 à 6 personnes

2 harengs salés
et 2 cuillerées à café de vinaigre d'alcool
et 4 cuillerées à café d'eau
moutarde douce
1 cuillerée à soupe de sucre et
2 cuillerées à café de sel
une pincée de poivre concassé
un gros bouquet de fenouil.

Faire dessaler les harengs dans l'eau froide 8 à 10 heures. Changer l'eau souvent. Lever les filets. Préparer une première marinade avec 1 dl de vinaigre d'alcool et 1/2 dl d'eau. Verser sur les filets. Laisser tremper 3 heures en les retournant de temps en temps. Mélanger la moutarde à 1 cuillerée à soupe de sucre et 2 cuillerées à café de sel. Bien mélanger. Ajouter 2 cuillerées à café de sucre, 2 cuillerées à café de vinaigre d'alcool et 4 cuillerées à café d'eau. Mélanger et laisser reposer 1/2 heure. Ajouter le fenouil et le poivre concassé. Sortir les filets de la première marinade et les mettre dans cette sauce. Laisser mariner 2 jours.

Vérifier l'assaisonnement avant de servir.

Gravlax ou saumon mariné au fenouil

Pour 8 personnes

3 livres de saumon frais
2 cuillerées à soupe de sucre
2 cuillerées à café de poivre blanc concassé
2 bouquets de fenouil.

Sauce :

1 pot de moutarde douce
1 cuillerée à soupe de sucre
1 jaune d'œuf
vinaigre de vin
huile
poivre moulu.

Le saumon cru et mariné est l'un des mets les plus fins de Scandinavie. On l'accompagne d'une sauce moutarde aigre-douce, éventuellement de toasts et parfois de concombres en salade.

Ôter la peau du saumon, le couper en deux moitiés dans le sens de la longueur, ôter les arêtes. Déposer une des moitiés côté peau dans un plat creux. Poser le bouquet de fenouil sur le poisson. Dans un bol, mélanger le sucre, le sel et le poivre. Saupoudrer le fenouil. Déposer l'autre moitié côté peau vers l'extérieur. Recouvrir le plat et le placer au réfrigérateur pendant 12 heures. Retourner le poisson de temps en temps et l'arroser avec la marinade qui se dépose au fond du plat.

Sortir le saumon de sa marinade, le couper en faisant des tranches en biais. Laisser au réfrigérateur 4 à 5 jours recouvert d'un papier d'aluminium.

La sauce : mélanger la moutarde, le sucre et quelques gouttes de vinaigre. Ajouter le jaune d'œuf et une pincée de poivre moulu. Bien lier ce mélange en versant l'huile doucement. Faire monter comme une mayonnaise. Ajouter quelques gouttes de vinaigre de vin.

Tentation de Jansson (Jansson's Frestelse)

Pour 6 personnes

7 à 8 pommes de terre moyennes
2 oignons
des filets d'anchois dessalés
50 g de beurre
2 cuillerées à soupe d'huile
une pincée de poivre
de la chapelure
1/4 de litre de crème fraîche
pas de sel.

Cuisson : 40 à 45 mn

Éplucher les pommes de terre, les couper en rondelles d'1/2 cm d'épaisseur. Couper les oignons en fines lamelles. Dans une poêle, verser l'huile et le beurre (2 cuillerées aussi), faire revenir les oignons puis les pommes de terre. Ils ne doivent pas brunir. Beurrer un plat à gratin, placer en couches successives alternativement pommes de terre, oignons, anchois, quelques tours de moulin à poivre. Finir par une couche de pommes de terre. Verser dessus la crème fraîche, saupoudrer la chapelure, parsemer de morceaux de beurre et passer à four chaud 40 à 45 mn.

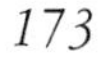

Danemark

LE SOUPER de Noël danois est assez proche du souper suédois, mais on ne connaît pas le *lutfisk* (la lingue), de la famille de la morue, marinée à la chaux et séchée au soleil. Le *lutfisk* remontait à la Suède catholique d'il y a quatre siècles, et plus précisément à la période de jeûne, plutôt qu'à la fête de Noël. Le souper de Noël danois comprend surtout une oie bien rebondie, du chou rouge, des pommes de terre caramélisées et de la compote d'airelles. Farcie de pommes et de pruneaux et rôtie lentement pour être bien tendre, l'oie s'imbibe progressivement du parfum de sa farce de fruits. Le porc apparaît presque toujours à la table de Noël, mais la particularité du Danemark est le riz à l'amande, poudré de sucre et de cannelle. On le sert dans de petites assiettes, et il est de tradition d'enfouir dans l'une d'elles une amande blanchie. Celui qui la découvre reçoit une récompense : un bonbon ou un cochon en massepain avec un ruban rouge autour du cou. La découverte de l'amande est signe de bonne fortune pendant l'année à venir, ou encore de mariage.

Oie rôtie

Pour 8 à 10 personnes

1 oie de 5 à 6 kg vidée
7 pommes
250 g de pruneaux
2 oignons, 1/2 citron, sel et poivre

Pour aller avec :
10 pommes
100 g de sucre semoule, 1 citron
1 pot de gelée de pomme
1 chou rouge, 1 pomme
30 g de beurre
2 cuillerées à soupe de vinaigre blanc
3 cuillerées de gelée de groseille
20 g de sucre semoule
2 cuillerées à café de sel.

Cuisson : 3 h 30

L'oie. Préchauffer le four, thermostat à 6. Frotter l'oie avec le citron. Éplucher et couper les pommes en gros dés. Dénoyauter les pruneaux. Éplucher et couper les oignons en quartiers. Saler et poivrer la volaille (extérieur et intérieur). La remplir avec les pommes, les pruneaux et les oignons. Recoudre et brider. Mettre au four dans un plat creux et laisser cuire 3 h 30 environ. Retirer la graisse rendue au fur et à mesure.

Les pommes. A éplucher, couper en deux, épépiner, citronner. Faire fondre le sucre dans un litre d'eau. Ajouter la moitié des pommes et laisser pocher à feu doux 10 mn. Garnir les creux avec la gelée de pomme. Faire de même avec le reste.

Chou. Voir la recette suivante.

Service. Disposer l'oie sur un plat chaud. L'entourer des pommes, du chou rouge et de la farce aux pruneaux.

Carré de porc rôti à la couenne

Pour 8 à 10 personnes

2,5 kg environ de carré de porc avec la couenne
1,5 kg de petites pommes de terre
125 g de beurre
50 g de sucre en poudre
gros sel, poivre
1 chou rouge, 1 pomme
30 g de beurre
2 cuillerées à soupe de vinaigre blanc
3 cuillerées à soupe de gelée de groseille
20 g de sucre
2 cuillerées à café de sel.

Cuisson : 2 h

Le porc. Préchauffer le four, thermostat à 7. Avec un couteau bien aiguisé, entailler la couenne tous les centimètres dans la largeur jusqu'au gras. Frotter la viande de gros sel. Poivrer. La déposer sur une grille posée sur le lèchefrite et mettre au four. Laisser cuire 2 h environ.

Les pommes de terre. 1/2 heure avant la fin de la cuisson du porc, laver les pommes de terre puis les faire cuire à l'eau bouillante salée. Les laisser refroidir et les éplucher. Dans un grand poêlon, faire fondre la moitié du sucre à feu doux jusqu'au caramel. Ajouter la moitié du beurre et la moitié des pommes de terre. Bien remuer la poêle sans arrêt pour enrober les pommes de terre de caramel. Garder en réserve au chaud. Recommencer l'opération avec les pommes de terre, le sucre et le beurre restants.

Le chou. Retirer les feuilles dures. Le couper en deux puis en quatre verticalement. Enlever le trognon. Couper le chou en lamelles. Mettre dans une cocotte 1 dl d'eau, le beurre, le sucre, le vinaigre et le sel, porter à ébullition. Ajouter le chou, remuer, couvrir et laisser cuire à feu doux 2 h. Ajouter de l'eau en cours de cuisson si c'est nécessaire et, 10 mn avant la fin de la cuisson, ajouter la gelée de groseille et la pomme épluchée et râpée.

Service. Mettre le carré de porc sur une planche. Disposer les pommes de terre et le chou à part.

Riz à l'amande

Cuisson : 45 mn

Pour 6 personnes

60 g de riz rond
3/4 de l de lait
50 g de sucre semoule
300 g de crème fraîche
50 g d'amandes effilées
1 boîte de griottes au sirop
2 verres de sherry Heering
1 bâton de vanille
20 g de beurre.

Le riz. Laver le riz et l'égoutter. Porter le lait à ébullition. Ajouter le bâton de vanille fendu en deux puis le riz et le beurre. Mélanger. Laisser cuire à feu doux. La cuisson doit être lente et le riz très cuit. Hacher les amandes mais en garder une entière. Hors du feu, ajouter le sucre et les amandes. Mélanger et laisser refroidir.

La suite. Fouetter la crème fraîche en chantilly. L'incorporer au riz refroidi. Ajouter l'amande entière. Verser le tout dans un saladier et mettre au frais. Égoutter les cerises. Mettre le sirop dans une casserole et faire réduire un peu. Ajouter le sherry puis remettre les cerises dans ce sirop. Au moment de servir, verser cerises et sirop sur le dessus du dessert.

Professorns Glögg
(punch traditionnel)

Pour 20 à 25 personnes

2 l d'un vin rouge sec
2 l de vin de muscat
1/2 l de vermouth doux
2 cuillerées à soupe d'angustura
2 tasses de raisins secs
1 zeste d'orange
12 cardamomes (graines d'Asie) que l'on prendra en grains entiers et que l'on écrase avec un pilon dans un mortier, ou au rouleau à pâtisserie en les enveloppant dans une serviette
10 clous de girofle
1 morceau de gingembre frais
1 bâton de cannelle
3 dl d'aquavit
1 tasse 1/2 de sucre
2 tasses d'amandes blanchies et pelées.

Mélanger dans un très grand récipient le vin rouge sec, le vin de muscat, le vermouth, l'angustura, les raisins secs, le zeste d'orange et la cardamome écrasée, les clous de girofle, le gingembre et la cannelle. Recouvrir et laisser reposer le liquide pendant au moins 12 heures. Juste avant de servir, ajouter l'aquavit et le sucre, remuer soigneusement, mettre sur le feu et amener rapidement le liquide à ébullition. Retirer du feu, tourner en incorporant les amandes et servir très chaud.

Espagne

Dans les provinces du Nord, après la messe de minuit, le réveillon se compose de la soupe à l'amande, du *besugo,* daurade rôtie au four, ou d'une sorte de soupe de poissons, la *zarzuela,* d'une oie grasse, et de gâteaux en massepain.

Dans les provinces du Sud, on sert la tourte de Noël, la morue frite, les châtaignes, la dinde truffée arrosée de valdepenas et de manzanilla. Les desserts comportent surtout des *turrones,* comme dans les provinces du Nord.

A Séville, aux approches de Noël, le *pavero,* le marchand de dindons, fait son apparition dans les rues, poussant devant lui son troupeau de volatiles, tandis qu'à Barcelone, le 21 décembre, fête de Saint-Thomas, se déroule un énorme marché aux dindons sur la *Rambla de Cataluña,* qui attire tous les acheteurs. Mais la fête des enfants, la fête des présents a lieu le 6 janvier, jour des Rois.

Soupe à l'amande

Pour 6 personnes :

3 l de consommé de poulet ou d'oiseaux fait au préalable
300 g de beurre
150 g de farine
200 g de pâte d'amandes
300 g de crème fraîche.

Dans une casserole, faire fondre le beurre et ajouter peu à peu la farine. Ne pas faire trop dorer. Ajouter ensuite le consommé progressivement, puis les 200 g de pâte d'amandes.

Laisser bouillir une demi-heure, puis ajouter la crème fraîche. Bien mélanger et ajouter un peu de noix de muscade.

Bar ou daurade au four

1 poisson frais de 3 kg
2 oignons, 1 carotte
1 poireau, 2 citrons
poivre blanc
laurier.

Couper finement oignons, carottes, poireaux. Dans un plat rempli d'eau, déposer le poisson, la julienne de légumes, les feuilles de laurier, le jus des deux citrons, et poivrer. Faire cuire à four assez chaud une bonne demi-heure. Laisser refroidir le poisson, l'égoutter, et ôter la peau sur les deux faces. Décorer de rondelles de citron et servir avec de la salade et des sauces froides.

Dindon farci

1 dindon de 3 kg

Farce :
500 g de viande maigre de porc
150 g de jambon de pays
300 g de bacon, 2 verres de cognac
1 petit verre de vin blanc
2 à 3 échalotes
sel, poivre, muscade.

Vider le dindon. Assaisonner l'intérieur de sel, poivre, et muscade. Préparer la farce en hachant les viandes indiquées : porc, jambon, bacon, ajouter le cognac, les échalotes et le vin blanc. Farcir le dindon et le recoudre.

Faire cuire à feu doux pendant 1 h 45 mn.

Servir avec des raisins secs, des pignons, des pommes en purée.

Lombarda (salade violette)

Nettoyer, couper, laver et faire cuire. Bien égoutter.
Faire cuire dans une poêle, dans un peu d'huile, 3 ou 4 gousses d'ail, un peu de poivron, quelques gouttes de citron, et ajouter la lombarda. Servir très chaud.

Zarzuela de poissons

4 petits calmars
500 g de merlu
500 g de daurade ou de lotte
400 g d'anguille
6 langoustines cuites
1 l de moules
2 oignons
persil haché
1 petite boîte de purée de tomates
1 dl de vin blanc sec
50 g d'huile
1 gousse d'ail
1 cuillerée à soupe de rhum
safran, sel, poivre
mie de pain rassis
quelques amandes.

Préparer les poissons, les vider, les laver, les couper en tronçons. Laisser les têtes des langoustines cuites, mais enlever leur carapace, les mettre en attente. Laver les moules, les faire ouvrir à feu vif. Enlever une des deux coquilles et garder l'eau de la cuisson. Laver les calmars, les couper en morceaux. Dans une grande poêle, mettre l'huile, la faire chauffer et faire frire l'oignon ou les oignons émincés.

Ajouter les calmars en morceaux et les poissons les plus longs à cuire. Verser la purée de tomates, le vin blanc sec, le rhum, et faire cuire à feu vif une petite dizaine de minutes. Mettre le contenu de la poêle dans une casserole avec la moitié de l'eau de cuisson des moules. Pendant ce temps, préparer la seconde cuisson à la poêle des poissons moins fermes. Puis ajouter cette seconde poêlée à la casserole. Couvrir et faire mijoter une vingtaine de minutes.

Préparer une sorte de pâte composée de la façon suivante : piler l'ail épluché, un peu de pain émietté, un peu de safran, le persil haché et les amandes. Lier avec une cuillerée à café d'huile et un peu d'eau de cuisson des moules jusqu'à obtenir une pâte bien pilée et bien lisse. Mélanger cette pâte aux poissons en train de cuire en prenant garde de ne pas les briser. Vérifier l'assaisonnement. Ajouter les moules et les langoustines gardées en attente. Accompagner avec des morceaux de pain frits à l'huile.

Turron

Dessert traditionnel de toute l'Espagne à Noël, il est fabriqué à Jijona, à base d'amandes et de miel. La première recette de *turron* daterait du XIVe siècle, et serait d'origine arabe.

Les douze raisins, les douze coups de cloche

Le 31 décembre à minuit, l'horloge de la Puerta del Sol, au centre de Madrid, qui donne l'heure à toute l'Espagne, sonne les douze coups, et nombreux sont les Madrilènes qui se rendent sur la place, pour y manger les douze raisins ; un par seconde. Si on mange bien un raisin par seconde, l'année sera bonne. Comme cette cérémonie est retransmise par la télévision, c'est devant leur poste que les Espagnols non madrilènes mangent leurs douze grains de raisin.

Après cette coutume seulement peuvent sauter les bouchons de champagne, qui marquent plus généralement l'arrivée de l'an nouveau.

Italie

« Le jour déclinait et le sirocco s'imprégnait d'humidité. Près de San Fernandino cessait la foule hurlante ; mais toujours, à tous les coins de rue, au débouché des ruelles le même cri formidable éclatait, provoquait à l'achat des pétards, des soleils, des serpentins, des fusées, des feux de Bengale... Et la canonnade de Noël, vainement prohibée par les ordonnances de la Questure, qui d'ailleurs n'interdisait pas la vente des pièces d'artillerie, la canonnade commença vers le soir, après l'interminable déjeuner maigre de la vigile de Noël, qui dure de deux à cinq heures. Ils avaient d'abord mangé les vermicelles à l'huile, à l'ail et aux anchois, puis les anguilles et le capitone en friture, en rôti ou en fricassée, puis deux ou trois salades, une de brocolis, une de choux-fleur, une troisième de conserves au vinaigre... Puis ils s'étaient attaqués à la pyramide de gâteaux, de fruits secs et frais en buvant à pleins verres le rossolis... L'après-midi, Eleonora avait acheté des bonbons. Elle voulait en donner à ses domestiques, à la portière, à des enfants pauvres du voisinage. La gourmandise napolitaine s'attaquait surtout aux bonbons de la Noël : au « sosamiello » fait d'une luisante pâte brune, dans laquelle figuraient miel et amandes, au « mostaccinolo » fait avec de la fleur de farine, du chocolat, des fruits confits, dur en apparence mais en réalité si tendre qu'il fondait dans la bouche, à l'aristocratique « pâte royale », rose, verte, blanche, faite d'amandes et de griottes, d'amandes et de pistaches, d'amandes et de sucre candi en poudres. Ces bonbons prenaient toutes les formes géométriques, en cercle, en losange, façonnés comme des petits pavés, comme des cœurs, enluminés de tous les coloris. Les petits fours français, farcis de toutes les crèmes, neigeuses, brunes, jaunes, sucrées, dorées, s'entassaient en pyramides, se construisaient en châteaux, sur les grandes feuilles de papier. »

Matilde Serao

Telle était l'ambiance de Noël à Naples, au début du siècle : canonnades, fusées, feux d'artifice, une ville en liesse... La tradition s'est perpétuée, les feux d'artifice se prolongent jusqu'au 31 décembre, pendant que par les fenêtres, comme à Rome d'ailleurs, les objets, meubles, hors d'usage, sont jetés à même la rue, symbole du renouveau et danger pour les piétons ! Le repas de Noël en Italie est loin d'être uniforme. Du Nord au Sud de l'Italie les pratiques changent, que ce soit pour le repas, les cadeaux, les crèches.

Dans la région de Milan et de Turin, le repas a lieu le jour même de Noël vers 13 heures : c'est le grand déjeuner de Noël, raviolis, rizotto au safran à la milanese, dinde rôtie, et bien sûr panettone... La crèche est bien en place, et les enfants ont trouvé au pied de l'arbre leurs cadeaux de Noël.

En Toscane au contraire, si l'on célèbre évidemment Noël avec la crèche, l'Arbre et la bûche, les cadeaux n'apparaissent qu'au 6 janvier, après le passage de la Befana, vieille femme au nez et au menton crochus, qui descend dans la cheminée. Ayant refusé d'accompagner les Rois mages, elle erre éternellement à la recherche de l'enfant Jésus. Aussi à cette époque se penche-t-elle au-dessus du lit des enfants sages, pour qui elle dépose cadeaux et friandises... Les enfants méchants ne trouveront que des morceaux de charbon ! En Italie centrale et en Italie du Sud, les crèches vivantes perpétuent la tradition de saint François d'Assise.

Partout un repas de Noël, mais aucune uniformité, pas de tradition dessinée nettement pour toute l'Italie, à l'exception de l'obligatoire « panettone ». C'est le gâteau de Noël, sorte de brioche cylindrique, qui peut atteindre des proportions impressionnantes, jusqu'à 35 cm de haut, que l'on s'offre, s'envoie, et s'il n'est pas fait à la maison, il aura été choisi chez le pâtissier renommé pour cela. Pas de Noël sans panettone... A Venise, c'est un cousin germain du panettone qui est offert : le pandoro, couvert de sucre cristallisé, tout blanc, qui est en fait une spécialité de Vérone.

Menu du 24 décembre.
Dîner « Maigre »

Spaghetti ou Fettucine ou Linguine avec fruits de mer (palourdes) ; (sauce : tomate, ail, persil, huile d'olive, sel et poivre).
Anguilles grillées.
Salade verte.
Panettone.
Fruits frais et secs.

Menu du 25 décembre.
Déjeuner.

Consommé aux cappelletti.
Dinde farcie.
Salade.
Fromages
Gâteaux traditionnels. (Cortellate, Bocconotti, Torrone, Panzerottini.)
Fruits frais et secs.

Capitone arrosto *(Anguille grillée au four)*

Pour 6 personnes

1 kg d'anguilles
1 petit verre d'huile d'olive
1/2 verre de vinaigre
Quelques feuilles de laurier
Sel et poivre
100 g de chapelure.

Préparation. Enlever la peau des anguilles. Les couper en morceaux de 5 à 6 cm. Rincer abondamment et essuyer. Laisser mariner 2 heures les morceaux d'anguilles dans une terrine où on aura mis l'huile, le laurier, le vinaigre, le sel, le poivre et une poignée de chapelure. Mélanger de temps à autre avec une cuillère en bois. Enfiler les morceaux d'anguilles sur une broche en alternant avec des feuilles de laurier. Aux extrémités de la broche, mettre un morceau de pain pour maintenir le tout serré pendant la cuisson. Disposer la broche sur le grill et mettre au four.

Pendant la cuisson, au fur et à mesure que la graisse sort, saupoudrer de chapelure (2 à 3 fois à intervalles réguliers). Quand l'anguille a pris une belle couleur dorée, la sortir du four et disposer les morceaux dans un plat en décorant avec des quartiers de citron.

Servir très chaud.

Brodo con cappelletti *(Consommé avec une sorte de raviolis)*

Pour 6 personnes
Une tranche de jambon de pays
100 g de viande de porc
Une tranche de mortadelle
100 g de blanc de poulet ou de dinde
4 œufs
Sel, poivre, noix muscade
2 cuillerées à soupe de parmesan râpé
1 petit verre de Marsala (vin cuit)
300 g de farine
Bouillon.

Préparation de la farce. Hacher très finement le jambon, le porc, la mortadelle, le blanc de poulet crus.

Mettre la farce dans une terrine et ajouter un œuf, le parmesan râpé, le marsala, la noix muscade, le sel et le poivre.

Préparation de la pâte. Mélanger la farine avec trois œufs et un peu d'eau. Étaler au rouleau de façon à ce que la pâte devienne très fine et avant qu'elle sèche, découper des disques avec un verre (5 cm de diamètre environ). Disposer sur chaque rondelle une portion de farce grande comme une noisette.

Replier la rondelle sur elle-même en appuyant sur les extrémités avec le doigt, de façon à lui donner la forme d'un petit « chapeau ». Disposer les cappelletti sur un torchon saupoudré de farine. Préparer le bouillon (type « poule au pot »). Porter à ébullition. Jeter les cappelletti dans le bouillon en laissant bouillir doucement pendant 20 minutes.

Panettone

Pour 8 à 10 personnes

50 g de levure fraîche de boulanger
650 g de farine
1 cuillerée à café de sel
150 g de sucre en poudre
5 œufs
200 g de beurre
1 zeste de citron
150 g de raisins secs
100 g de cédrat confit
1 cuillerée à soupe d'huile.

Délayer la levure dans un demi-verre d'eau tiède. Mettre la farine, le sucre et le sel dans une grande terrine. Faire un puits et y verser la levure dissoute et les jaunes d'œufs. Travailler jusqu'à obtenir une pâte homogène. Ajouter le beurre coupé en petits morceaux, le zeste de citron finement râpé, le cédrat coupé en petits dés et les raisins secs. Bien mélanger le tout.

Rouler en boule et laisser doubler de volume dans la terrine couverte d'un torchon, pendant au moins 6 heures.

Préparer ensuite la pâte en lui donnant la forme d'un gros cylindre allongé en le plaçant dans un moule à brioche ou à baba huilé, ou le rouler dans un carton tapissé de papier sulfurisé huilé. Laisser encore lever pendant 1 heure.

Faire une croix sur la surface à l'air et mettre à four chaud (7 à 8 au thermostat) pendant 45 minutes environ. Démouler aussitôt sur une grille et laisser rassir au moins 12 heures.

Ce gâteau se conserve plusieurs jours enveloppé dans du papier sulfurisé ou d'aluminium.

Quant aux autres plats de Noël, on cite le « capitone », poisson cuit au court-bouillon pendant la vigile de Noël à Naples, le « zampone » ailleurs (pied de porc).

Le Noël des enfants

C'EST dans combien de jours encore ? »... « Plus que douze, plus que six... ». Décembre est un mois de promesses, où l'impatience grandit. Alors, par une fin d'après-midi paisible, pourquoi ne pas retrouver les traditions des provinces de France, de l'Alsace à la Provence, ou surtout des pays germaniques, en préparant les gâteaux aux formes dessinées par le temps, qui se conservent longtemps dans une boîte en fer, se croquent, ou décorent à la danoise le sapin de Noël.

Les gâteaux de l'Avent

En France, les gâteaux de Noël à forme caractéristique ont tendance à disparaître, mais au début du siècle chaque région avait son gâteau ; « coigneux » dans les Vosges, que les parrains et marraines offraient à leur filleul le jour de Noël, ou « quégnolles » dans les Flandres, un gâteau allongé sur lequel on posait un jésus de sucre, ou « aguignettes » en Normandie. Le gâteau était un cadeau d'étrennes.

C'est en Allemagne et dans les pays du Nord que cette tradition est restée la plus vivace, sous une double forme, les gâteaux à pâte sèche, et les gâteaux de pain d'épice.

Les gâteaux secs de l'Avent ont souvent une forme particulière, liée à des cultes très anciens. Des gâteaux, faits de farine et de beurre, ronds, ou en forme de couronne avec quatre raies, imitent l'ancienne roue, le *Jul,* que les Germains faisaient tourner sur elle-même jusqu'à ce qu'elle s'enflamme, au cours de la fête du solstice d'hiver. Elle représentait pour eux la rotation de l'année solaire. Aux flammes de ce *Jul,* on faisait rôtir le sanglier du festin solennel, et on allumait les torches dont on parait le sapin autour duquel se formaient les rondes joyeuses qui devaient fêter le retour du soleil. Et le *bretzel,* par exemple, ne fait que reproduire deux roues posées l'une sur l'autre, signe du renouveau saisonnier. Des formes plus récentes sont apparues aussi : étoiles, sapins ou angelots...

Quant au pain d'épice, c'est le gâteau principal de Noël, sous toutes les formes, depuis Adam et Eve mangeant au Paradis la pomme interdite, jusqu'au petit cochon, en passant par la maison de la sorcière de Hansel et Gretel. Mais en Hollande, en Belgique, dans le nord et l'est de la France, la coutume du pain d'épice est surtout liée à saint Nicolas, qui voyage dans le ciel avec son âne et apporte des cadeaux aux enfants sages, dans la nuit du 5 au 6 décembre. Une légende voulait que si le ciel rougeoyait au coucher du soleil, c'était que saint Nicolas cuisait ses gâteaux et n'oubliait pas les enfants méritants.

Les pains d'épice avaient la forme grossière du saint, soit seul, soit monté sur son âne. Quand j'étais enfant, dans le nord de la France, cette tradition existait toujours, mais le pain d'épice avait une forme oblongue, sur laquelle était collé un chromo représentant le saint, avec sa mitre.

Sablés ou pain d'épice, maison de sorcière ou gâteau étoile, voilà une bien jolie façon de préparer la fête, de renouer avec des traditions endormies, et de créer au fil des années une tradition familiale.

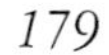

Les navettes provençales

750 g de farine
375 g de sucre en poudre
65 g de beurre
le zeste de 2 citrons non traités (râpé)
3 œufs
1 dl d'eau
1 œuf pour dorer
1 pincée de sel.

Verser la farine sur une planche à pâtisserie, former un puits, verser la pincée de sel, le sucre en poudre, le beurre ramolli, le zeste des citrons finement râpé, les œufs entiers et l'eau. Travailler le tout jusqu'à obtenir une pâte homogène et lisse.

Couper la pâte en quatre ou cinq morceaux. Sur une planche farinée, rouler les morceaux de pâte en forme de boudins, et couper ces boudins en tronçons. Rouler ceux-ci à la main en petits rouleaux longs, minces et pointus. Les placer sur une plaque à four beurrée, à distance les uns des autres, pour qu'ils puissent gonfler sans se coller. Avec un petit couteau, tracer une incision longitudinale au centre de chaque navette.

Les laisser reposer 2 heures dans un endroit sec, sans courant d'air. Puis dorer les navettes au pinceau, trempé dans du jaune d'œuf étendu d'eau, et les mettre à cuire dans un four préchauffé, à chaleur moyenne pendant environ 30 minutes. Les navettes doivent être dorées et bien croquantes. Les faire sécher et refroidir avant de les enfermer dans une boîte métallique où elles se conservent longtemps.

Les bretzels sucrés

Pour une livre de gâteaux :

300 g de farine
250 g de sucre en poudre
3 cuillerées à soupe de grains d'anis ou de cumin macérés dans une cuillerée à soupe d'anisette ou de pastis
4 œufs.
Pour le glaçage :
150 g de sucre glace délayé dans une cuillerée à soupe d'anisette ou de pastis.

A préparer la veille, au moins, et en deux fois.

Premier temps :

Monter à la main ou au fouet électrique les œufs et le sucre jusqu'au ruban. Ajouter en pluie la farine et l'anis macéré, amalgamer. Faire plusieurs boudins de pâte de l'épaisseur d'un doigt et d'une longueur de 20 cm. Mouiller légèrement le milieu et y rabattre les extrémités en les croisant. Laisser reposer au moins 2 heures dans un endroit frais et sec, sur une plaque beurrée et farinée.

Deuxième temps : cuisson et glaçage.

Deux heures plus tard : allumer le four à chaleur moyenne 6 au thermostat. Faire cuire les gâteaux un quart d'heure. Les sortir du four et éteindre celui-ci. Glacer rapidement au pinceau les bretzels et les remettre au four éteint pendant 10 minutes. Ils ne doivent pas se colorer. Une fois froids, les ranger dans une boîte en fer dans du papier.

Les bugnes arlésiennes

500 g de farine
150 g de sucre en poudre
6 œufs
1 paquet de levure en poudre
1 verre à bordeaux de rhum
1 pincée de sel
de l'eau.

Cette petite pâtisserie, particulière au temps de Noël, est très ancienne, et Jean-Noël Escudier assure qu'elle est originaire du pays d'Arles, d'où elle aurait remonté le Rhône pour gagner le Dauphiné par Valence, puis, par Lyon, elle se serait répandue dans la Bresse et la Franche-Comté, si bien que toutes ces provinces la revendiquent comme une de leurs spécialités :

Mettre en tas la farine sur la planche à pâtisserie, creuser un trou, y verser le sucre, le sel, les œufs entiers, la levure et le verre de rhum. Pétrir la pâte en ajoutant peu à peu assez d'eau pour la rendre bien lisse mais assez consistante.

Laisser reposer cette pâte une demi-heure, recouverte d'une serviette. Faire alors des boulettes de la dimension d'un petit œuf, les aplatir au rouleau en leur donnant une forme allongée ovale, d'une épaisseur très mince. Les ajourer transversalement de trois traits sans aller jusqu'au bord.

Les plonger dans une friture d'huile brûlante, les retourner, et quand elles sont dorées des deux côtés, les égoutter et les dresser sur un plat, saupoudrées de sucre en poudre.

On peut donner d'autres formes à cette pâtisserie : la découper à la roulette en rubans larges de 2 doigts ou lui donner encore, pour amuser les enfants, la forme de bonshommes ou d'animaux. Sous ces divers aspects la pâtisserie prend alors le nom de rubans, merveilles, ganses, oreillettes.

Placées dans des boîtes en fer-blanc hermétiques, les gâteaux se conservent plusieurs jours, aussi les fait-on volontiers en assez grande quantité. Selon les régions ils se préparent avant la Noël ou au moment du Carnaval.

Les croquets bourguignons

150 g de sucre en poudre
150 g de farine
150 g d'amandes concassées
3 œufs
1 cuillerée à café de vanille en poudre.

Travailler dans une terrine les œufs entiers et le sucre, ajouter la cuillerée de vanille et peu à peu les amandes concassées. Verser progressivement la farine en travaillant la pâte à la spatule. Beurrer la tôle du four, étaler la pâte. Faire chauffer le four au thermostat 7 et cuire pendant 35 à 40 mn. A la sortie du four, découper la pâte cuite en carrés, losanges, ou rectangles. Laisser refroidir. Ne les ranger que lorsqu'ils sont bien secs.

Le Cougnou ou la brioche de l'Enfant Jésus

En Belgique et dans le nord de la France, on sert traditionnellement cette brioche au retour de la messe de minuit ou le matin de Noël. Il y a une vingtaine d'années, au cours des fêtes d'école précédant Noël, chaque enfant repartait chez lui, tenant au creux de la main une mandarine, un petit présent et le petit pain brioché en forme de jésus. A la maison, pour accompagner la brioche, on sortait un pot de confiture de groseilles, qui avait été gardé spécialement. Cette coutume est toujours vivace.

Pour 8 personnes

25 g de levure fraîche de boulanger
1/4 de litre de lait
2 œufs
2 cuillerées à soupe de sucre
1 pincée de sel
500 g de farine
75 g de beurre
1 œuf pour dorer.

Délayer la levure dans le lait tiédi. Ajouter les œufs entiers, le sucre et le sel. Bien travailler le tout et ajouter peu à peu la farine tamisée et le beurre ramolli. Bien pétrir cette pâte, la rouler en boule et la laisser lever dans un endroit tiède pendant deux à trois heures.

Façonner alors la pâte sur une plaque beurrée en formant une grosse boule allongée, terminée par deux boules plus petites, qui représentent la tête et les pieds de l'enfançon... Dorer le tout à l'œuf battu et laisser à nouveau reposer un peu. Faire cuire à four chaud pendant 30 mn.

Joyeux Noël, *Viggo Johansen, 1891, Danemark.*

Pour 8 personnes

250 g de pâte à pain de boulanger
100 g de poires séchées
100 g de pruneaux secs
100 g de figues sèches
50 g de noisettes
50 g de cerneaux de noix
50 g d'amandes émondées
25 g d'écorce d'orange confite
2 clous de girofle écrasés
1 pincée de cannelle en poudre
1 petit verre de kirsch
1 zeste de citron râpé
1 jaune d'œuf
du sucre glace.

En Alsace, le Birewecke

Cette fois il ne s'agit pas d'une brioche, mais d'un pain truffé de fruits secs. On le partageait au retour de la messe de minuit, mais on le sert maintenant au petit déjeuner de Noël.

Faire tremper la veille les poires et les pruneaux. Le lendemain, faire tremper un quart d'heure les raisins secs dans l'eau tiède. Pendant ce temps, hacher grossièrement tous les fruits secs et les mettre dans un saladier avec le kirsch, la cannelle, les clous de girofle écrasés, l'orange confite et le zeste de citron. Ajouter les raisins secs. Bien mélanger. Incorporer cette préparation à la pâte à pain en travaillant avec les mains. Former un ou deux pains allongés et les disposer dans une tourtière beurrée. Laisser reposer 30 mn dans un endroit tiède, en recouvrant la pâte d'un torchon. Une fois la pâte reposée, badigeonner le dessus des pains au jaune d'œuf. Allumer le four une dizaine de minutes à l'avance, thermostat 7, et faire cuire pendant une bonne demi-heure. Servir de préférence tiède, après avoir saupoudré de sucre glace.

Pour une maison d'une quinzaine de centimètres de hauteur :

La pâte :

900 g de farine
225 g de sucre
2,5 dl de miel liquide
225 g de beurre
2 œufs
4 cuillerées et demie à café de cannelle en poudre
3 cuillerées à café de bicarbonate de soude ou 5 de levure chimique
1 cuillerée 1/2 à café de gingembre
1 cuillerée à café de girofle en poudre.

Pour le glaçage :

480 g de sucre glace
2 blancs d'œufs
1/2 citron.

La maison de la sorcière

« Vers midi, Hansel et Gretel aperçurent sur une branche un bel oiseau blanc comme neige, et il chantait si joliment qu'ils s'arrêtèrent pour l'écouter. Son chant fini, l'oiseau ouvrit ses ailes et voleta devant eux, et ils le suivirent jusqu'auprès d'une maisonnette, sur le toit de laquelle il alla se poser. En s'approchant de la maisonnette, Hansel et Gretel n'en crurent pas leurs yeux. C'était une maison comme seuls les enfants peuvent en voir dans leurs rêves ! Ses murs étaient de pain d'épice, son toit de biscuit, ses fenêtres de sucre candi !

« Sans perdre un instant Hansel courut croquer un bout de toit tandis que Gretel, sur son conseil, se perchait sur la pointe des pieds pour goûter la fenêtre. Alors une douce voix sortit de la maison :

Et je grignote, et je grignote
Qui grignote ma maison !

« Et c'est ainsi que Hansel et Gretel se retrouvèrent prisonniers de la sorcière... (*Contes* de Grimm)

Notre maison de sorcière n'aura pas de conséquences aussi funestes ; les seuls risques sont de voir disparaître subrepticement quelques barreaux de barrière, un pan de cheminée, ou un petit cochon...

La maison peut se faire en pain d'épice ou en pâte à biscuit. Cette dernière fabrication est la plus simple à réaliser.

Mettre le sucre, le miel et les épices dans une casserole. Porter à ébullition, laisser frémir quelques minutes. Hors du feu, ajouter le bicarbonate ou la levure, mélanger jusqu'à ce que la préparation devienne mousseuse. Verser le tout dans une terrine. Incorporer le beurre en morceaux en fouettant jusqu'à ce qu'il soit fondu. Quand le mélange est froid, ajouter les œufs, puis la farine petit à petit. Travailler la pâte à la main sur la table jusqu'à ce qu'elle soit souple mais consistante.

Étaler la pâte au rouleau sur une épaisseur de 3 mm. Poser les patrons des éléments de la maison sur la pâte et découper les contours extérieurs au couteau. Garder une partie de la pâte pour le socle et, dans le reste, découper sapin, animaux, barrière, au gré de l'inspiration.

Poser tous les éléments sur du papier sulfurisé, et mettre directement sur la plaque du four. Faire cuire à four chaud pendant 8 mn. Laisser refroidir. Opérer si nécessaire en plusieurs fois.

Décorer les différentes pièces, quand elles sont froides, avec le glaçage.

Mettre le sucre dans une terrine, ajouter les blancs d'œufs et le jus de citron. Monter en neige jusqu'à obtenir une masse souple et brillante. Décorer la maison avec une poche à douille. Faire un caramel et coller les murs de la maison sur le socle avec le caramel, puis le toit, la cheminée et la porte. Coller ensuite les autres éléments sur le socle autour de la maison.

La galette des Rois

Les fêtes sont terminées, l'école a repris, mais il reste une bienheureuse occasion de célébrer encore cette période de Noël. La galette, la découverte de la fève, la couronne, le choix du roi et de la reine... Tradition fort ancienne, qui remonte à l'époque où la fête des Rois était en France beaucoup plus importante que celle de Noël, et qui a traversé la Révolution en se métamorphosant en fête de l'Égalité !

Le partage de la galette se faisait en autant de parts que d'invités plus une, la part à Dieu, ou la part de l'absent. En Bretagne, dans le Finistère, on la gardait précieusement. Si la part de l'absent se conservait bien, cela signifiait que sa santé était bonne ; si le gâteau montrait des signes de moisissure, l'absent était malade ; si la part de gâteau jaunissait, c'était un très mauvais présage. Dans d'autres régions, la part à Dieu, ou à la Vierge, était réservée à des groupes de quêteurs, jeunes gens déguisés en Rois mages, dont l'un avait la figure barbouillée de suie. S'ils obtenaient une part de gâteau, ils chantaient quelques vers qui avaient pour but d'attirer sur la maison et les champs la protection des trois Rois. Dans le cas contraire, ils s'éloignaient en proférant menaces et malédictions...

Une fois la galette coupée, le plus jeune enfant de la maison se cache sous la table. C'est à lui de décider de l'attribution des parts. Celui qui trouve la fève est désigné roi ou reine, et choisit son roi ou sa reine. Une coutume voulait qu'on le désigne en jetant la fève dans le verre de celui ou celle qui avait été choisi. Personne ne doit boire avant le roi, et tous alors de s'écrier : « Le roi boit, le roi boit. » Gare à celui qui oubliait de pousser le cri traditionnel, il était condamné à avoir le visage et les mains barbouillés de suie...

Après le partage de la galette, les convives se déguisaient tels les fous du Moyen Age. Le roi travesti en bouffon, couronné, portant une chandelle bariolée, emmenait sa petite troupe quêter dans le village. Être roi ce jour-là porte bonheur pour le reste de l'année, et trouver la fève est signe de fécondité.

Du XVIIe siècle à 1910 environ, l'usage voulait que les boulangers offrent gratuitement à leurs clients la galette des Rois. Ce n'est plus le cas, hélas, et il faut se résoudre à acheter ou à prévoir quelques rouleaux de pâte feuilletée surgelée dans le réfrigérateur...

Galette fourrée à la crème d'amandes

Cette recette est une amélioration de la galette achetée chez le pâtissier, galette feuilletée, souvent bien sèche.

Couper la galette horizontalement, avec précaution, pour ne pas la briser. Dans une casserole, mettre le sucre et l'œuf entier. Sur feu extrêmement doux, faire fondre le sucre sans faire coaguler l'œuf. Ensuite, hors du feu, ajouter la poudre d'amandes, bien mélanger, incorporer le rhum, étaler sur la galette, mettre la fève.

Reconstituer la galette. Avant de servir, passer 10 mn à four doux.

Pour 6 personnes

1 galette feuilletée de 24 cm de diamètre
5 cuillerées à soupe de sucre
1 œuf
6 cuillerées à soupe de poudre d'amandes
2 cuillerées à soupe de rhum.

Galette des Rois aux pralines

Allumer le four, assez chaud, thermostat 7.

Étaler la pâte feuilletée sur 3 mm d'épaisseur. Avec la moitié de cette pâte, garnir un moule à tarte beurré, de 22 cm de diamètre. Enfoncer la fève dans la pâte.

Préparer la crème aux pralines. En garder une douzaine pour la décoration, passer les autres au four doux : elles deviennent tendres et faciles à couper en petits morceaux (une dizaine de minutes au four).

Casser l'œuf dans un bol (garder un peu du jaune pour dorer la galette), ajouter le sucre, le rhum, les amandes en poudre et les pralines en morceaux. Mélanger.

Remplir le fond de tarte avec cette crème. Recouvrir avec l'autre moitié de pâte. Dessiner un motif sur le dessus de la galette, en faisant des entailles, ce qui permet à la pâte de mieux gonfler.

Passer au pinceau un peu de jaune d'œuf sur le dessus de la galette. Faire cuire à four assez chaud pendant une trentaine de minutes environ.

Laisser refroidir avant de démouler, et décorer le dessus avec les pralines réservées.

Pour 6 personnes

300 g de pâte feuilletée achetée toute faite, ou surgelée (dans ce cas, prévoir le temps de décongélation)
100 g de pralines roses
1 œuf entier
1 cuillerée à soupe de rhum
50 g d'amandes en poudre
30 g de sucre en poudre
et... une fève.

Le Gâteau des Rois, *J.-B. Greuze, 1774.*

Galette des Rois en vraie pâte à galette

200 g de farine
125 g de beurre
1 dl d'eau
1 bonne pincée de sel.

Former une fontaine avec la farine, mettre au milieu le sel, le beurre, l'eau. Pétrir le tout ensemble, sans trop insister, même si le mélange du beurre n'est pas complet. Rouler la pâte ainsi obtenue en boule et la laisser reposer au frais pendant deux heures. Après quoi lui donner quatre tours : aplatir la pâte et la replier en trois sur elle-même, comme pour la pâte feuilletée. Après le deuxième tour, laisser reposer la pâte une vingtaine de minutes. Continuer les deux autres tours.

Puis allonger la pâte au rouleau pour faire une galette ronde de 1,5 cm d'épaisseur, glisser la fève. Dorer la galette à l'œuf battu, orner le dessus d'un quadrillage, et piquer le fond en plusieurs endroits afin que la pâte monte uniformément en cuisant.

Mettre alors à four chaud pendant 20 à 25 mn environ. Quelques minutes avant la fin de la cuisson, saupoudrer de sucre glace qui, en caramélisant, donnera un beau brillant doré.

Galette provençale

350 g de farine
140 g de sucre
140 g de beurre
14 g de levure de boulanger
4 cuillerées à soupe de lait
1 cuillerée à café de sel
6 œufs
1 jaune d'œuf pour dorer
1 zeste de citron non traité
100 g de sucre en morceaux concassé
fruits confits en petits morceaux pour la décoration.

Cette galette a la particularité de se présenter sous forme de couronne. La pâte se prépare la veille.

La veille : délayer la levure dans le lait tiède, avec une cuillerée à soupe de farine. Faire une fontaine avec le reste de la farine sur la planche à pâtisserie. Verser au milieu la levure mélangée au lait et à la farine. Recouvrir d'un peu de farine et placer dans un lieu tiède. Lorsque des bulles se forment à la surface, ramener peu à peu la farine vers le centre et pétrir à la main en ajoutant les œufs entiers un à un, le sel, le zeste de citron, le beurre ramolli et le sucre. Former une boule, la laisser reposer dans une terrine jusqu'au lendemain après l'avoir recouverte d'un linge.

Le lendemain : pétrir de nouveau la pâte, façonner une couronne, glisser la fève à l'intérieur et décorer le dessus de la couronne avec les morceaux de fruits confits et de sucre concassé. Laisser encore lever la couronne à l'entrée du four préchauffé, puis dorer à l'œuf et faire cuire 30 mn à four moyen.

Les douceurs

PÉCHÉ de gourmandise ou tendresse complice, on ne saurait trop le dire... Les soirées se prolongent, sans souci d'un lever matinal. Quelques journées à soi, dans l'intimité et la chaleur de la maison, à être ensemble, à sourire d'émotion devant les découvertes des tout-petits. Pourquoi ne pas prolonger ces moments privilégiés par de petits plaisirs, ces « plaisirs de la bouche », comme le disaient si joliment nos aïeux ? Plaisir de l'œil aussi devant les fruits brillants de givre, odorat chatouillé par des effluves de caramel et de chocolat, palais caressé par les truffes fondantes, pourquoi résister ?

Tout le monde se retrouve à la cuisine, petits et grands, pour un après-midi de chocolat, de sucre et de fruits, après-midi où s'échangent recettes, tours de main, et quelques secrets. Sans parler de la joie et de la fierté d'offrir, dans un joli paquet enrubanné, aux grands-parents, aux amis, ou à la maîtresse d'école, fruits déguisés ou petits fours aux marrons confectionnés à la maison.

Truffes au chocolat

Pour une vingtaine de truffes :

100 g de bon chocolat « fondant »
2 jaunes d'œufs
100 g de beurre frais extra-fin (Charente par exemple)
1 gousse de vanille
1/2 dl de crème fraîche
50 g de cacao non sucré, plus 30 g pour enrober les truffes
125 g de sucre glace.

La préparation des truffes doit toujours se faire plusieurs heures à l'avance.

Casser le chocolat en morceaux, ajouter une cuillerée d'eau et faire fondre à feu très doux. Quand le chocolat est bien ramolli, ajouter hors du feu le beurre et les jaunes d'œufs. Remuer énergiquement. Ajouter ensuite la crème fraîche, le sucre glace et le cacao. Ouvrir la gousse de vanille en deux à l'aide d'un couteau, retirer les petites graines que l'on mélange à la pâte. Mettre le tout au réfrigérateur jusqu'à ce que la pâte soit bien dure. Prendre alors dans la main la valeur d'une cuillerée à café de cette pâte, la façonner en boulettes, la laisser tomber dans une assiette contenant les 30 g de cacao, et tourner pour l'enrober de cacao.

Ces truffes se conservent au frais de quatre à cinq jours.

Truffes au chocolat à la crème fraîche

Pour une vingtaine de truffes :

250 g de chocolat noir fondant
20 cl de sucre glace (1 verre)
1 paquet de sucre vanillé
1,5 dl de crème fraîche épaisse
3 cuillerées à soupe de cacao non sucré (pour enrober les truffes)
2 cuillerées à soupe d'alcool (rhum, whisky, orange), ceci n'étant pas indispensable.

Casser le chocolat en petits morceaux. Ajouter un peu d'eau et faire fondre à feu très doux, jusqu'à obtenir une crème épaisse. Pendant ce temps mélanger le sucre glace et le sucre vanillé avec la crème fraîche. Ajouter ensuite à cette crème le chocolat fondu, pour obtenir une pâte bien lisse. Mettre au réfrigérateur plusieurs heures. Quand la pâte est bien dure, façonner les truffes en petites boulettes, et les enrober de cacao non sucré.

Ces truffes ne se conservent qu'un jour ou deux au réfrigérateur, au-delà la crème risquerait de s'aigrir.

Truffes à l'orange

Pour une vingtaine de truffes :

125 g de chocolat fondant
75 g de beurre frais
1 jaune d'œuf
1 à 2 cuillerées à soupe de sucre glace
1 cuillerée à soupe de liqueur d'orange
1 orange (pour le zeste)
2 à 3 cuillerées à soupe de cacao non sucré

Casser le chocolat en petits morceaux, ajouter une cuillerée à soupe d'eau, et faire fondre à feu très doux. Remuer jusqu'à obtenir une crème très lisse. Retirer la casserole du feu. Ajouter le beurre coupé en petits morceaux et incorporer le jaune d'œuf. Remuer sans arrêt et ajouter le sucre glace. Râper le zeste d'une orange non traitée et préalablement passée à l'eau et essuyée. Incorporer le zeste à la pâte, et ajouter la liqueur d'orange.

Laisser durcir au réfrigérateur quelques heures, puis façonner la pâte en truffes, les rouler dans le cacao.

Ces truffes peuvent se conserver de cinq à six jours au réfrigérateur.

Fruits fourrés à la pâte d'amandes

Pour fourrer environ 50 fruits : dattes, pruneaux, abricots secs, noix, etc. :

250 g de poudre d'amandes
250 g de sucre glace
3 noix de beurre
1 à 2 cuillerées à soupe de kirsch, rhum, ou de curaçao (facultatif)
colorants rouge ou vert, un peu de café soluble pour la couleur café (facultatif).
Pour le glaçage au caramel :
25 morceaux de sucre
2 cuillerées à soupes d'eau
1 cuillerée à soupe de vinaigre.

Sortir le beurre à l'avance du réfrigérateur. Travailler sucre glace et poudre d'amandes en ajoutant le beurre mou et l'alcool pour obtenir une pâte lisse et ferme. Ajouter quelques gouttes d'eau si elle semble trop dure, du sucre glace si elle est trop molle. Pour colorer la pâte, la diviser en autant de tas que de colorants. Mettre quelques gouttes de colorant dans chacun (le rouge étant très fort, une goutte suffit). Inciser les fruits, pruneaux, dattes, abricots, ôter le noyau, diviser les noix en cerneaux. Pour fourrer les fruits, rouler une petite noix de pâte entre les doigts, et la glisser dans le fruit, ou entre les deux demi-noix. Presser un peu pour faire tenir.

Les fruits fourrés seront plus séduisants encore nappés d'un glaçage.

Faire fondre le sucre dans une petite casserole avec l'eau et le vinaigre. Mettre à feu vif jusqu'à ce que le sirop soit au petit boulé (si l'on verse une goutte de sirop dans un verre d'eau, il doit former une petite boule). Tremper alors rapidement chaque fruit dans le sirop en le tenant avec une pince ou en le piquant au bout d'un petit bâton ou d'une aiguille à tricoter.

Il est possible aussi de fourrer les fruits avec de la pâte d'amandes préparée et colorée, que l'on trouve dans les rayons d'alimentation des magasins à grande surface.

Les fruits glacés

500 g de sucre cristallisé
2 dl d'eau et quelques gouttes de vinaigre.

Le secret du glaçage : mettre le sucre, l'eau et le vinaigre dans une casserole à fond épais. Bien nettoyer avec un pinceau l'intérieur de la casserole, un grain de sucre ferait cristalliser le sirop. Faire bouillir le sirop. Laisser épaissir pour obtenir :

1/ au bout de 20 secondes d'ébullition, *le petit filé :* il tombe de la cuillère en fil fin et court.

2/ 2 à 3 minutes plus tard, *le petit boulé :* si l'on verse une goutte de sirop dans un verre d'eau, elle forme une petite boule. Tremper alors dans le sirop les fruits déguisés, ou les badigeonner avec un pinceau. Le glaçage refroidira, durcira un peu, mais restera souple sous la dent.

3/ 4 minutes plus tard encore : *le grand cassé.* Retirer la casserole du feu, faire tomber quelques gouttes dans un verre d'eau glacée. Sortir le morceau de sirop solidifié. S'il casse net, l'utiliser tout de suite avec une fourchette pour faire des fils.

4/ Au-delà, le sirop se colore et devient caramel. Utiliser très vite, et surtout pour décorer des entremets.

Clémentines glacées

Pour 30 à 36 tranches :

4 clémentines
150 g de sucre
1 dl d'eau
quelques gouttes de vinaigre.

Peler les clémentines, retirer les peaux blanches en prenant bien soin de ne pas abîmer la peau des quartiers, qui doit être absolument intacte. Détacher les quartiers et les faire dessécher sur une grille pendant une à deux heures. Pour plonger facilement les quartiers de clémentines dans le sirop de sucre, passer à l'aide d'une aiguille un morceau de fil dans l'arête médiane de chaque quartier : elle est sèche et peut se traverser sans faire couler le jus. Laisser de part et d'autre de l'arête un morceau de fil d'une dizaine de centimètres. Préparer de la sorte tous les quartiers de clémentines.

Dans une petite casserole, préparer un sirop au grand cassé : mettre le sucre, l'eau, quelques gouttes de vinaigre, et faire cuire le sirop, sans jamais le remuer. Une goutte de sirop jetée dans un verre d'eau froide cristallise immédiatement avec un bruit sec. Travailler alors très vite : plonger un quartier des deux côtés dans le sirop, juste pour l'enrober. Le poser ensuite verticalement sur un marbre huilé, ou une plaque de four huilée. Glacer ainsi tous les quartiers de clémentines. Laisser refroidir, ôter les fils. Couper aux ciseaux les gouttes de caramel qui dépassent.

Les clémentines glacées sont à consommer le jour même.

Pour glacer des quartiers d'orange, ou des grains de raisins, procéder de la même façon.

Fruits déguisés

250 g de chocolat de ménage ou pâtissier
3 cuillerées d'eau
1 cuillerée à soupe de beurre fin.

Les fruits disparaissent sous une nappe de chocolat ou de fondant alimentaire coloré ou non.

Le nappage au chocolat :

Faire fondre le chocolat au bain-marie, avec l'eau, puis ajouter le beurre. A utiliser tout de suite.

Le nappage au fondant : le fondant peut se trouver tout préparé dans des magasins spécialisés pour les produits de pâtisserie. Mais voici comment le faire à la maison :

Faire fondre le sucre semoule jusqu'au stade du petit boulé. Verser le sirop sur un marbre mouillé (pour l'empêcher de coller), le travailler avec une spatule en le ramenant toujours vers le milieu. Il va devenir opaque et épais. Le pétrir à la main comme une pâte jusqu'à ce qu'il soit blanc, souple et ferme.

Le laisser reposer une heure enveloppé dans du papier d'aluminium.

Puis, préparer un bain-marie à feu doux, mettre un peu de fondant dans le récipient et ajouter soit un peu d'eau froide soit (pour plus de brillance) une cuillerée à soupe de glucose. Remuer jusqu'à la consistance d'une crème très épaisse. On peut ajouter quelques gouttes de colorant alimentaire.

500 g de sucre semoule
3 dl d'eau.

Écorces d'oranges confites au chocolat

Faire fondre le chocolat coupé en petits quartiers, avec une cuillerée à soupe d'eau. Couper les écorces d'oranges dans le sens de la longueur en aiguillettes de 2 mm de largeur environ. Piquer les aiguillettes avec une fourchette et les tremper dans le chocolat fondu chaud. Poser les aiguillettes enrobées sur un morceau de papier d'aluminium huilé, et laisser refroidir.

Ces écorces d'oranges confites se conservent facilement de huit à dix jours.

200 g d'écorces d'oranges confites
125 g de chocolat fondant ou amer.

Caissettes de Montmorency

Râper finement les 200 g de chocolat. Le faire fondre au bain-marie jusqu'à ce qu'il devienne bien lisse. Déposer une demi-cuillerée à café de chocolat fondu dans une caissette. Étaler le chocolat afin qu'il recouvre complètement l'intérieur de la caissette. Procéder de même pour les autres caissettes (19). Placer ces caissettes de chocolat au réfrigérateur pendant une bonne demi-heure.

Sortir les 20 caissettes du réfrigérateur et ôter délicatement la caissette de papier en la déchirant. Poser une cerise à l'eau-de-vie dans le fond de chaque godet de chocolat. Faire fondre les 80 g de chocolat dans très peu d'eau. Hors du feu, ajouter le beurre. Mélanger pour obtenir une pâte lisse qui épaissit en refroidissant. A ce moment, mettre la pâte dans une poche à douille cannelée. Recouvrir avec cette crème au chocolat les cerises à l'eau-de-vie. Mettre dans les 20 caissettes restantes et placer au réfrigérateur.

Pour 20 caissettes :

200 g de chocolat de couverture, ou fondant
80 g de chocolat (pour la couverture des cerises)
40 g de beurre
2 cuillerées à soupe d'eau
20 cerises à l'eau-de-vie
40 caissettes de papier n° 1 ou 2.

Figues fourrées nappées de chocolat

Ouvrir les figues en deux sans les séparer totalement. Les fourrer d'une petite boule de pâte d'amandes. Faire fondre le chocolat au bain-marie jusqu'à obtenir une pâte lisse. Ajouter éventuellement une à deux noisettes de beurre et deux cuillerées de cognac. Étaler les figues sur une grille et les napper de chocolat. Laisser sécher toute une nuit.

18 figues sèches moelleuses
300 g de pâte d'amandes
250 g de chocolat pâtissier.

Cerises déguisées

Égoutter les cerises (en prenant soin de ne pas retirer les queues) de l'alcool dans lequel elles sont conservées. Les faire sécher sur une grille sans qu'elles se touchent, pendant quelques heures. Placer le fondant sur feu très doux dans une petite casserole. Ajouter une cuillerée d'alcool et le colorant, remuer le tout pour le diluer. Le fondant devient, en chauffant, très fluide. Ne pas chauffer au-delà de 40°/45 °C. Si le fondant n'est pas encore assez fluide, ajouter une autre cuillerée d'alcool. Retirer du feu. Saisir une à une chaque cerise par la queue, la plonger dans le fondant pour l'enrober entièrement. Faire tomber la dernière goutte de fondant dans la casserole, sans précipitation, et déposer la cerise sur une surface saupoudrée de sucre glace. Quand le fondant est complètement sec et froid, recouper la queue sur un centimètre. Tenir au sec jusqu'au moment de servir.

Les cerises déguisées se conservent environ une journée.

Pour 40 à 50 cerises :

250 g de fondant
3 ou 4 gouttes de colorant rose alimentaire
1 à 2 cuillerées d'eau-de-vie de cerises.

Les quartiers d'oranges glacés de fondant

Éplucher les oranges délicatement, enlever toutes les petites peaux blanches, séparer les quartiers. Ranger les quartiers sur une grille. Les laisser sécher une nuit. Faire tiédir le fondant au bain-marie jusqu'à ce qu'il devienne fluide, ajouter l'alcool à l'orange. Enrober les quartiers d'orange de fondant, soit en les trempant, soit en les arrosant. Les laisser sécher sur une surface saupoudrée de sucre glace.

Pour 5 à 6 oranges :

250 g de fondant
2 cuillerées d'alcool à l'orange
sucre glace.

Et pour clore ce chapitre douceurs, pourquoi ne pas remettre au goût du jour ces bonbons un peu oubliés : les caramels de notre enfance ?

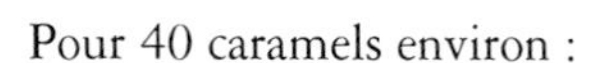

Caramels

Pour 40 caramels environ :

250 g de sucre en morceaux
250 g de crème fraîche
80 g de glucose ou de miel
un peu d'huile.
Parfum au choix :
1/2 gousse de vanille
ou 50 g de cacao en poudre
ou 1 cl d'extrait de café.

Prévoir une plaque huilée, marbre de préférence, et un cadre, de 20 cm sur 30 environ, pour couler la pâte.

Mettre dans une casserole le sucre, la crème fraîche, le glucose ou le miel, et le parfum choisi. Porter à ébullition, remuer constamment à l'aide d'une spatule en bois, tout en prenant soin de nettoyer les parois intérieures de la casserole avec un pinceau trempé dans l'eau froide (pour éviter la cristallisation du sucre). Laisser cuire « au boulé ». On s'aperçoit que cette cuisson est à point en plongeant le bout du doigt rapidement dans le sucre en cuisson, pour le remettre encore plus vite dans l'eau froide ; il doit se former une boule assez ferme. La cuisson a tendance à monter, veiller à ce qu'elle ne déborde pas. Lorsque la cuisson a atteint le degré souhaité, verser la pâte sur le marbre huilé, dans le cadre (qui peut être fait de quatre règles de bois ou de fer) huilé lui aussi à l'intérieur.

Bien laisser refroidir, puis découper au couteau les caramels en carrés de 1,5 ou 2 cm de côté. Les envelopper dans une feuille de cellophane (feuille à pots de confiture). Les laisser au frais pour qu'ils durcissent.

Les liqueurs et les fruits à l'alcool

Les enfants sont couchés, assez tôt pour dormir d'un bon sommeil avant la découverte des cadeaux ; la soirée a été douce et on a envie de la prolonger... Alors sortent des armoires les mélanges colorés et parfumés d'alcool et de fruits, préparés pendant l'été ou deux mois avant Noël, avec un raffinement de bénédictine, ou bénédictin, en prévision des soirs de fête.

Ratafia aux deux fruits rouges

3 kg de cerises
1 kg de framboises
1 l d'eau-de-vie
325 g de sucre
1 bâtonnet d'écorce de cannelle
1 gousse de vanille
5 grains de coriandre.

Équeuter et dénoyauter les cerises. Oter les queues des framboises. Écraser les fruits dans un grand saladier, puis verser pulpe et jus dans un grand pot de verre ou de grès. Laisser reposer 3 jours en remuant de temps à autre.

Puis passer le jus à travers une étamine, et presser la pulpe des fruits en tordant celle-ci pour exprimer tout le jus qu'elle peut contenir.

Mesurer les litres de jus de fruits et ajouter 1 litre de bonne eau-de-vie à chaque litre et demi de jus de fruits, puis le sucre, la cannelle, la vanille et les grains de coriandre.

Verser dans un grand bocal, boucher, puis laisser infuser une semaine, en remuant chaque jour la préparation avec une cuillère en bois, puis reboucher le bocal.

Après 8 jours de macération, filtrer et mettre en bouteilles. Les garder couchées dans un endroit frais, ou mieux une cave.

Ratafia aux quatre fruits

1 kg de cerises
1 kg de framboises
1 kg de groseilles
1/2 kg de mûres
sucre
eau-de-vie.

Oter les queues et les noyaux des cerises. Conserver la moitié des noyaux, les écraser, les ajouter aux fruits. Oter les pédoncules des framboises et des mûres, et les petites tiges des groseilles. Écraser tous les fruits, mettre les fruits écrasés dans une cruche en grès, laisser macérer 2 ou 3 jours. Verser ensuite dans un tamis fin reposant sur une terrine, pour en laisser égoutter le jus. Remettre le jus dans la cruche, avec son même volume d'eau-de-vie, ajouter 125 g de sucre par litre de ce mélange et un bâton de cannelle. Laisser infuser 30 à 40 jours ; puis tirer au clair pour mettre en bouteilles.

Liqueur à l'orange et aux grains de café

1 belle orange non traitée
40 grains de café
1 litre d'alcool pour fruits
40 morceaux de sucre.

Laver l'orange. Faire avec la pointe d'un couteau 40 entailles. Y introduire les 40 grains de café le plus profondément possible. Mettre cette orange dans un bocal de verre, d'une contenance de 1,5 l. Verser le litre d'alcool pour fruits, ajouter les 40 morceaux de sucre. Fermer hermétiquement le bocal. Laisser macérer 40 jours au moins. Filtrer et mettre en bouteilles.

Rhum parfumé à l'orange

4 belles oranges (non traitées)
1 l de vin blanc
100 g de sucre en poudre
1 verre à bordeaux de rhum.

Enlever le zeste des oranges et le faire macérer pendant au moins 15 jours dans un litre de vin blanc. Le passer alors à travers un filtre de papier blanc. Ajouter ensuite le sucre en poudre et le verre de rhum. Mettre en flacon bouché.

Les fruits secs au rhum

300 g de pruneaux secs
200 g d'abricots secs
200 g de figues sèches
50 g d'amandes
100 g de raisins de Smyrne
100 g de raisins de Corinthe
1 l de rhum
2 dl de sirop de sucre.

Cette recette se rapproche de celle du « saouve-chrestian », eau-de-vie dans laquelle on faisait macérer des grains de raisin, et qui était servie au cours du gros souper provençal, la veille de Noël.

Mettre à gonfler dans une terrine remplie d'eau les fruits secs. Les égoutter. Préparer le sirop en faisant fondre 200 g de sucre avec l'eau, amener à ébullition. Hors du feu, ajouter la moitié du litre de rhum. Laisser refroidir. Dans un bocal, disposer les fruits par couches successives, recouvrir du mélange sirop-rhum. Boucher hermétiquement. Au bout de 15 jours, le liquide ayant été partiellement absorbé par les fruits, remettre du rhum pour couvrir les fruits. Boucher. Consommer trois semaines plus tard.

La confiture de vieux garçon

500 g de fraises des bois, ou fraises des 4 saisons
500 g de cerises anglaises
250 g de framboises
250 g de groseilles
600 g de sucre en poudre
75 cl d'eau-de-vie de marc.

Équeuter les fruits. Les passer très rapidement à l'eau, pour éviter qu'ils ne la retiennent. Emplir un bocal en alternant une couche de fruits, une couche de sucre, en variant les fruits et jusqu'à épuisement. Laisser reposer au frais toute une nuit. Couvrir ensuite avec l'eau-de-vie. Boucher hermétiquement le bocal. Laisser reposer pendant au moins 2 mois.

Et pour clore ce chapitre, une recette du XVIIe siècle de vin aux fruits, qui porte le nom évocateur de

Vin des Dieux

2 gros citrons
2 pommes reinettes
750 g de sucre en poudre
1 l de vin de Bourgogne
6 clous de girofle
1 cuillerée à soupe d'eau de fleur d'oranger.

Peler et couper par tranches les citrons et les pommes. Les mettre dans un saladier avec le vin rouge et les autres ingrédients. Couvrir bien le tout et laisser ainsi pendant deux ou trois heures. Filtrer et mettre en bouteille. Ce vin peut se conserver.

Bibliographie

Amiot, F., *La Bible apocryphe,* Cerf-Fayard, 1975.

Benoit, F., Clas Jouve, H., *La Bourgogne insolite et gourmande,* Solar, 1976.

Blond, G., *Festins de tous les temps : histoire pittoresque de notre alimentation,* Fayard, 1976.

Brown, D., *La Cuisine scandinave,* Time Life International, 1974.

Mgr Chabot, *Noël dans l'histoire,* Pithiviers, 1907. *Noël dans les pays étrangers,* Pithiviers, 1908. *Les Crèches de Noël dans tous les pays,* Pithiviers, 1906. *La Nuit de Noël dans tous les pays,* Pithiviers, 1912.

Colin, D., « Le cycle de Noël », *Cahiers haut-marnais,* 54-55 (1958).

Cotereau, J., *Leur Noël et le nôtre. Origines païennes de la Noël chrétienne,* Herblay, aux éditions de l'Idée Libre, 1938.

De Benoist, A., *Fêter Noël,* Éditions Atlas, 1982.

Dumas, A., *Le Grand Dictionnaire de cuisine,* Cercle du livre précieux.

Heinecke, H., *Cadeaux de Noël en Allemagne, Gâteaux de Noël et de St-Sylvestre en Allemagne,* dans *Revue des traditions populaires,* II (décembre 1896).

Herte, R. de, *Petit Dictionnaire de Noël,* dans *Études et Recherches,* nº 4-5 (1977).

Isambert, F. A., *Du religieux au merveilleux dans la fête de Noël,* dans *Archives de sociologie des religions,* XXV (janvier 1968).

Janin, C., *Les Fêtes de Noël et des Innocents en Bourgogne,* Dijon, 1876.

Kaufman, *Le Grand Livre du champagne,* Éditions Minerva, Genève, 1974.

Laurentin, R., *Les Évangiles de l'enfance du Christ,* Desclée et Desclée de Brouwer, 1982.

Lepagnol, C., *Biographies du Père Noël,* Hachette, 1979.

Merlin, A., *Les Mangeurs de Rouergue,* Duculot, 1978.

Moulin, L., *L'Europe à table,* Elsevier-Sequoia, 1975.

Ripert, P., *Les Origines de la crèche provençale et des santons populaires,* Tacussel, Marseille, 1975.

Sansom, W., *Les Noëls du Monde,* traduit par R. Albeck, Arthaud, 1970.

Sittler, L., *Noël en Alsace,* Delta 2 000, Colmar-Ingersheim, 1979.

Vacandard, E., *Études de critique et d'histoire religieuse : les fêtes de Noël et de l'Épiphanie, les origines du culte des saints,* Lecoffre, 1912.

Van Gennep, A., *Manuel de folklore français contemporain — Cycle des douze jours : Noël,* Picard, 1958.

Vaultier, R., *Les Fêtes populaires à Paris,* Éditions du Myrte, Paris, 1946.

Vloberg, M., *Les Noëls de France,* Arthaud, 1934. *Les Fêtes de France — coutumes religieuses et populaires,* Arthaud, 1946.

Weiser, F., *Fêtes et coutumes chrétiennes,* Mame, 1952.

Zeller, R., *Noël,* Desclée de Brouwer, 1931.

Dossier « Noël » de la bibliothèque du musée des Arts et Traditions populaires à Paris.

Larousse ménager illustré, Paris, 1926.

Nouveau Larousse gastronomique, Paris, 1967.

Revue *Folklore,* 37 (1958).

Revue *Folklore paysan,* 7 (1938).

Chansons de Noël, arrangements de John L. Philipp, Éditions Coppelia, Paris, 1981.

Crédits photographiques

Couverture, 1ere et 4e pages : Tapabor-Kharbine
Bibl. des Arts Décos, Paris - Cl. E. R. L. : p. 54. Bibl. Nat., Paris - Cl. E. R. L. : p. 81. Bildarchiv Preussischer Kulturbesitz, Berlin : pp. 15, 64, 106, 125. Bildarchiver, Malmö, Suède : p. 171. British Library - Ph. E. Tweedy : p. 90. Bulloz : pp. 16, 18, 19, 20, 21, 34. Coll. Marie-Christine Audiard : p. 137. Edimedia/Snark : p. 181. Éditions Arthaud : pp. 24, 109. E. R. L. : pp. 32, 33, 42, 50, 59, 63, 66, 68, 81, 85, 86, 89, 97, 102, 103, 105, 115, 130, 133, 137, 146, 149, 152, 159, 160, 161, 163, 164, 166, 173, 174, 175, 177, 182, 185, 188, 189. E. T. Archives, Londres : pp. 39, 169 (Victoria et Albert Museum). Giraudon : pp. 65, 138 et 151 (Musée Condé, Chantilly), 184 (Musée Fabre à Montpellier). Hayaux de Tilly : pp. 4, 37, 71. Lebrun, Françoise : p. 108. Magnum Photos/E. Lessing : pp. 31, 40. Mansell Collection : p. 165. Meylan : pp. 1, 155, 156. Musée de la Ville de Strasbourg : pp. 56, 57, 59. Paris-Graphic : pp. 114, 135. Pignon-Ernest E. : p. 10. Rapho : pp. 27, 111 (Ph. Briolle), 143 (Ph. Goursat). Roger-Viollet : pp. 28, 62, 144, 147, 148, 157. Scala : p. 22. Sohier, Michel : p. 127. Tapabor-Kharbine : pp. 39, 98, 154. Thiebaut : p. 108. J.L. Charmet : pp. 35, 45, 48, 53, 61 et 117.

Dessins réalisés par Maurice Espérance.

INDEX

Décoration

Recettes

Cet ouvrage,
réalisé d'après la maquette
d'Alain Meylan
avec le concours de
Sabine Yi
pour la recherche iconographique,
a été composé par M.C.P.
et imprimé et relié
par Mame à Tours
pour les Éditions
Robert Laffont
à Paris.

N° d'éditeur : 5595 - N° d'imprimeur : 10096
Dépôt légal : décembre 1983
ISBN : 2-221-01113-9